사람, ☺
사람을
만나다

이 책은 한미약품(주)의 지원으로 제작되었습니다.

사람,
사람을
만나다

의
사
가

만
난

환
자

이
야
기

청년의사 편집국 엮음

청년의사

청년의사는 젊은 생각으로
건강한 삶에 필요한 책을 만듭니다.

매년 신문 청년의사 신년호 1면에는 한미수필문학상 대상작이 발표된다. 발표시기로 인해 '의료계의 신춘문예'로 불리기도 하는 한미수필문학상은 의사와 환자 사이의 신뢰를 회복하기 위해 한미약품(주)이 후원하고 신문 청년의사가 주최하는 행사로, 지난 2001년부터 시작됐다.

이 책은 한미수필문학상 3, 4, 5회에서 수상한 의사들의 글 서른여덟 편을 모은 것으로, 지난 2003년에 출간된 〈유진아 네가 태어나던 해에 아빠는 이런 젊은이를 보았단다〉에 이은 두 번째 모음집이다.

청년의사는 우리나라 의료의 건전한 발전과 환자 — 의사간의 신뢰회복을 원하는 젊은 의사들이 힘을 모아 지난 1992년에 창간한 신문이다. 월간지로 창간된 후 2000년부터 주간으로 발행되고 있다. 청년의사는 단순한 언론의 역할만을 하지 않는다. 의료계 내부의 개혁을 외치는 동시에 한국의사가요대전, 독서캠페인 등의 문화사업을 펼치고 청년슈바이처상과 청년슈바이처캠프 운영, 연강학술상 운영 등 다양한 분야의 사업을 진행해왔다.

한미수필문학상 역시 땅에 떨어진 환자 — 의사간의 신뢰 회복을 위한 노력의 하나다. 밖에서 볼 때는 의사와 환자 사이에 갈등과 불신이 가득한 것처럼 보이지만 이 글들 속에서는 의사와 환자가 하나의 운명체로, 함께 갈등하고 함께 병마와 싸운다. 글을 쓴 의사들은 명의나 성의가 아닌, 주위에서 흔히 보이는 평범한 의사다. 그러나 직위나 나이에 관계없이 똑같이 환자 때문에 고민하고 마음아파한다. 이 책은 이런 의사들의 진심을 그대로 담아내고 있다.

황동규 시인은 심사평을 통해 "출발 순간의 마음가짐을 일러 우리는 초발심이라 부르곤 한다. 한 가지 길에 뜻을 둔 이들이 그것을 매순간 떠올리지 않으면 어느새 다른 길에 접어들어 있는 자신을 발견하게 되는, 그러기에 그 길을 끝까지 가고자 하는 이들이 항상 마음속에 간직하고 있어야 하는 출발점에서의 다짐이 바로 그것이다"라고 밝힌 바 있다. 이 책을 통해 의사들은 면허증을 받아들던 순간의 다짐을 다시 한번 떠올리는 계기를, 환자들은 의사들의 진실한 자락을 엿볼 수 있는 기회를 맞이하길 바란다.

이 책에 이름이 실린 의사들을 비롯해 한미수필문학상 공모에 글을 보내준 500여명의 의사 여러분들께 감사드린다. 뿐만 아니라 '일상적으로 고통에 노출되는 직업'인 의사를 천직으로 알고 오늘도 묵묵히 일하고 있을 모든 의사들에게도 고맙다는 말을 전하고 싶다.

오랜 시간 심사를 맡아 주신 황동규, 정영문, 손정수 선생에게도 감사드린다. 한미수필문학상이 이렇게 꾸준히 지속되는 데 가장 큰 역할을 해준 한미약품(주) 관계자 여러분께도 감사의 말을 전하고 싶다.

2007. 2.

신문 청년의사 발행인 이왕준

목 차

2장 환자에게 배운다

3장　의사, 사람, 그리고 사회

1장
의사,
이렇게 일한다

희생 | 박지욱 |

Hic est locus ubi mors gaudet succurso vitae.

여기는 죽음이 기쁜 마음으로 삶에 도움을 주는 곳이다.

"오늘 저녁에 부검 있는데 와서 보실래요?"

"……예."

토요일 점심시간, 병원 식당에서 만난 병리학교실의 전공의가 지나가는 듯이 내게 물었을 때, 얼떨결에 그러리라는 답을 하고 말았다.

해부를 끔찍이도 싫어했던 나는, 개구리부터 시작한 무수히 많은 해부 실습을 요리조리 잘도 피할 수는 있었다. 남들은 그렇게 약한 비위로 어떻게 의사를 하느냐고 핀잔을 주곤 했지만 그래도 나는 의사가 되었고, 해부와 전혀 관련이 없는 신경과 의사가 되는 것으로 약한 비위를 맞추어줄 수 있었다. 하지만 내가 전공의 과정 1년을 남겨두고 A시에 있는 이 병원의 병리학교실에 파견을 나온 이유는 오로지 해부학을 익히기 위해서였다. 하지만 그것도 요행히 슬쩍슬쩍 잘 피해왔는데 오늘은 제대로 걸린 셈이다. 1대1로 진행되는 해부과정 중 내가 숨을 곳은 없어보였기에…….

점심 후 하릴없이 거리를 배회하다 극장 입구에 섰다. 포스터 앞을 이리저리 기웃거리다가, 안드레이 타르코프스키 감독의 영화 '희생(The sacrifice)'를 보러 들어갔다. 영화역사에 남을 기념비적인 예술영화라는 칭송이 자자했지만 내게는 너무 어렵고도 지루했다. 비몽사몽간에 영화를 보다가, 영화가 끝나자 잠도 달아났다. 돌아오는 길에 영화에서 말하고자 하는 희생의 의미는 무엇인지, 죽은 나무에 물을 주는 노인은 무얼 하는 건지를 생각해보았지만 도무지 갈피를 잡지도 못한 채 해부실의 문을 밀고 들어왔다. 해부실에는 그녀가 벌써 작업준비를 하고 있었다.

은백색으로 번득이는 스테인리스스틸 냉장고의 문이 열렸다. 그 속에서 흰 천으로 감싸진 무엇인가 들려나와, 싸늘한 스테인리스스틸 침대에 조심스레 뉘여졌다. 흰 천이 천천히 한 꺼풀씩 벗겨지자 만삭이 다 된 사내아이의 얼굴이 보였다.

냉기가 감도는 해부실이지만 차가운 냉장고보다는 따뜻했는지, 아이의 표정 없는 얼굴과, 뽀얀 솜털이 감싼 통통한 몸통에는 땀으로 착각할 것만 같은 이슬이 송골송골 맺혔다.

"시작할게요."

제일 먼저 몸무게를 잰다. 정육점에서 흔히 만났던 눈금저울의 사각형 계량대 위에 아기가 얹힌다. 계량대가 비좁아 보인다.

"3.2kg."

그녀는 녹음기에 녹음을 하며 해부를 시작했다.

"건강해 보이는 아동으로, O월O일O시경, 갑작스런 진통으로 본원 소아병원 응급실에 내원한 만삭 임부. 임신시간 중 특이사항 없으며……."

'아, 어제 죽었구나. 어쩌다가……, 뱃속에서 거의 다 컸는데…….'

본격적인 해부의 첫 작업은 아이의 윗입술을 자그만 집게로 '콱' 하고 물어 자르는 것이다. 피가 나지는 않지만 아이의 통통하고 귀여웠던 입술의 부드러운 살 한 조각이 '콱' 하고 물려 나간다. 입술에 상처가 난 아이의 얼굴에는 조금 전의 통통함과 평온함이 사라지고 서러움이 그 자리를 대신한다.

"입술은 왜?"

"염색체 검사하려고요. 입술에서 잘 나오거든요."

"네."

이윽고, 가슴부터 배 아래로 메스가 지나간다. 검붉은 피가 절개부를 따라 조금씩 흘러내리지만 생각보다 많이 흐르는 것은 아니다. 하얀 피부 아래 노란 지방층이 보이는 듯 하더니, '슥, 슥, 슥, 슥', 잠시 후 그 아래 장기들도 고스란히 형광등 불빛 아래로 드러난다.

작업에 몰두하고 있는 해부병리 의사는 외과 의사와 비슷해 보인다. 좀 다른 것이 있다면 외과의들은 팀을 이루어 이런 작업을 하는데 비해, 병리의사는 혼자서 일을 한다. 간호사도 보조 의사도 없다. 그냥 홀로, 아무도 없는 빈 방에서 죽은 이와 단둘이 일을 하는 것이다. 그러니 해부 당하는 이와 해부하는 이 모두 쓸쓸해 보인다.

해부의사는 봉합사를 거의 사용하지 않는다. 어른의 부검이라면 해부가 끝나고 잘 봉합한 후, 가족들에게 시신을 돌려주기도 한다. 하지만 이렇게 뱃속에서 죽어 나온 아이들은 가족들이 데려가려 하지 않기 때문에 이 방에 들어오면 봉합되는 일은 거의 없다. 몸의 모든 부분들이 하나하나 해체되어 각각의 장기는 따로따로 나뉘어 소독병 속으로 들어간다. 그래서 각각의 장기들마저 외로워진다.

"참! 선생님은 머리가 필요하시지요? 제가 드릴게요."

이마 위에서부터 절개가 시작된다. 전천문과 후천문 사이에 이빨이 단단한 가위가 들어가고, 손목으로 힘이 가해지자 '우지끈', 머리가 정중앙으로 갈라진다. 가위는 힘이 남는다는 듯 계속 입을 벌려 후두골을 타고 야금야금 내려간다. 두개골 뒤쪽이 완벽하게 두 조각이 되었다.

뇌를 잘 떼어내기 위해 젊은 병리의사는 섬세하게 신경들을 절제한다. 이

욱고 목과 연결된 뇌줄기에 가위질이 가해지자 머리 아니, 뇌는 자연스럽게 떨어져 나온다.

"선생님 쓰세요. 잘 장만해서 표본 슬라이드 만드세요."

나는 두 손으로 받아든 아기의 뇌를 가지고 한 귀퉁이에서 작업을 시작했다.

이상한 이야기지만 신경과 전공의인 나는 내가 주된 대상으로 하는 질병의 실체를 거의 보지 못한 채 환자를 치료해왔다. 뇌출혈, 뇌경색, 간질, 뇌종양, 기생충. 모두 시티(CT)나 엠알아이(MRI)라는 사진들을 통해서만 봐왔기 때문이다. 사진 속의 뇌는 제 빛깔을 잃고 모두 흑백이었다. 게다가 예리하게 잘려진 단면들의 모습이었다. 한번도 온전한 덩어리로 된 인간의 뇌를 의사가 되어서는 본 적이 없었다. 이렇게 이 병원으로 파견을 나온 이유는 생생한 뇌 표본을 얻고, 이것을 이용해 평면적이면서도 무채색으로만 보이는 뇌의 제 모습과 제 빛깔과 감촉을 익히기 위해서다. 하지만 오랜 시간 그림자에 너무 익숙한 탓에 진짜 뇌가 너무 낯설게만 보인다.

밤늦도록 뇌 조직을 잘랐다. 엠알아이(MRI)처럼 가로로, 세로로……. 이리저리 자르다보니 내가 두 손으로 보듬었던 생소한 뇌도 어느새 사진으로 봐왔던 익숙한 모양으로 해체되고 말았다.

'머리'에 집중하는 동안 저쪽 테이블은 보지 않으려 노력했다. 오늘은 어째 이 젊은 병리학자의 얼굴이 어두워 보인다. 토요일 밤이라서 그런가?

어느새 작업이 다 끝났다.

"선생님 이제 가시죠?"

"네."

"근데 오늘 저 맥주 한잔 사 주세요."

"……?"

"저 '녀석' 말예요……. 제 조카거든요. 하나밖에 없는, 아니 아직 세상에 존재하지도 못한 제 조카랍니다."

밤공기, 아직 봄이 멀어 유난히 차가운 늦겨울 공기가 병원 광장을 돌아 우리 뺨에 부딪히며 창백한 달을 향해 날아간다. 코흘리개 시절, 아버지께선 돌아가신 할머니를 추억하시며, 사람이 죽으면 모두 달에 간다고 하셨다. 그 달이 오늘은 유난히 크고 창백해 보인다.

'안녕, 잘 가렴……. 미안해, 그리고 고마워.' ■

흔치 않은 소재를 다룬 이 글은 5회 우수상 수상작이다. 박지욱 원장은 제주도에서 박지욱신경과 의원을 개원하고 있으며 수상소감을 통해 "남의 이야기를 글로 써서 그 분의 고통을 새삼 되새기게 하지 않을까 걱정도 했지만 그 분의 고통과 희생을 값진 경험으로 삼은 의사가 적어도 한명은 있다는 사실을 안다면 기꺼이 허락해주시리라 믿는다"며 "어머니 영전에 수상의 영광을 바치고 싶다"고 밝혔다.

어느 시골 여의사의 기도 | 서경원 |

내가 일하고 있는 병원은 작은 시골의 읍내 시장 옆에 있다.

이곳은 아직 5일장이 서는데, 특히 이 지역 특산물인 고추를 수확하는 계절에 고추장이 열리면 시장뿐 아니라 자동차가 다니는 근처 도로마저 자루에 가득 넘치게 담긴 고추와 흥정하는 인파로 북새통이 되기도 하지만, 평소에는 한가하고 조용한 그런 동네이다.

내가 이곳에서 작은 동네병원을 시작한 지 벌써 7년이 되었는데, 세상이 많이 각박하다지만 병원에 오는 환자들은 순박하고 선량한 사람들이 참 많다. 봄철에는 뒷산에서 캔 봄나물을 검은 비닐봉지에 담아와 진료실에서 수줍게 내밀고 가는 아주머니도 계시고, 가을철에는 갓 수확한 사과며 감, 곡식을 병원에 들고 와서 환하게 웃는 웃음이 있기도 하고, 김장철에는 점심시간에 금방 버무린 김치를 접시에 담아 급하게 오시는 이웃 할머니의 정겨움도 있다. 그런데 요즈음에는 젊은 부부의 이혼이나 경제적인 어려움으로 어린 아이들이 시골 할머니, 할아버지께 맡겨지는 경우가 참 많은 것 같다. 동희(가명)라는 다섯 살 난 사내아이도 그런 경우이다.

동희는 처음 병원에 왔을 때는 빼빼하게 야윈 몸매에 초라한 옷차림과 얼굴과 팔에 땟국이 꼬질꼬질한 모습이었지만, 명랑한 성격과 맑은 눈망울, 귀여운 미소를 가진 아이였다. 부모님은 2년 전 사업 부도 후 아이를 시골 할아버지 할머니께 떠맡기고는 행방을 감춰버려 소식이 두절됐다고 한다. 할머니께서는 살림도 어렵고 아이 키우기가 힘에 부쳐서 동희를 자주 씻기지 못할 때도 있지만, 정성과 사랑으로 키우셔서 얼굴에 그늘진 곳 없이 그렇게 잘 자라고 있었다.

그런 동희가 어느 날 진료실의 봉제 곰 인형을 보고는 꼭 안고서 너무나 좋아하는 것이었다. 그래서 똑같은 인형을 사 두었다가 다음에 왔을 때 선물로 주었다. 당시에는 별 말씀 없으시던 할머니께서 며칠 후 동희를 데리고 손에는 작은 비닐 봉지를 들고서 병원에 오셨다. 할머니께서는 늙어서 아이를 키우기가 너무 힘들어 동희가 안쓰러운데 그때 인형을 사 주셔서 얼마나 고마웠는지 모른다고 하셨다. 그리고는 비닐 봉지를 내 손에 쥐어 주셨다. 거긴 검은 콩이 몇 줌 들어 있었는데 직접 농사지은 것이니 밥에 넣어 먹으라며 눈물을 훔치신다. 할머니께선 동희가 아플 때면 '어미 아비가 없어서 그렇다'며 진료실에서 자주 눈물을 보이신다.

아이는 비록 아주 좋은 환경은 아니지만 그렇게 할머니의 아주 따뜻한 사랑과 보살핌으로 몸도 마음도 비교적 건강하게 잘 자라는 것 같았다.

그렇게 아이를 건강하게 키우는 데는 현대의학과 첨단기술보다 따뜻한 사랑과 보살핌이 중요하다는 것을 새삼 느낀다.

수련의 시절 경험했던 다운 증후군으로 태어난 아기들에 관한 경험을 떠올려도 그렇다. 레지던트로 신생아실을 담당할 때에 아이가 다운 증후군 환아라는 사실을 부모에게 설명해 주면, 어떤 경우는 실망하고 염려스러워하다가 다시는 면회도 오지 않는 그런 부모들도 더러 있었다. 이런 아기들은 이상하게도 건강이 더욱 나빠져 시름시름 앓다가 부모 품에 한번 안겨보지도 못하고 하늘나라로 가게 되는 경우가 많았다. 그런가 하면 어떤 부모는 태어난 아기가 다운 증후군 환아라는 사실을 듣는 순간부터 그 아기를 더욱 더 극

진히 보살피며 혹 아기에게 소홀히 하게 될까 봐 동생 가지기도 포기하고 아기만 돌보아서 비교적 건강하게 잘 커가는 경우도 보았다. 특별히 차이 나는 치료를 한 것도 없는데 이처럼 아이의 건강이 완전히 달라지는 것이다.

레지던트 2년차 때였던가 보다.

여름 한 철 주치의가 되어 진료했던 다운 증후군 아기가 있었다. 처음 입원 시 10개월 된 남자아기로 선천성 심장질환과 심부전, 폐렴, 모세 기관지염 등 여러 중병을 앓고 있던, 유난히 얼굴이 희고 귀여운 아기였었다.

그러나 아기 아버지는 집을 떠나 몇 년씩 떠돌이 생활을 하는 중이었고 어머니는 아기가 2개월 때 가출한 상태로 할머니가 키우고 있었다. 할머니께서도 아파트 청소부로 일하시며 힘들게 생활하고 계셨다.

입원 후 처음 며칠간은 아버지와 할머니가 보호자로 있었으나 열흘 쯤 후 보호자들은 병원에 나타나지 않게 되고 아기만 중환자실에 버려지듯이 남게 되었다. 그때 난 보호자도 없이 중병을 앓고 있는 아기가 유난히 안쓰럽고 마음이 쓰여서 가능하면 한번이라도 더 등도 두드려 주고 가래도 좀더 자주 제거해 주고 우유도 내 품에 안고서 토닥거리면서 먹여주고 빨리 건강해지라고 진심으로 말해주곤 했다. 간호사들도 정성껏 돌봐서 아기는 힘든 투병생활을 잘 견뎠다.

그럭저럭 한달쯤 지난 후 갑자기 할머니께서 나타나서 중환자실에서 치료 중인 아기를 보육원에 맡기겠다고 되원을 요구하고 나섰다. 나는 깊이 생각할 여유도 없이 마침 손에 있던 여름 휴가비를 할머니 손에 쥐어 드리며 치료가 끝날 때까지라도 병원에 입원시켜 달라고 부탁드리며 설득했다. 의사가 보호자에게 입원치료를 애원하는 상황이 벌어진 것이다. 할머니의 마지못한 승낙으로 아기는 계속 입원해 있었고 할머니는 다시 병원에 나타나지 않았다. 어느덧 아기는 입원 중 첫돌을 맞이했고 간호사들과 초코파이 등을 준비해 조촐한 생일파티도 열어 주었다. 그리고는 입원한 지 100일정도 지난 후 상태가 많이 좋아졌을 무렵 할머니께서 다시 병원에 오셔서 아기를 퇴원시키셨다. 병원에서 입원비를 많이 탕감해 주었다는 것과 아기를 바로 장애아 보육시설로 보낼 것이라는 말을 할머니께 들었다. 나는 그렇게 그 아기와 헤어지는가 생각하며 건강하게 커가기만 바랬다.

그러나 나는 그 아기를 3일 만에 다시 만나게 되었다. 퇴원 후 겨우 3일 만에 호흡곤란으로 응급실을 다시 오게 된 것이다. 마침 응급실 당직 중이던 내가 응급실로 급히 내려가 보니, 작은 눈에 눈물을 가득 담고 울고 있던 아기가 날 보자마자 기다렸다는 듯이 울음을 뚝 멈추고 반갑게 웃는 것이 아닌가!

다운 증후군이라서 지능이 다소 지능이 떨어지는 상태였는데도 몇 달 동안 얼굴을 익혔다고 내 모습이 깊이 각인돼 있었던 것일까. 혹시 아기 건강이 갑자기 나빠진 것은 사랑과 관심이 부족해서 그런 것은 아니었을까. 가족에게 안겨 보지도 못하고 보육시설에서 낯선 사람들과 지내며 외롭고 힘들었을 아기를 생각하니 눈물 맺힌 웃음이 너무 애처롭게만 보였다.

결국 아기는 부모의 보살핌을 받지 못하고 수차례 입원과 퇴원을 반복하다가 그 해 겨울 결국 심부전과 전신성 진균 감염증으로 짧은 삶을 마쳤다. 지금도 그 아기가 떠오를 때면 가슴이 저려온다.

세상에서 천진하게 방긋 웃는 아기의 얼굴만큼 마음을 따뜻하게 녹여주는 모습이 또 있을까. 아장거리며 걷는 아기들의 걸음걸이만큼 귀여운 모습이 또 있을까. 부모들의 온갖 시름을 잊게 해 주었을 그 예쁘고 귀여운 모습을 함께 나누며, 아픈 아이를 가진 부모로서의 고통도 함께 나눠야 하는 것이 소아과의사들의 특별한 권리이자 의무인 것 같다.

나는 다른 사람들을 대할 때 열린 마음과 선의를 가지고 대하면 더 쉽게 친밀해지고 내 마음도 편안해지는 것을 느낀다. 환자를 대할 때도 그들의 고통에 귀 기울이고 배려해 줄 수 있기를 바란다. 또한 나는 겸손한 사람들이 좋다. 진료실에서 내 진심어린 말을 겸손하게, 있는 그대로 들어주고 믿고 따라주는 환자들이 좋다. 무엇보다도 내 자신이 겸손한 의사가 되기를 노력한다. 환자보다 더 겸손한 마음으로 아픈 상처를 돌보기 위해 노력한다. 의사의 임무가 인간의 고통을 조금이나마 덜어주는 것이라면 — 물론 인간의 고통을 다 알 수도 없고 덜어줄 능력도 없다 하더라도 — 과학적 지식에 의해 신체의 질병을 치료하는 것뿐만 아니라 환자와 그 가족이 가지는 내면적인 고통에 대해서도 더욱 관심을 가져야 한다고 믿고, 아직은 서툴고 잘 안되지만 그렇게 하려고 애쓴다.

내가 처음 이곳에서 진료를 시작했을 때 강보에 싸여 있던 아기들이 이젠 초등학생이 되었다. 이들이 계속해서 자라듯이 나도 언젠가는 할머니가 되고 일손을 놓을 때가 올 것이다. 비록 알아주는 사람이 없다 해도 마지막 일손을 놓을 때까지 환자를 따뜻이 배려하고 친절한 마음으로 대하며 성실한 의사가 되기를 소망한다.

나는 오늘 아침도 진료실 문을 열고 들어서자마자 일과를 위해 기도드린다. 내 작은 병원 문을 들어서는 아이들을 사랑으로 바라볼 수 있도록 지켜주시길 기도드린다. 심하게 아픈 아기가 있으면 조바심 내며 그 아이를 위해 기도하기도 하고, 다 나았을 때에는 기뻐하며 감사 기도를 드리기도 한다. 아이들의 병은 먹는 약이나 주사도 중요하지만 무엇보다도 진정한 사랑으로 어루만져 주어야 한다는 것을 잊지 않게 도와주시길 기도드린다. ■

4회 우수상을 수상한 작품이다. 서경원 원장은 근처로 진료실을 이전했을 뿐 여전히 서경원소아과의원 원장으로 알고 있다. 서 원장은 다른 의사들과 생각을 나누고 싶은 마음으로 이 글을 쓰기 시작했지만 쓰다보니 자신을 돌아보고 새로운 다짐을 하게 됐다며 "어쩌면 생각을 글로 쓴다는 것은 다른 사람에게 자신을 보여주는 것이 아니라 자신에게 자신을 보여주는 일인지도 모르겠다"는 수상소감을 밝힌 바 있다.

전원일기(田院日記) - 시골 노인병원의 사계절 | 김철준 |

봄

시골학교 부지에 들어선 노인병원의 앞마당은 원래 잔디구장이었다. 병원이 들어서기 전 폐교 상태일 때 누군가가 뗏장을 떼어가고 잡다한 공사를 하느라 망가져 막상 개원했을 때는 회복 불가능한 상태가 되어 있었다.

그래서 원래 늦가을에 뿌려야 할 유채를 겨울이 거의 지나서야 뿌렸다. 파종이 늦었건만 봄기운이 제법 완연해지자 앞마당의 유채가 이제 어린 배춧잎만큼이나 잎사귀가 넓어졌다.

파종 후 어린 싹을 비둘기나 까치가 쪼아 먹을까 노심초사했는데 어느새 마당 한가득 녹색의 푸름을 자랑한다. 장마 지기 전에 노란 유채꽃을 한번 보여주면 좋으련만 꽃을 기다리는 것이야 다만 사람의 욕심일 뿐 제 나름대로의 순리대로 돌아가는 것을 어찌하겠나. 그냥 욕심 없이 바라보는 것만으로 만족하여야지.

도시에 살 때는 몰랐는데, 시골에 있으니 계절이 지나는 것을 느낀다. 시간 가는 것의 기준이 뜯어내기에 바쁜 달력이 아니라 자연히 몸이 스스로 느껴 알게 된다.

날씨가 따뜻한 날을 골라 직원들과 병원 뒤편의 연못물을 퍼내는 작업을 하였다. 연못 청소도 하고 분수대 개보수도 하고 그리고 혹시 물고기라도 있으면 즐거운 한때가 되지 않을까하는 기대를 안은 채.

연못 바닥의 진흙으로 모두들 진흙 팩을 한 모양새가 되어 서로 장난도 치고 즐거운 토요일 오후가 그렇게 지나갔다. 저녁때 매운탕에 쓸 잉어도 몇 마리 건지고 우렁이를 한 양동이 주워내니 주말 오후의 노동이 그리 힘들지 않았다.

보름 전, 만 원 주고 장터에서 사온 오리 다섯 마리가 이제 연못 속에 들어와서 잔 고기들을 몰고 다니는 모습이 대견하고 제법 그럴싸해 보였다.

일요일 아침 교회에 갔다가 오후에 병원에 들르니 시골 마을에 내리는 고요한 빗소리에 잠겨 세상의 모든 소음이 사라진 듯하다. 다만 고요한 이곳에서 병원 살림살이에 잔머리 굴려야할 나 자신이 어울리지 않을 따름이다.

여름

이제 시골병원의 녹음은 초봄의 연두색을 벗어던지고 진녹색 새 옷으로 갈아입었다. 황량했던 병원 앞의 밭고랑들도 마치 푸른 벨벳을 펴놓은 것처럼 푸근한 가슴을 드러내 놓았다. 봄부터 나무를 쪼던 딱따구리 한 쌍이 운동장 한 모퉁이에 있던 고목에 둥지를 틀어 살게 된 후 어느 때부터인가 삐악거리는 소리가 들리기 시작했다. 가끔 시간이 나서 산책로를 지날 때면 구멍 속이 못내 궁금해지기는 하지만 남의 집 살림살이를 함부로 볼 수 없어 그냥 지나간다.

6월 초여름이 되어 날벌레가 많아지니 환자들의 불평도 조금씩 생겨나기 시작한다. 전원풍경에 매료되어 입원하였던 전직 교감 선생님도 회진 때 음식 타박, 옆 환자 타박을 하기 시작한다. 두 달 시한부 판정받고 입원한 식도 암환자는 예상외로 벌써 몸무게가 15kg이나 늘었고 혈색도 제일 좋다. 음식에 대한 욕심이 많아서 쉴 새 없이 과자든 사탕이든 입에 달고 산다. 왕년에 잘 나가던 서울 종로바닥의 주먹이라던데, 나만 보면 프란체스카 여사를 만났던 적이 있다고 자랑을 늘어놓는다. 그래서인지는 몰라도 학식 높은 옆 침대 교감 선생님과는 사이가 별로 좋지 않다.

장마철이 다가올 즈음해서는 종류도 이름도 모를 수많은 들풀과 곤충들의 대반격이 시작되었다. 질경이 같은 잡초들은 연못 정자 앞의 아스팔트길과 산책로의 포장을 뚫고 자라 오르기 시작한다. 누가 전원생활이 목가적이고 낭만적이라고 했던가. 여기는 허리 구부리고 부지런히 움직이는 자만이 우아하게 살 권리가 주어지는 밀림의 한가운데다.

날이 더워지는 요즘 문득 난 사람의 일생을 가장 잘 웅변해주는 때가 언제일까 하고 생각해보았다. 내 짧은 생각에는 그건 아마도 숨을 거두기 직전이 아닐까. 남은 사람들은 내 무엇을 기억하고 애통해할까. 죽음을 앞둔 환자들은 한창 젊고 좋았을 시절 자신들이 이렇게 쓸쓸히 숨을 거두리라고 생각을 했었을까.

이곳 시골 노인병원 몇몇 환자들은 아슬아슬하게 하루하루 생명의 외줄타기를 하면서 죽음에 아주 가까이까지 와 있다. 노인에게 병원은 어느 면에서 인생의 마무리를 도와주는 곳인지도 모르겠다. 가족들이 보기에도 어차피 칠팔십 년 이상을 살아온 와병 노인들의 죽음은 호상으로 이해되기도 하지만 정작 본인에게는 전혀 알지 못하는 두려움에 고통 받는 과정일 수도 있다.

지난달 95세 할머니가 숨을 거두기 전날, "죽는 게 두렵고 무섭다"고 하던 말이 포플러 나무 위 매미소리처럼 귓전을 맴돈다.

어느덧 해가 뉘엿뉘엿 지는 서편하늘을 뒤로하고,
뻐꾸기가 저 멀리 소나무 숲 속에서 운다.
장끼 한마리가 갈대 수풀 속에서 운다.
청설모가 산책로 위를 바쁘게 지나간다.
물고기가 저녁 노을빛에 연못 위로 뛰어오른다.

시골병원은 여름 하루를 이렇게 마감한다.

가을

병원 입구와 기숙사 언덕배기 위에 있던 은행나무의 은행털기가 지난주 거의 끝났다. 할인점에서 파는 뽀얀 은행은 예쁘기만 하고, 꼬치구이 집에서 얄팍하게 꿰어 내오는 은행구이는 앙증맞기 그지없지만, 막상 털어서 열매 에 붙은 살 껍질을 벗기려니 구린 냄새도 냄새려니와 팔 힘이 드는 게 만만치 않다.

텃밭 고추를 거둔 후에는, 직원들이 앞마당에 심은 고구마를 캤다. 늦봄에 심은 뒤 별로 신경 써주지도 못했는데 이 가을에 이런 풍성한 수확을 주니 오 히려 조금 미안한 마음이 든다. 직원식당에도 주고, 직원들과도 나누고, 시 골의 풍요로움은 이런 데서 오는 듯 하다.

"자신이 주체할 수 없을 만큼의 많은 산출물을 주는 땅의 위대함."

노란색으로 물든 플라타너스 잎든 밟으며 주말에 멀리 광주서 찾아온다는 친구를 위해 마른 나무 조각을 모으러 병원 여기저기를 기웃거렸다. 날씨가 쌀쌀해지는 주말저녁 따끈따끈한 벽난로를 한번 사용해 볼 기회가 온 듯하 다.

포플러의 낙엽을 보면서 젊은 날의 열정적인 사랑이 식은 뒤에는 부부에 게 무엇이 남을까하는 엉뚱한 생각이 들었다. 아둔한 머리는 한참만에야 그 건 아마도 정(情)이 아닐까 하고 생각했다.

노인병원을 하면서 처음엔 노인들의 쭈글쭈글한 행색을 보고 그분들에게 무슨 부부의 정이 있을까하는 생각을 했었지만, 좀 있어보니 상상을 초월하 는 노인들의 부부애를 자주 목격하게 된다.

물론 여든의 노인부부에게서 젊은이의 정열적인 사랑을 확인할 수는 없겠 지만, 실제로 그 노인 분들의 감정은 젊은이의 그것 못지않게, 또 다른 방식으로 선명하고도 강렬하다는 것을 자주 느낄 수 있었다. 어쩌면 삶의 시계가 밤 11시 50분을 가리키고 있는, 죽음을 얼마 남겨두고 있지 않음을 너무나 잘 알기에 그 마음이 더욱 안타깝고 애틋한지도 모르겠다. 남이 볼 때는 삶의 나날이 얼마 남지 않은 그저 신음하는 환자로밖에 보이지 않겠지만, 평생을 동고동락한 인생친구와 이제 헤어져야만 한다면 어찌 애달프지 않으랴 싶기도 하다.

어제 아침에는 외래를 보고 있노라니 어느 늙수그레하고 행색이 초라한 노인이 노크도 없이 진료실 문을 벌컥 열고 들어온다. 가만히 보니 칠팔 십 년대에 구입했을 만한 중절모를 눌러쓰고 들어온 그 분은 뇌졸중 걸린 할머니를 입원시킨 남편이었다.

젊었을 때 자기가 할머니를 너무 많이 고생시켰는데, 이제 늙고 병들어 병원에 입원하니, (설마 실제로 그럴 리야 없겠지만) 자식들은 어미 죽은 후에 장사 지낼 것에만 관심이 있고 환자의 회복에는 관심도 없더라며 자기 모든 걸 다 주더라도 있는 동안 편안히 해달라는 부탁을 하는 것이었다.

한발 떨어져 물끄러미 바라보는 노인들의 부부애는 젊은 부부들과는 분명 다른 감동을 주기에 충분하다. 요즘처럼 쉽게 만나고 헤어지는, 이혼율 높은 세상에 다시 한번 부부란 무엇인지 생각하게 해주는 장면들이 아닐 수 없다.

겨울

시골 노인병원에도 어김없이 크리스마스는 찾아온다.

그렇다고 대도시처럼 휘황찬란한 장식등이나 네온사인도 없고 그 흔한 거리의 캐럴송도 여기에서는 들리지 않는다. 다만 가을걷이가 끝난 한적한 들녘의 고즈넉한 여유와 병원 지붕 위로 썰물처럼 무리지어 흘러가는 철새 떼의 움직임만이 있을 뿐.

병원 앞의 시골교회에 걸린 초라한 장식등과 약간은 배색이 맞지 않는 실

내장식이 이 동네의 유일한 크리스마스 장식이랄까. 사철 푸른 나무가 별로 없는 터라 나뭇잎이 전부 떨어진 벚나무가 허전해 보이기도 하고 환자들이 쓸쓸해 할 것 같아 설치한 장식등이 그나마 한겨울의 운치를 더해준다. 500 개짜리 전구를 다섯 세트나 휘감았는데도 파리 샹젤리제 거리는커녕 여느 백화점 앞 나무장식 한 그루만도 못하니 역시 아마추어라 별 수 없는가보다.

나는 진료실 한 구석에서 아내와 애들에게 줄 선물이랑 카드를 쓰고, 집에 와서는 밤마다 아내와 70여 명의 입원환자들에게 나누어 줄 선물을 포장하기에 바쁜 날을 보냈다. 양말 두 짝과 과자, 사탕, 초콜릿 등을 싸는데 각각을 따로 넣어서 포장하고 장식하는 것이, 생각보다 참 번거롭고 고된 노동이었다.

성탄절 아침에는 배불뚝이 산타클로스 복장을 한 자원봉사센터 소장과 얼굴 예쁘장한 사회 복지사, 그리고 열댓 명의 자원봉사자들이 각 방을 돌면서 캐럴도 불러주고 선물도 주고 하니 꺼이꺼이 소리 내어 우는 할머니, 할아버지들도 있다. 선물이 별로 맘에 안 드셔서 그러나 했더니 모두들 웃음보가 터졌다.

겨울이 다 지나기 전 할머니 한 분이 돌아가셨다. 몇 년 전 공중보건의로 근처에서 근무할 때 관사로 김치도 담아오고 가을이면 밤 한 됫박 슬그머니 놓고 가던 할머니였는데, 개인적인 기억이 있는 환자를 보내려니 더 가슴이 저리다. 온갖 방법을 다 동원해서 몇 고비를 같이 넘겼는데 그날은 힘들었던지 그냥 스르르 삶의 끈을 놓아버렸다. 몸에서 영혼이 떠나는 걸 느낀다는 게 이런 기분인가 하는 생각이 든다.

예견된 죽음에 보호자들도 조용하고 담담하게 환자의 임종을 하였고, 이제 그 환자가 떠난 자리에 다른 환자가 입원을 하고 병원은 아무 일 없었다는 듯이 부산하고 활기차게 돌아간다.

이제 곧 겨울이 지나고 봄이 다시 올 것이다.

봄은 겨울을 이긴 자들이 벌이는 향연이다. 오직 지겹고 기나긴 추운 겨울을 견디어 낸 자만이 누릴 수 있는 자연의 선물이다. 나는 따스해진 날씨에 병원 앞 정원을 평화롭게 산책하는 환자들을 보며 지난겨울에 돌아가신 노인 환자분들의 영혼을 위해 잠시 묵념해본다. ■

 5회 장려상 수상작품이다. 재활의학과 전문의 김철준 원장은 가림노인전문병원원장이다. 김 원장은 지난 1년 간, 병원 병상도 늘리고 경영효율화 작업도 하고 있으며 직원 기숙사를 증축했다는 소식을 전했다. 수상소감에서 "처음 병원을 준비할 때 멀리 다른 도시에서 찾아와 노인병원 운영에 초보운전사였던 원장을 믿고 따라주었던 직원들과, 또한 부족한 의사에게 언제나 많은 가르침을 주었던 노인 환자분들과 누구보다 효성스러워 감동을 주기에 충분하였던 많은 환자 보호자들에게 미흡하나마 이 글을 바치고 싶다"고 밝혔다

Transfer to Japan | 손승남 |

의사 시험에 합격하고 좋아하던 때가 엊그제 같은데 벌써 3년이라는 시간
이 흘렀다. 그 힘들다던 인턴과 생각만 해도 몸서리쳐지는 1년차 주치의 생
활도 무사히 마치고 그래도 이제는 출퇴근이란 단어의 의미를 이해할 수 있
을 만큼의 여유도 생겨났다.

짧았던, 그렇지만 그 속에서는 결코 짧았다고만은 느껴지지 않던 인턴 생
활과 레지던트 생활을 비교해보면 그래도 레지던트가 훨씬 할 만하다는 생각
이 든다. 사람이 기본생활이 안정돼 있어야 모든 일도 제대로 풀리는 법. 한
달마다 이 과, 저 과로 쫓겨 다니고, 매일 불편한 이층 침대를 오르내려야 하
는 데다 겪어보지 않으면 모르는 눈칫밥하며……. 인턴 생활은 수련 생활을
겪어본 모든 의사들에게 아마 가장 힘겨웠던 시기 중 하나로 기억될 것이다.

그렇지만 인턴 생활에는 레지던트는 느끼지 못하는 즐거움이 있으니, 바
로 트랜스퍼(transfer: 타 병원으로의 환자 이송)다. 트랜스퍼와 호프리스
(hopeless discharge: 가망 없는 환자의 퇴원)는 여러모로 다른데, 호프리스
가는 앰뷸런스 안에서의 무거운 분위기와 기관 삽관을 제거(extubation)하
고 돌아오는 차 속에서의 느낌은 말로 표현하기가 힘들 정도.

난 트랜스퍼와 인연이 참 많았다. 2월 20일, 인턴으로 병원 첫 출근해서 다

읻날 아침 7시에 뇌출혈 환자를 부산 백병원으로 옮기는 게 첫 트랜스퍼였고 해가 바뀌어 2월 27일 땅콩이 기도로 들어간 꼬마를 서울 아산병원으로 옮기는 게 내 마지막 트랜스퍼이자 마지막 인턴 업무였다. 그 많고 많던 트랜스퍼 중 단연 으뜸이 있으니, 바로 해외로의 트랜스퍼, 일본으로 다녀왔던 트랜스퍼다.

중소도시에 위치한 우리 병원에도 심심치 않게 외국인이 오가는 요즘처럼 세계화된 시점에서 그깟 외국 트랜스퍼가 뭐 대단하냐고 생각하는 사람도 있을지 모르지만 단연컨대 내가 아는 의사 중에 외국에 트랜스퍼를 다녀온 사람은 없다!

나는 인턴 생활의 가을을 마산에서 보냈다. 우리 병원은 마산의료원을 위탁 경영 중이고 주로 응급실 당직의 역할을 위해 인턴을 마산의료원으로 파견보내는데, 남들은 파라다이스라며 즐기며 오던 그곳이, 내가 가자마자 내과 과장님이 결핵으로 입원하시는 바람에 24시간 응급실 당직 후 바로 내과 외래로 자리를 옮겨서 오후 5시까지 외래를 봐야하는 지옥으로 변해버려 정식 오프(off)조차 없었다.

원래 마산의료원에서 두 달 근무하기란 거의 불가능하다. 아무리 오프가 없고 당직이 힘들어도 어디 대학병원에 비할까. 내가 마산 파견을 두 달이나 나갈 수 있었던 이유는 바로, 내가 엄청 좋아하는 가수인 전(前) 비틀스 멤버 폴 매카트니 (Paul McCartney) 때문이다. 난 심각할 정도의 폴 매카트니 마니아로 자부한다. 그래서 7월인가 폴 매카트니가 11월에 일본 공연을 한다는 소식을 인터넷에서 보고는 이성을 상실한 나머지 아무런 대책 없이 이틀치 오사카 공연 표를 사버렸는데……. 아무리 궁리를 해도 인턴이 병원 사람들 몰래 일본을 다녀오는 길은 마산 파견밖에 없었다. 마산 가서 같이 파견 나간 동료 인턴에게 양해를 구한 후 이틀 공연을 보고 오겠다는 것이 내 꿈이었으나 파견을 가자마자 앞서 이야기한 이유로 그 꿈은 말짱 도루묵이 돼버렸다.

하여튼 이래저래 고생을 하다가, 폴 매카트니는 공연을 끝내고 집으로 돌아가 버렸을 즈음인 11월 말에 갑자기 신경외과 과장님이 일본으로 트랜스퍼를 다녀오라고 하셨다. 처음엔 농담이려니 생각했는데 사건인 즉, 한 재일교포 사업가가 있었다. 연세가 여든쯤 되었는데 한국과 일본을 오가며 사업을 하시는 분으로 어느 날 아침 조깅을 하시다가 의식을 잃고 쓰러졌고 부랴부랴 마산 삼성병원에 옮겨서 보니 지주막하 출혈. 나이가 많아 수술은 못하고 삼성병원 중환자실에 한 달을 입원해 있었는데 상태는 많이 좋아졌지만 일반 병실로 보내주지 않아 병원비가 많이 나왔고, 무시무시하게 늘어나는 병원비를 감당하기 부담이 되어 마산의료원으로 옮겨왔다. 다시 마산 의료원에서 한 달을 더 입원해 있다가 집이 있는 일본 동경으로 돌아가기로 결정을 하셨는데……

문제의 시작은 그것이었다. 환자는 정신 멀쩡한데다 사지 잘 움직이고 CT를 찍어도 출혈은 다 흡수돼 피 한 방울 보이지 않아 보호자들이 아무 걱정이 없었는데, 그만 항공 회사들이 절대 못 태워 준다는 게 아닌가. 당황한 보호자들은 '코비'라는 부산서 후쿠오카까지 2시간이면 간다는 쾌속선 회사에 찾아갔고 그 회사의 대답도 같았단다. 물어물어 다시 찾아간 곳이 이젠 이름도 잘 생각 안 나는 페리 호 회사였고, 그 회사에서 말하기를 "물론 태워 드려야죠, 그런데 단 의사 선생님 한 분이 따라오셔야만 해요." 였던 것이다.

그리하여 초유의 일본 트랜스퍼가 생겨난 것이다.

군대 안간 남자들이 외국 나가기가 얼마나 어려운지는 다녀와 본 사람만이 안다. 이상한 서류가 엄청 많고 귀국 보증인도 2명이나 세워야 하며 더 웃긴 건 여권도 1회용 단수여권이다. 운이 좋은 건지 나쁜 건지 난 이미 그 서류들을 다 가지고 있는 상태여서 별 문제없이 도청에 가서 여권을 발급받았고, 일본 영사관에서는 환자를 이송한다니 친절히도 하루 만에 비자를 발급해

주었다. 또 하나의 문제는 11월이 끝나면 파견을 끝내고 다시 대학병원으로 돌아와야 하는데 보호자는 12월 3일인가에 트랜스퍼를 원했다. 그래서 이례적으로 일주일 연장 근무명령이 떨어져 내 마산 파견 기간은 70일을 채우게 되었다.

나이가 들면 머리가 나빠지는 법. 12월 3일인가 4일인가 날짜도 잘 모르겠다. 아무튼 겨울 햇살이 따스했던 오후, 마산의료원 앰뷸런스를 타고 부산항으로 향했다.

그 선박회사에서 부탁한 것이 의사가 따라간다는 증거를 보여주는 것이었기에 부끄럽게도 난 부산항에서 가운을 입고 있어야만 했다. 내가 타고 간 페리 호는 값이 그다지 비싸지 않아 한국과 일본을 오가는 수많은 보따리 장사들이 주로 애용하던 배였는데, 하여튼 그 '쪽팔림'은 겪어봐야만 알 것이다. 좋은 구경난 것처럼 사람들이 '우' 몰려와서는 "저것 봐라, 저것 봐라~"하는데 그나마 좀 뻔뻔한 편인 나이기에 견뎌냈지, 아니었으면……

게다가 부산항은 탑승구가 2층에 있는데 2층으로 가는 엘리베이터가 없었다. 덕분에 침대에 누운 환자를 에스컬레이터를 이용해서 2층으로 올려야 했고, 모르는 사람은 이상하게 차려입은 남자가 무슨 차력 쇼라도 하는 줄 알았을 거다.

하여튼 무사히 이층으로 올라왔고 그 다음부터는 내가 받아본 최고의 대접이 기다리고 있었다. 우리나라에는 여러 고시가 있고 그중 으뜸이 사법고시라고 알고 있지만 실제로는 외무고시가 더 어렵고, 또 소수만 뽑기 때문에 더 희소성이 높다는 사실을 아는 사람은 알 것이다. 나는 항구나 공항에 그런 외교관들이 이용하는 전용 통로가 있다는 사실을 부산항에 가서야 알았다.

이층에 오르니 출국장은 말 그대로 장난이 아니었다. 수없이 늘어선 보따리 장사 아줌마, 아저씨들, 그리고 그 사람들이 일본으로 되팔 엄청난 짐들 하며……

'이 난국을 어떻게 극복하지' 라고 생각하고 있을 찰나에 — 물론 그 순간에도 나는 창피하게 가운을 입고 있었다 — 항구 직원이 "선생님과 환자분만 저를 따라 오십시오." 이러는 게 아닌가. 아무 생각 없이 난 뒤를 따라갔고 직원이 안내한 문 앞에는 '외교관 전용 통로' 라는 팻말이 붙어 있었다. 황송하게도 세관 직원이 직접 와서는 여권을 보고 비자를 확인하더니 보호자들까지 내버려둔 채 나와 환자만 데리고 배에 오른다.

배에서도 문제는 발생했다. 어느 배나 그렇겠지만 그 배도 1등석, 2등석, 3등석이 정해져 있었는데 보호자들이 1등석을 2칸 예약을 했으나 1등석은 모두 2층에 있었고, 배에는 엘리베이터는 물론 에스컬레이터도 없는 게 아닌가. 그래서 직원들이 궁리를 하더니 환자는 배 앞쪽의 3등실 갑판을 통째로 혼자 쓰면 되겠다는 결론을 내린 후 나는 따라 오란다.

따라 갔더니 배 앞에 있는 1등실. 물론 1등실도 다시 등급이 매겨지는데 그 중 두 번째로 좋은 방이란다. 기회가 없을 사람들을 위해 방안을 잠시 소개하자면 크기는 대개 병원에 있는 의사 당직실만 한데 문을 열고 들어가면 왼쪽에 화장실을 겸한 샤워 실이 있고, 반대쪽이 옷장, 그리고 침대 두개가 나란히 있고 안쪽은 바닥에 테이블이 놓여있고 TV가 있는 구조였다. 그 방에 들어가서 내가 가장 먼저 한 일은 가운을 벗어 던지는 것이었다.

조금 있으니 방송이 나왔다.

"이 배에는 지금 중환자와 의사 선생님이 함께 타고 있으니 다른 탑승객들은 조용히 하시고, A 갑판으로는 절대 가지 마시오."

침대에 누워서 이리저리 구르고 있는데 갑자기 누군가가 문을 두드렸다. 문을 열어보니 승무원.

"선장님이 선생님을 뵙고 싶어 하십니다."

배에서 선장이라면 제일 높은 사람, 배 안에서는 선장이 왕이다. 가끔씩 영화에서 보면 선장이 말 안 듣는 승객이나 선원을 총으로 쏘아 죽이고 그러지 않았던가.

이리저리 궁리를 하는데 승무원이 고맙게도 "선생님이 피곤하시면 저희가 그렇게 전하겠습니다."하고 말한다. 그래서 피곤하고 또 환자도 안정을 취하는 게 좋을 것 같다고 대충 둘러대고 선장님과의 만남은 모면했는데.

환자를 한번 볼 거라고 내려가는데 옆에 있던 승객들이 모여서 이런저런 이야기 중에 "야, 아까 방송 들으니 이 배에 의사가 타고 있다던데 우리 한번 찾아가서 검진이라도 받아보자" 이러는 게 아닌가.

'아니, 인턴이 뭘 안다고…' 당황한 나는 '그 의사' 인 것을 들키지 않으려고 바보같이 두리번거리면서 환자가 있는 객실로 갔다.

함께 가는 보호자는 3명이었는데 일본 사람으로 한국말이라고는 "고맙습니다" 밖에 못하는 부인과 한국말, 일본말을 다 할 줄 아는 일흔 정도는 되어 보이는 사촌 동생, 그리고 마흔 정도로 보이는 조카였다. 환자는 앞서서 이야기했지만 겉으로 보기엔 환자라는 생각이 들지 않을 정도로 문제가 없었지만 그래도 의사라고 따라가는데 그냥 보고 있을 수만 있나. 한의사도 아닌데 괜히 맥도 한 번 짚어주고 이것저것 주의할 일들을 알려주고 돌아서는데 "선생님, 식사 하셔야죠" 그런다. 맞다, 그러고 보니 배가 고팠다. 외국에 간다는 설렘과 두려움으로 점심을 먹는 둥 마는 둥한 데다가 이미 시간도 저녁 식사시간을 훌쩍 넘기고 있었다. 이걸 어쩌나, 싶었는데 부인이 고맙게도 만 엔짜리 지폐 한 장을 쥐어 준다. 그 배의 모항이 일본이라 배 안에서 통용되는 화폐는 엔화. 정신없이 따라오는 바람에 원화 밖에 없는 나로서는 얼마나 고맙던지……. 그 만 엔을 쥐고 배의 식당으로 향했다.

식당에 들어서는데 2명의 여자 승무원이 아는 척을 했다.

"의사 선생님 오셨네요, 뭐 불편한 건 없으세요?"

그러면서 밖이 제일 잘 보인다는 자리로 안내하더니 특별히 추천해 드리는 메뉴라며 이걸 먹어 보란다. 그래서 시켜서 먹는데 아예 한 명이 옆에 붙어 서서 물 따라주며 시중을 든다. 너무 부담스러워 소화 불량 걸리지 않을까 두려웠다. 주방장까지 나와서는 잘 드셨느냐고 인사를 했다.

식당을 나와서 방에 앉아서 TV를 트니 배가 육지에서 멀어지면서부터 아무것도 나오지 않았다. '에이, 잠이나 자자' 하고 누워서 자는데 갑자기 "펑" 비슷한 소리가 나더니 배가 사정없이 흔들리는 게 아닌가. 배가 침몰하는 게 아닌가, 놀라서 밖으로 뛰어나가니 아까 선장님이 뵙고 싶어 한다며 찾아왔던 승무원이 뛰어와서 "선생님, 배 처음 타 보시나 봐요. 원래 대한해협이 물살이 세서 자주 이럽니다. 너무 놀라지 마세요" 이런다. 다시 자보려고 누웠지만 사정없이 흔들리는 배에서 잠을 청하기가 너무 어려워 방 밖으로 나와서는 봐뒀던 맥주 자판기 앞에서 얼쩡거리는데, 이런……, 보호자를 만나버린 거다.

보호자가 "선생님도 술 생각나시나 봐요. 우리랑 한잔합시다" 하며 팔을 붙잡는 바람에 함께 가서 도란도란 맥주를 마시고 이런 저런 이야기를 하는데 역시 연세가 있다보니 체력이 약해서인지 1시쯤 되니 그만 자잔다. 다시 방에 왔는데 사실 술을 어중간히 먹으면 절대 잠이 오지 않는 법. 다시 나가 캔 맥주를 뽑아서 혼자 앉아서 마셨다. 옆에 미국인으로 보이는 여자 일행이 재밌게 이야기하며 술을 마시고 있기에 말이라도 한번 걸어주길 바랬지만 내 쪽으로는 눈길 한 번 주지 않았다. 그 미국인 외모가 상당히 출중했는데.

새벽 2시가 넘어 방에 들어와서는 잤다. 그리고 또 누가 방문을 두드렸다. 문을 여니 승무원이 벌써 8시란다. 다른 승객들은 다 내렸고, 선생님 일어나시길 기다리고 있단다. 서둘러 일어나서 창 밖을 보니 북한배가 옆에 서 있는 게 아닌가. 학창 시절 워낙 투철한 반공 교육을 받은 탓에 배 굴뚝에 그려진 인공기를 보니 두려움부터 느껴졌다. '혹시 이 배가 북한으로 끌려온 게 아닐까?' 하는 생각이 순간 머리를 스쳤다. 놀란 가슴을 진정하고 짐을 챙겨 내려가니 진짜 우리 말고는 다 내린 뒤였다. 역시 부끄럽게 가운을 다시 입고 환자와 함께 배를 나서자 일본 항구 직원들도 외교관 통로를 열어줘서 아무 검색도 없이 통과, 후쿠오카 항구에는 환자를 동경으로 모셔 갈 환자의 막내 아들이 기다리고 있었고, 환자는 바로 휠체어 택시에 실려서는 인근의 후쿠오카 병원으로 이송됐다.

고맙다는 말만 계속하던 아들이 "오늘 하루 쉬시고 내일 돌아가시면 안 되나?"하는 고마운 질문을 했고 사실 그런 마음이 굴뚝같았지만, 마산에서 혼자서 고생하고 있을 동료를 생각하니 차마 그럴 수가 없었다. 병원일 때문에 가야 한다고 했더니 비행기로 돌아가고 싶은지, 배편으로 가고 싶은지를 물었다. 같은 쾌속선을 타고 돌아 올 수도 있었으나 실제로 보니 배가 너무 작은데다가 전날 밤 술 마시다가 우연히 보따리장사 아저씨들이 '코비'를 타는 것이 얼마나 무서운지에 대해 이야기하는 걸 들은 터라 당연히 비행기를 택했고. 일단 보호자들의 짐을 내려놓기 위해 아들이 미리 잡아두었던 호텔까지 따라가서 짐을 부리고는 다같이 후쿠오카 공항으로 갔다. 후쿠오카 공항에서 대한항공 비행기표를 끊어 준 보호자는 연신 고맙다는 말을 되풀이하며 두툼한 촌지를 건넸고, 꼭 식사라도 한 끼 대접하고 싶다며 공항 식당에 데리고 가서는 영화의 한 장면처럼 활주로를 이륙하는 비행기들을 바라보며 함께 늦은 아침을 먹었다. 그리고 보호자들은 나만 홀로 남겨 둔 채 떠났다. 비행기 시간까지 1시간 30분 정도 남아 있었고 그냥 앉아서 시간을 보내기 지루해 일본 온 김에 우리나라에서는 구하기 어려운 폴 매카트니의 CD라도 좀 살 요양으로 택시에 탔는데. 이런, 택시기사가 영어를 전혀 못하는 게 아닌가. CD파는 데 데려다 달랬더니 CDP로 잘못 알아듣고 전자제품 대리점 앞에 내려 주고는 가버린 것이다. 괜히 비싼 택시비만 물고 (일본 택시는 기본요금만 거의 8,000원 정도였다) 다시 공항으로 돌아와서 출국장에 들어서는데, 사고는 그 때부터였다.

비행기가 아마 2시 출발이었을 거다. 1시부터 출국장이 열리기에 할 일도 없고 해서 거의 맨 처음으로 들어갔는데 (당시는 9.11 테러 여파가 아직 가시지 않은 시점이라 검색이 무척 철저했다) 소지품을 내라기에 아무 생각 없이 가지고 있던 지갑, 핸드폰, 그리고 일회용 라이터를 두개 꺼내 놓았는데…….

담배 피는 사람은 알겠지만 담배라는 것이 라이터 없으면 무용지물이기에 흡연자들은 거의 습관적으로 라이터만 보면 손이 가고, 또 주머니에 집어넣는 법. 물론 나도 한국에서 담배를 가지고 왔지만 일본 체류 기간 중 다 피워 버렸고 앞서 이야기 한 것처럼 엔화 환전을 않고 왔기에 솔직히 담배 살 돈도 없었다.

아무 생각 없이 일회용 라이터를, 그것도 두개씩이나 용감하게 검색대에 끄집어 내놓았는데 세관 직원이 검색대 앞 표지판 (그 표지판에는 비행기를 탈 때 가지고 탈 수 없는 물건이 그려져 있었고 일회용 라이터의 그림도 당당히 한 자리를 차지하고 있었다)을 가리키더니 나보고 옆줄로 빠지라는 거다.

지금 생각해보면 테러리스트 저리가라 할 만큼 흉측한 인상의 괴한이 폭탄 점화 스위치로 충분히 사용 가능한 일회용 라이터를, 그것도 두개나 들고 탔으니 어떤 보안 직원이 그냥 넘어 갔을까. 하여튼 여전히 아무 생각 없이 옆줄로 빠졌고 한 명이 가서 내 가방을 가져오더니 열어보란다. 문제는 그 때부터였다.

딩시 내 가빙 속에는 가운이 하나 들어 있었고 문제의 철가방이 또 하나 들어 있었는데, 마산에서 출발하기 전에 응급실 수간호사가 그래도 환자 데리고 가는데 혹시라도 무슨 일 생기면 어쩌냐며 챙겨준 것이었다. 앞에 UNESCO라고 음각으로 새겨져 있는 직사각형 녹슨 철가방이었는데 수간호사가 얼마나 철저히 준비했는지 그 속에는 앰부와 후두경(라링고스코프) 세트, 스타일릿, 이튜브에다가 일회용 주사기랑 에피네프린, 아트로핀 같은 응급 약까지 들어있었다. 당연히 난 이전에 그 철가방을 열어 본 적이 없었고 그래서 뭐가 들어 있는지도 몰랐다. 가방을 여니 그 철가방이 나왔고 생긴 게 흡사 윤봉길 의사가 던진 도시락 폭탄 같았는지 갑자기 보안 직원 (공항의 그 보안 직원은 여자였다)이 정색을 하며 남자 직원을 불렀다. 두 명이서 나를 잔뜩 째려보고 서서는 다시 철가방을 열어 보란다. 여전히 사태의 심각성을 깨닫지 못한 나는 아주 자연스럽게 뚜껑을 열었는데 맨 위에 앰부가 놓여 있었고, 거기까진 좋았다. 앰부를 치우래서 치웠더니 하필이면 스타일릿, 그 뾰족한 놈이 하늘을 쳐다보며 솟아올라 있는 게 아닌가.

당황한 남자 보안 직원이 어디론가 뛰어 갔고 이제는 무전기까지 찬 자기 편을 두 명 더 데리고 왔다. 일이 꼬여 간다는 걸 직감한 나는 그제야 짧은 영어로 "I'm a medical doctor from korea"라고 외치기 시작했다.

일본 사람들은 진짜 영어를 못한다. 그 사람들은 맥도널드도 발음을 이상하게 하고 전 세계에서 '폴 매카트니'라고 발음하는, 내가 좋아하는 가수의 이름도 '포루 매루카루투니'라고 발음한다. 그러니 아무리 내가 표준 영어를 써도 의사소통이 될 리가 있나.

다급한 나는 "I can't speak japanese, is there anybody who can speak korean?(일본 말 못해요, 한국말 하시는 분 안 계세요?)"하고 외쳐 보았지만 웬걸, 아무런 대답이 없었다. 더 큰 사고가 그 때 일어났다.

의사들이야 후두경이 뭐 하는 것인지 알고 그래서 봐도 별로 이상하지 않지만 아무것도 모르는 사람이 후두경을 보면 뭐라고 생각할까? 정답은 '도끼'이다. 철가방 속에 들어있던 후두경 세트는 손잡이 하나에 블레이드가 세 개 들어있는 거였는데 작은 함에 들어 접혀 있는 형태. 한 보안 요원이 들어내다가 그만 세트가 열려버렸고 블레이드들이 땅바닥에 떨어지며 요란한 마찰음을 냈다. 순간 보안 요원들은 허리춤에 찬 총으로 손이 갔고, 난 '이렇게 죽는구나'라는 생각밖에 들지 않았다.

호랑이한테 물려가도 정신만 차리면 된다는 옛말은 맞다. 그제야 한 보안 요원이 나의 영어를 이해했는지 "아 유 독토르?"라고 묻는다. '독토르……, 그래, 어찌 되었건 독토르지.' 진짜 지푸라기라도 잡는 심정으로 그 사람에게 매달렸다.

"Yes, I'm a medical doctor from Korea. Now I'm returning Korea after to transfer a patient from my hospital to fukuoka hospital. (네, 나는 한국 의사입니다. 우리 병원에서 후쿠오카 병원으로 환자를 이송하고 돌아가는 중입니다)"

솔직히 거의 울면서 매달렸다. 그러자 의사임을 증명할 수 있는 것을 내보란다. 일단 주민등록증을 꺼냈는데 우리나라 주민등록증에는 알파벳 하나도 쓰여 있지 않다. 그래서 안 된다기에 가운과 청진기를 보였고 그것도 안 된단다. 그러다가 눈에 띈 게 가운에 달려있는 병원 신분증. 병원 신분증 맨 밑에는 다행히도 'GyeongSang National University Hospital'이라고 적혀 있었다. 무척이나 기대하고 내밀었지만 그것도 안 된단다. 'doctor licence'를 보여 달라는데 내 의사 면허증은 엄마가 액자에 잘 넣어서 집에 모셔다둔 걸…….

모든 걸 체념한 나는 — 지금 돌이켜보면 어떻게 그런 행동을 할 수 있었는지 모르겠지만 — 조용히 이튜브가 든 봉지를 찢은 다음 이튜브를 꺼내서 스타일릿을 들고 이튜브에 꽂았다. 그리고 후두경을 빼들고는 마치 시험이라도 치는 듯 조립해서는 불이 들어옴을 보여주고는, 후두경을 내 입에다 넣고, "이렇게 벌린 다음, 이 튜브를 밀어 넣습니다……." 실습에 옮겨 버린 것이다. 이미 이판사판, 부끄러운 줄도 몰랐다. 그리고는 주사기를 꺼내서 마술이라도 하는 것처럼 이튜브의 벌루닝을 보여 주었고, 마지막으로 이튜브에 앰부를 연결하고서는 사정없이 짜버렸다.

일본에도 메디컬 드라마는 있을 것이다. 어디에선가 보았던 것을 눈앞에서 보여주니 그제야 이 보안 요원들이 '의사구나' 하고 생각을 했는지 갑자기 친절하게 나온다. 그리고는 후두경은 못 돌려주겠단다. 처음에 인턴 들어와서 호프리스 갈 때면 간호사에게 항상 듣는 이야기가 "인턴 선생님, 앰부 꼭 챙겨 오셔야 해요. 선생님 한달 월급으로도 못 사요."인데 그 귀한 후두경을, 내일신상의 안위를 위해 먼 이국땅에 놓고 오다니······. 절대 안 된다.

그래서 "후두경 안 주면 나도 비행기 안 탄다." (이 때는 거의 나는 한국말로, 보안 요원들은 일본말로, 서로 이해하건 말건 상관하지 않고 떠들어대고 있었다)고 버티니 조건을 내건다. 그럼 후두경은 돌려주겠지만 짐을 가지고 비행기를 타지 못하고 짐은 따로 화물칸에 실어가야하며 일회용 주사기랑 에피네프린, 아트로핀 앰플은 절대 못 돌려준단다.

'뭐 사실 병원에 널린 게 주사기고 에피네프린, 아트로핀인데, 그 뭐라고······.'

그렇지만 대단한 양보를 하는 척, 주사기와 약 앰플을 건네주었고 나를 처음 잡았던 여자 보안 직원이 그제야 전화기가 너무 작다며 친한 척이다. (당시 나는 삼성 애니콜 구형 듀얼 폴더를 사용 중이었고 일본에는 이상하게도 폴더형 전화기가 귀했다) 1시간 전에 입국장에 들어섰는데 남은 비행기 시간은 10분도 안 되서 서둘러 비행기에 올랐다.

그리고 40분 만에 부산공항에 도착, 지친 몸을 이끌고 공항을 나서려는데 이번에는 우리나라 세관 직원이 나를 붙잡더니만 그 쇠통이 뭐냔다. 퉁명스럽게 응급의료세트라고 대답했더니 의료 기기는 출국 시 신고를 해야 한다면서 화를 낸다.

그래 잘 걸렸다 싶어 "당신들 이럴 수 있어요? 한국에서 나갈 때는 잘 다녀오라면서 외교관 통로까지 열어 주더니 이제 와서 신고 안 했다고 뭔 난리예요!"며 소리치는데 묻는다.

"김해공항으로 출국하셨어요?"

"아니요, 부산항요."

"그럼 우리가 그런 게 아니네요, 뭘."

그리고는 앞으로 이런 일 생기면 나갈 때 꼭 신고하란다.

"아뇨, 절대 그럴 일 없을 겁니다" 하고서는 공항을 나서서 셔틀버스를 타고 마산역에 내렸다. 오후 4시. 일본까지 다녀오는데 겨우 26시간 남짓 걸렸다. 마산 의료원에 들어서니 간호사들이 "선생님, 선물은?" 하고 묻는다.

"선물이라니, 살아서 돌아온 것도 기적이건만……."

이 한 맺힌 말의 의미를 이해했을지……. 정말 일본은 가깝고도 먼 나라였다.

뒷얘기

이 글을 쓴 지 벌써 6개월이 지났습니다. 처음에 저희 병원 응급실 가족들의 인터넷 카페에 실었던 글입니다. 이후 우연히 TV에서 뇌종양이 있는 한 외국인 노동자를 본국으로 트랜스퍼하는 일산의 선생님을 보았습니다. 제 경우와는 너무도 다른 숙연한 모습에 큰 감명을 받았던 기억이 떠오릅니다. ■

한편의 콩트 같은 이 작품은 4회 장려상을 수상한 손승남 선생의 글이다. "이것으로 문학소년이었다는 평소의 주장을 증명하게 되서 기쁘다"는 수상소감을 밝히기도 한 손 선생은 '진짜' 신경과 전문의가 되기 위해 공부 중이다.

교도소 단상(短想) |오명진|

"선생님 살리주이소! 제발 좀 살리주이소! 흑흑."

다 큰 사내가 운다. 살려 달라는 말과 함께. '살려 달라'는, 이 처절하고 절박한 외침을 의사만큼 자주 듣는 직업이 있을까?

'그는 왜 나에게 이렇게 말하는 것일까?'

수감번호 1990번, 마흔을 바라보는 나이에 파란 수의를 입고 강도와 절도 등으로 수년간을 복역한 사람. 요즘은 보기 힘든 '국졸'이라는 학력이 말해주듯 그는 나와는 전혀 다른 파란만장한 삶을 살았을 것이다. 삶의 질곡을 맛봤을 것이고 어디선가 의사를 비롯한 기득권층에 욕지거리로 맞서기도 했을 것이다. 세상을 조롱하고 온갖 못된 짓으로 저항하다가 결국엔 교도소 쇠창살에 갇혀 버리고 만 사내.

태어나서 서른이 될 때까지 책과 씨름하기도 했고, 어설픈 세상살이에 어영부영 의사라는 직업을 갖게 되었고, 가운을 입게 되었고, 공중보건의사라는 직함으로 책상만큼의 거릴 두고 재소자들과 마주치게 된 사내.

우리 둘의 만남은 이렇게 시작됐다.

내가 처음 본 그의 모습은 말 그대로 '피골이 상접하다'는 표현이 어울릴 법한 그런 몰골이었다. 신상명세서를 확인하기 전엔 환갑을 바라보는 줄 알

45

았으니까. 그러나 그의 나이는 이제 겨우 마흔을 갓 넘긴 상태였고 교도소에서 흔히 말하는 숨겨진 환자였다. 사회에서 버림받은 이들이 마지막에 머무는 곳, 교도소. 이곳에서조차 버림받는 사람이 있었고, 그들은 이미 병들어 있었다. 그는 당뇨 환자였다.

'왜 살려 달라고 했을까?'

그것은 혈당치가 말해주고 있었다. High라는 글자가 기계에 찍히면서 그의 하소연은 시작되었다. 8명 이상이 한방에서 생활하는 교도소는 일반인도 견디기 힘들지만 당뇨환자에겐 지옥과 같은 곳이다. 하루 공급되는 물의 양이 정해져 있고(1.5 ℓ 한 병 정도 된다), 좁은 공간에서 생활하는 탓에 당뇨환자의 특성인 빈번한 화장실 사용도 어렵고, 매일 저녁 반복되는 간식은 이 사내로 하여금 또 다른 삶의 고통을 맛보게 하고 있었던 것이다. 그는 이런 혈당치로 무려 1년 이상 버텨 온 것이다. 하루 한 알뿐인 당뇨 약으로.

공중보건의사가 추가로 투입돼 환자를 보고 있다는 사실도 모른 채, 약 한 알에 의존하다가 드디어 진료를 신청해 나온 것이다. 진료 또한 각 방에서 소위 주먹 잘 쓰는 것이 순서인 법이라 그는 계속 뒤로 밀리다가 불쌍히 여긴 교도관의 도움으로 나온 것이다.

2년여의 짧은 기간이지만 의사도 사람인지라 환자를 진료하다 보면 이상하게도 한 번 더 얼굴을 쳐다보게 되고, 처방을 낼 때도 좀 더 애정이 가는 환자가 있게 마련인데 이 사내가 내겐 그런 환자였다. 우선 나는 그를 '거실 치료방'이라는 활동이 비교적 자유로운 곳으로 옮겨 주었다. 그동안 그가 아무리 부탁해도 이루어지지 않던 일을 하루 만에 해결해줘서 의료진이 그에게 관심을 기울이고 있다는 것을 알려야 할 필요가 있었던 것이다. 그리고 모든 약을 끊고 인슐린을 투여하기로 결정했다. 그런데 그만 난관에 부딪치고 말았다.

"쌤요, 인슐린 그거 맞으면 평생 맞아야 한다 카든데요? 내는 평생 주사 맞을 돈도 없고, 잘못 맞으면 죽을 수도 있다카던데……"

순간 나는 당황했다. 선무당이 사람 잡는다고 교도소 내 환자들은 떠도는 소문을 너무나 강하게 믿는다. 하루는 수십 명의 재소자들이 귀를 스프링(볼펜에 들어있는 것)으로 뚫고 들어 왔을 때, 나중에야 그것이 두통을 치료하기 위한 방편이었다는 것을 듣고 깜짝 놀란 적이 있었다. 그리고 의과대학을 졸업하고 인턴 수련을 받은 것이 임상진료의 전부인 초보의사였던 나는 그에게 뭐라 할 말이 없었다.

'뭐라고 설득해야 하나? 인슐린 쇼크?'

나 자신조차도 그것에 대해 알고 있는 것이 없었다.

일단 링거를 맞아야 한다고 설득하고 의무실로 데려는 왔지만, 나도 확신하지 못하는 처방을 할 순 없는 일이었다. 의무실로 와서 인터넷을 통해 알아보기 시작했다. 최근 올려진 논문을 비롯하여 몇몇 자료를 보아도 인슐린 쇼크는 극히 드문 경우에 나타나며 응급처치 약을 가지고 있는 경우엔 시도해볼 만하다는 의견이 지배적이었다. 나는 이미 알고 있던 사실이라는 듯 아무렇지도 않게 그의 앞에 섰다.

"인슐린의 부작용은 극히 드뭅니다. 여기에 응급조치에 쓸 약도 주사로 다 준비할 거니까, 제 앞에서 한번만 맞아 봅시다!"

"아이고, 와이라는교……, 내는 죽으마 죽었지 그거 못 맞습니더."

어린 아이 달래듯 달래도 보고 혈당 안 낮추면 죽을 수도 있다고 엄포도 놓아 봤지만 그는 눈 하나 까딱하지 않았다.

'어떻게 하나?'

나는 고민하기 시작했다.

'뭐로 꼬드겨 보나?'

"그럼 내가 독방으로 옮겨 줄게요!"

"예? 진짜 그래도 되능교?"

외부인들은 알 리가 없는 사실, 독방이 수용자들에겐 달콤한 당근이 될 수 있다는 점을 알고 있던 나는 최후의 카드를 뽑고야 말았다. 몇 시간의 실랑이 끝에 겨우 허락을 받아낸 나는 쇼크에 대비할 약을 주사기에 넣으면서, 간절히 기도하고 기도했다.

'제발 부작용이 일어나지 않게 해주세요!'

다행히 초보의사의 기도가 하늘에 닿았는지 복부에 인슐린을 주사하는 시술은 이내 막을 내렸고, 며칠이 지나자 본인이 직접 주사를 놓을 수 있게 되었다. 일주일이 지나자 혈당은 차츰 낮아졌고, 그의 얼굴 혈색 또한 좋아졌다. 건강이 돌아오니 얼굴엔 웃음이 돌기 시작했다. 시간이 차츰 흐르고 그와의 한바탕 사건이 일상처럼 느껴지고 매일 백 명의 환자 아닌 환자를 봐야 하는 악순환이 되풀이 되고 있을 때였다.

나는 그날도 진료를 하러 간병(看兵)과 함께 교도소 복도를 지나가고 있었다. 누군가가 다가오더니 내 손에 흰 우유 한 팩을 쥐어주며 "오 선생님! 사랑합니데이!" 하곤 도망가 버렸다. 그 사내였다. 이젠 혈당이 정상수준으로 돌아와 얼굴에 살도 좀 붙은 것이 딴 사람이 아닐까, 의심할 정도였다. 순간 그동안 내가 얼굴도 안 보고 진료했구나, 싶기도 하고. 아무튼 나이 서른이 된 총각이 마흔이 넘은 사내에게 사랑한다는 말을 듣고 보니 일순간 스치는 복잡 미묘한 감정의 충동이란. 그리고 아직도 또 다른 이름 모를 사내들이 골방에 움츠리고 있을 것을 생각하니 좋아할 수만은 없었다.

그 이후로 사내는 어설픈 초보의사의 말을 잘 따라주어 교도소에서 어려운 식이조절도 해주었고, 운동도 열심히 해주었다. 점차로 건강을 되찾아 가는 모습에 나도 신이 나서 가급적이면 그의 진료는 언제든지 봐주었고, 그는 내가 몇 달 후면 교도소를 떠나야 함을 걱정해 주기도 했다. 그러나 넘치는 환자에 힘없는 공보의의 생활은 의사란 직업에마저 회의에 빠지게 했고, 욕한 바가지 얻어먹는 날이면 친구를 불러 소주잔을 기울이며 신세 한탄을 하기 일쑤였다. 또한 여름과 겨울과 같은 혹독한 계절이 오면 업무량은 엄청나게 늘어서 기운을 쭉 빼놓고 말았다.

치열하던 겨울이 가고 새 봄이 되자 나는 그 곳을 떠나야 했다. 진저리나게 괴롭히던 재소자들이 꿈에서마저 힘들게 하던 나날이었다. 그 사내는 매일 진료를 달고 나와선 물었다.

"오 쌤요. 쌤이 가시면 난 누가 돌봐줍니꺼? 또 옛날맨큼 살기는 죽어도 싫은데에……. 쌤요! 우째 해야 되능교?"

"내가 다음에 오시는 쌤한테 미리 잘 말해둘 테니 너무 걱정 마이소! 독방도 계속 쓰게 해주고 약도 잘 조절해주라고 할 테니까!"

나는 으레 지나는 말로 넘겨 버리고 말았지만, 눈물까지 그렁거리며 앉아있는 그 사내의 모습에 맘이 편하지만은 않았다.

그리고 시간이 흘러서 내가 교도소를 떠나던 그 날, 그는 "선생님, 지가 여서 나가면 꼭 찾아가끼요!" 하고 말했고 나는 그 곳을 벗어난다는 홀가분함에 젖어 인사도 하는 둥 마는 둥 그냥 나와 버렸다.

그 이후로 나는 그 곳을 떠나 인근 복지시설에서 다시 진료하게 됐다. 화창한 어느 봄날, 또 다른 당뇨 환자의 차트를 앞에 두고 인슐린을 써야 할지 말아야 할지 고민하고 있던 내게 따스한 봄 햇살 아래 흰 우유 한 팩을 쥐어주며 사랑 고백을 하던 사내의 모습이 작은 안타까움으로 밀려온다.

그는 나에게 첫 주치의로서 행복을 주었으나, 내가 준 것은 아무것도 없었기에……. 의사는 환자에게 받기만 하는 존잰가 보다. ■

5회 장려상 수상작이다. 오명진 선생은 대구시립희망원 공보의로 일하고 있으며 2007년 3월부터 영남대병원에서 인턴으로 일할 예정이다. 거친 범죄자들 사이에서 일하다가 10살부터 90살까지 정신지체장애인들이 함께 생활하는 희망원으로 옮긴 후부터 '잡기'만 늘었다고. 오명진 선생은 입에서 나오는 뽀얀 입김이 따뜻한 피가 흐르는 사람임을 증명해주듯이 의사는 진료한 환자로 인해 증명 받는다고 믿는다고 밝혔다.

무의촌에서 겪은 큰절을 받아본 일 |한봉전|

서울대학병원에서 내과 레지던트 4년차로 올라갈 시기였다. 당시 서슬 퍼런 박정희 정권의 무의촌 동원령이 영달되었다. 1년만 더하면 전문의 시험에 응시하여 당당한 전문의로서 사회활동에 진력할 수 있을 텐데 하는 아쉬움으로 눈앞이 캄캄했다.

그동안 설움도 많이 받아왔다. 누가 보나 외견상으로는 선망하는 종합병원의 젊은 의사로 장래가 촉망되는 부러운 위치로 보이나 당시의 직책은 무급조교로서 요즘의 수련의와 달리 급료는 땡전 한 푼 못 받았으며 지급받은 것은 흰 가운 한 벌과 당직 시 병원 직원 식당의 식권 한두 장이 전부이었다. 그럼 어떻게 생활을 하느냐구요? 완전히 적자생활이다. 친척이나 가까운 친지에게 찾아가 무조건 빌려 막는 방식이라 솔직히 이야기하면 시쳇말로 백수다.

당시의 수련의들은 모두들 삼신이 들렸다고 하였다. 삼신이란 '눈치 보는 데 귀신, 일하는 데는 병신, 먹는 데는 걸신이 들렸다' 는 것이다. 그래도 푸라이드라는 것이 있어서 천하에 부러울 것이 없었다. 옛말로 '양반이 물에 빠져 죽으면 죽었지 치사하게 개헤엄 칠 수는 없다' 는 식이다.

내가 발령을 받은 곳은 전북 순창의 오지 중의 오지이었다.

처음 방문하니 진료소도 없고, 여관도 없어 첫날은 면사무소 당직실에서 하룻밤 신세를 졌다. 다음날 긴급 직원회의 후 배정받은 곳이 그곳 도로변에 있는 막걸리집, 주막집 사랑방이었다.

　이곳에 공의진료소란 나무 팻말이 걸리었고, 이곳에서 의식주는 물론 진료업무가 시작된 것이다. 시설이란 청진기와 혈압계, 유리 주사기 몇 개, 마큐롬과 같은 응급외용약 몇 병, 탈지면과 링거 몇 병, 소화제나 감기약, 괴나리봇짐이 전부이었다. 보수는 얼마냐구요? 보수란 무의촌에서 각자가 역량껏 벌어먹으라는 것이 정부방침이었다. 그러나 보다시피 아무런 시설이나 준비도 없이 내팽개쳐진 진료소를 찾아오는 사람은 아무도 없었다. 낮에는 무정하게 불어오는 찬바람과 이따금 비춰주는 햇빛, 그리고 밤에는 어스름 달빛과 별들의 속삭임이 전부이었다. 그러면 어떻게 소일하냐고요? 취생몽사(醉生夢死), 그저 막걸리 한 사발 먹고 팔베개 하고 누워있으면 천하에 부러울 것이 없었다.

　그러던 어느 날, 밖에 쿵하고 짐을 부리는 소리가 났다. 나는 얼떨결에 방문을 열어보았다. 그랬더니 늘 보던 면서기 한 사람이 깍짓동같이 부은 6세 된 남자아기를 부려놓고 대뜸 내 방에 찾아드는 것이었다. 사연인즉, 쟤가 나의 유일무이한 아들놈인데 작년부터 시름시름 앓더니 한 달 전부터 몸이 저렇게 부어 용하다는 병의원을 다 찾아가보고 치료해도 낫지 않아 할 수 없이 전남대병원에 2주간 입원가료해도 통 효험이 없고 희망이 없다하여 아무래도 집에나 데려가 구뎅이라도 팔려고 하다가, 오다가 생각하니 이곳 생각이 나 마지막으로 데리고 왔으니 시험 삼아서라도 치료해달라는 것이었다.

　환자를 보니 얼굴은 붓고 백지장처럼 창백하고 숨이 차서 헐떡거리며 배에는 복수가 차서 튀어나오고 다리는 뚱뚱 부어 손구락이 쑥쑥 들어갈 정도이며 온몸이 깍짓동처럼 부어있었다. 보나마나 콩팥이 나쁜 말기 신부전증이었다. 환자의 부친은 집주인에게도 미리 이야기했으며 오늘 부려놓고 갈 테니 아주 입원한 셈치고 치료해 달라는 것이었다. 나는 보다시피 시설이 전무하고 환자는 중태이어서 답변할 수 없다고 하였으나 막무가내로 환자와 부인을 옆방에 남겨놓은 채 혼자 귀가하겠다는 것이다. 밤도 이슥하여 나도 뭐라고 이야기할 수 없지만 정 그렇다면 환자에 대하여 나는 책임질 수 없지만 내가 처방해주는 약이나 수액제제를 사서 대준다면 무보수로 치료해 주겠다고 약속하였다.

"아아, 우리나라 최고의 대학을 나오시고 우리나라 최대 병원에서 근무하다 오셨는디 뭘 못한단께라!" 하고는 "믿고 가닝께 시험동물로 생각하시랑께!" 하고는 떠나가 버렸다.

순간 나는 가슴이 철렁하였다. 세상에, 대학병원에서도 못 고친 환자를 내가 어떻게 무슨 재주로 고친단 말인가! 유일한 희망은 기적뿐이었다.

그 당시 나는 궁핍한 생활을 하였었다. 밥이란 혹 불면 날아갈 정도의 보리밥에 김치가 반찬의 전부였다. 처음에는 시골사람들이 서울서 내려왔다니 부러운 눈으로 쳐다보다가도 우리의 실생활을 보고서는 냉소를 보내는 사람들도 많았다.

나는 환자에게 철저한 저염식에 두부를 위주로 한 단백질 섭취, 수액 및 이뇨제 등으로 치료하였었다. 식사 때가 되거나 밤이 이슥하면 환자의 울음소리로 집안이 떠나갈 듯하였다.

"쟤! 왜 또 저리 울어?"

"밥 먹기 싫다고 저래요."

"먹어야 살지, 항우장사라도 안 먹고 어떻게 살아!"

"그러니께 답답하지!"

그러나 저러나 우리 식단에도 약간의 변화가 있었다. 두부찌개가 올라오는 것이었다. 이는 환자의 가족이 성의로 끓여주는 것이었다.

병세는 일진일퇴를 거듭하면서 통 효과가 나타나지 않았다. 그러던 어느 날 나는 수액제를 사러 이곳에서 6km 가량 떨어진 읍내로 면사무소 직원의 자전거를 빌려 약품 구입 차 출장을 가게 되었다. 읍내로 갈려면 큰 고개를 하나 넘어야 한다. 약품을 구입하여 돌아오는 길에 나는 고개의 정점에서 휘파람을 불며 자전거를 타고 신나게 달렸다. 시원한 바람이 나의 이마와 몸을 어루만져주었다. 그러나 이게 웬일인가! 비탈을 내려가면서 자전거가 가속도가 붙더니 아무리 부레이크를 눌러도 듣지 않았다. 한쪽 옆으론 수십 척 낭떠러지가 버티고 서있다. 순간 정신이 아찔하였다. 나는 하는 수 없이 옆의 똘구랑으로 핸들을 돌리었다. 순간 내 몸과 자전거가 공중에 솟구치더니 꽝 하는 굉음과 함께 내 몸과 자전거는 박살이 나고 말았다. 한참 만에 정신을 차려보니 내 무릎과 발등은 뚱뚱 부어있고 사타구니는 할켜서 유혈이 낭자했다. 자전거는 대가리가 부러져있으며 페달도 하나가 날아가 버렸다. 다행히 무릎과 다리가 붓고 아파도 디딜 수 있었다. 그때 내가 자력으로 귀가하였는지 주위의 도움을 받았는지는 불확실하다. 어떻든 2주간 옆방의 환자와 의사가 동시에 신음소리를 냈다.

천우신조로 한 달 후 환자의 부종이 약간 나아지고 울음소리가 그쳤다. 이제는 어린이의 웃음소리가 들리기 시작했다. 며칠 후 많은 동리사람들을 대동한 면서기 내외가 우리 방에 들어왔다. 이들은 동리사람들을 내보내고 문을 닫더니 나에게 앉기를 청하였다. 이들 내외는 내 앞에서 일어서더니 정중하게 큰절을 올리는 것이었다. 나는 당시 20대 후반의 청년으로 나보다 연배가 위인 분이 큰절을 하는 것을 받아보기는 생전 처음이었다. 그리고는 금일봉을 내어놓고는 덕분에 잃은 자식을 살렸노라며 내 손을 양손으로 꼭 잡고 눈물을 글썽거리며 성의니 받아두시라고 하는 것이었다. 나는 몇 번이나 사양하였으나 별 수가 없었다.

밖에선 이미 동리사람들과의 잔치가 무르익었으며 술이 거나하게 취한 환자의 부친께서는 "일생일대, 지상최대의 기쁜 날"이라며 신명나게 춤을 추어댔다. 환자는 이미 동리사람들에 업혀 퇴원하였다. 그 후에도 명절 때가 되면 금일봉을 들고 부부가 큰절을 올리곤 하였었다.

무정세월 약유파(無情歲月 若流波)라고 30년 세월이 눈 깜짝할 사이 흘러가버렸다. 그러던 어느 날 당시 환자의 모친이 전북에서 부산까지 내방하여 집에서 채취한 토종꿀 한통을 놓고 가 가슴 뭉클하게 하였다. 환자는 그 후 완쾌하여 상고 졸업 후 현재 서울 소재 은행에 건강히 근무 중이며 남편은 그 후 10여 년 뒤 50대 초반에 애석하게도 암으로 별세하였다고 한다. 술이 거나하면 막걸리 한 사발을 나에게 전해주고 흥에 겨워 덩실덩실 춤을 추던 그가 눈앞에 어른거리며 이제는 더 볼 수 없는 고인이 되었다니 가슴 아프다. ■

5회 우수상 수상작이다. 글투에서 느껴지듯 한봉전 원장은 고희에 들어선 원로의 사다. 하지만 여전히 부산에서 한봉전 내과의원을 개원하고 있고 수필문학상 수상 후 수필집을 출간하는 등 활발한 활동 중이다. 한 원장은 수상소감에서 "초야에 은거하며 평생의 취미인 수필에 전념하며 인생을 관망하고 싶다"는 뜻을 밝혔다.

살며, 사랑하며, 배우며 |오지수|

- 벌써 1개월 (2003년 5월)

휴, 벌써 한달이나 지났다. 정말 아무 생각 없이(아니, 생각은 많았으나 시간이 부족했다는 표현이 좋겠다) 지나갔다. 이 곳으로 배치 받은 날부터 주님의 인도하심을 믿고는 있지만 너무한 곳으로 날 보내셨다고 생각한다. 내 능력 밖의 시험은 주시지 않는다고 성경에 약속되어 있는 걸 생각한다면, 내가 능력이 많은 걸까? 지금까지 진료하느라고 너무나도 힘들었다. 하루에 150명이라는 환자 수를 기록하기도 했다. 경이(?)롭지 않은가! 기다리기 지겹다고 30여명이 집으로 돌아가신 게 너무나도 다행스러웠던 날도 있다. 지금은 모내기철이라서 환자가 반으로 줄었는데도 70명이다. 이 숫자도 많긴 하지만, 100명에 비할소냐! 그래서 요즘은 너무 느슨하게 환자분들을 보고 있다. 그런데 그게 더 걱정이긴 하다. 처음엔 정말 모든 것을 의욕적으로 하려고 맘먹었다. 찾아다니는 의사가 되고 싶었지만, 오시는 환자분들만 보는 것도 너무 힘들었다. 그래서 낙담도 되고 체념도 되었다. 역시 '내 몸이 편해야 친절할 수 있고, 남을 돌볼 수도 있다' 는 말을 깨닫는 시간들이었다. 이 곳 섬은 60% 이상이 60세 이상이다. 그리고 대부분이 홀로 사신다. 거동이 불편한 환자분들도 많고, 마지막으로 임종을 맞으러 고향을 찾으시는 분들도 많다. 내원 환자의 80%는 할머니들이다. 할머니들에게 아무리 말해도, 그렇게 하겠다고 확답을 받아도, 다음에 오시면 변한 게 하나도 없다. 왜 내가 시킨 대로 안하시냐고 물어보면, 하나같이 "모릉게!"라고 대답하신다. 모른다……. 정말 무서운 말이다. 몰라서 못했다는데 무슨 말을 하리오! "모른다"라는 대답에 할 말을 잃었던 한 달이기도 했다.

이제 적응도 되어가고 서서히 내가 계획했던 일들을 시작할 때인 것 같다. 그런데 중요한 건 환자 진료를 너무 짧게 한다는 것이다. 하루에 100명 정도 환자들을 진료하다보니 환자 당 5분 진료도 못하는 나를 발견하게 되었다. 정확한 이학적 검사를 하고는 싶지만 '환자가 많아서' 라는 핑계로 지금까지 그저 그렇게 지내왔다. 그런데 요즘은 조금 여유가 있는데도 불구하고 변함이 없다. 오히려 더 빨리 보고 더 쉬려고까지 한다. 내가 제일 싫어하는 의사의 모습을 따라 가고 있는 나를 발견한 한 달이기도 하다.

비금과 도초 주민 1만 명 중 의사는 나 한 명이라는 사명감에 공휴일에도 섬 밖에 나가지 않고서 보건지소 앞에 "환자 발생시 01x-20x-30xx"라는 종이를 붙이기도 했다. 바다에 빠져 자살하려는 환자, 간암 환자, 식도정맥류 출혈 환자, 맹장염 환자, 급성 복통 환자, 교통사고로 머리에서 피가 철철 흐르는 환자, 농약 마신 환자들 덕택에(?) 밤잠도 못자고 목포까지 경비정 타고 밤바다를 질주하기도 하고 생전 처음 헬기까지 타보는 호사(?)도 누려보기도 했다. 정말 힘들었지만 "고맙소! 선생님 때문에 살았소!"라는 말을 들을 땐 기운이 솟는다. 의사라는 보람을 찾는 한 달이기도 했다. 도초에서 보낸 한 달은 의사에 대한 회의, 보람 등이 교차했다. 그리고 응급환자들, 특히 그 보호자들을 보면서 사람에 대해서 다시 생각해 보는 기회도 갖게 되었다. 물론 앞으로 더욱 깨닫게 되겠지만…….

새로운 시작 (2003년 1월)

아직 시험 결과는 나오지 않았다. 시험이 들던 것과는 많이 달라서 혼났다. 탈족에 가까운 문제들이 너무 많았고, 조합도 너무나 까다로웠다. 쉽게 알 수 있는 것은 (가), (다)에 배치해 놓고 아리송한 보기들이 꼭 (나), (라)에 배치되어 있었다. 학교 시험보다도 못한 종이에 의대 생활 6년의 마지막 시험이 끝났다. 아니, 내 인생의 새로운 시작점, 의사로의 첫 시작을 알리는 시험 시종이 울렸다. 친구들은 정말 심란해 했다. 인턴을 어디에서 해야 하는지 정말로 고민을 많이 하고 있었다.

난 그런 면에선 자유로웠다. 일찌감치 공보의로 가기로 마음먹었기 때문이다. 나는 의사로서의 첫 시작을 병원의 굴레에 맡길 수 있을 만큼 순종적인 사람이 못 된다. 의사로서의 삶을 30여 년으로 생각하면, 첫 3년은 십일조의 의미로 내가 믿는 그 분께 드리고 싶었고, 이왕이면 의료 소외 지역으로 배치받아 봉사하고 싶었다. 그 곳이 바로 섬으로만 이루어진 신안군이었다. 어차피 해야 하는 공보의 3년을 봉사하면서 보내기로 뜻을 같이 한 친구 두 명도 함께, 우리는 목포 앞 바다에 두둥실 떠있는 섬에서 의사로서의 삶을 시작하게 되었다.

환자분들과 싸우기도 한다

아무리 잘하려 해도 환자분들과 언성을 높일 때가 종종 있다. 참아야 하는데 말처럼 쉽지가 않다.

1. 할아버지랑 주사를 가지고 싸웠다. 어제 주사도 맞고 약도 5일 치나 남아있는데 또 오셨다. 난 매일 골백번도 더 말한다.

"주사랑 약이랑 똑같아요. 주사가 부작용이 더 크다구요. 좋은 거라면 제가 드립니다. 안 좋은 거니까 안 드리는 것 아닙니까."

그런데도 할아버지는 막무가내로 전(前) 소장님들은 아무 말 없이 놓아주

57

었다고 하면서 놓아달라고 한다. 난 화가 나서 "전에 계셨던 선생님은 의정부로 가셨으니까, 의정부 가서 맞으시라고요!"라고 소리쳐버린다. 할아버지는 아무 말씀 못하고 나가신다. 내가 할아버지께 너무 한 것 같다. 중요한 것은 내가 주사를 주지 않으면, 기어코 약방 가서 주사를 사서 자기들이 맞는다는 것이다(이 곳은 그런 곳이다. 의약분업 예외지역이고, 지금까지도 주민들은 약방 주인이 자신들을 살렸다고 믿는다. 또 그 약방 주인도 지역 주민이라 쉽게 어떻게 하지도 못한다.) 결국 이번에만 주사를 드리고 다음엔 약을 다 드시고 오셔야 주사를 놔준다고 서로 합의를 봤다. 물론 그 할아버지는 또 잊으시겠지만.

'휴, 그냥 잔말 없이 놔 드리면 인심도 얻고, 좋은 의사 소리도 듣고, 진료도 빨리 끝나고, 얼굴 붉히는 일도 없을 텐데……' 하는 생각을 하루에도 수십 번 한다. 그렇게 하기 싫어서, 그걸 바꾸기 위해서 공보의로 왔지만 힘든 건 사실이다.

2. 어머니가 도초에 사신다는 어느 아주머니에게서 전화가 왔다. 영양제(아미노산 수액제)를 왜 안주냐고 따지듯이 묻는다. 필요도 없는 걸 왜 맞을까? 여기 사람들은 그게 피 주사라며, 보약 같은 것인 줄 알고 있다. 그리고 육지에 사는 자식들은 수액제 보내는 걸 정말로 큰 효도로 생각한다. 너무 화가 나서 전화에 내고 소리를 질렀다.

"영양제 따위로 효도했다고 생각하지 말고, 도초에 와서 어머니 얼굴 한번 보세요! 영양제보다 훨씬 좋아요!"

내가 너무 다혈질인가? 힘든 문제다. 사람 대하는 것이 힘들다. 정에 이끌리다 보면 한이 없고, 냉정하고 모질게 원칙대로 해도 문제인 것 같다. 아……. 이런 건 학교에서 배운 적이 없다. 괴롭다.

환자분들이 오히려 나를 돌봐준다

의사인 내가 환자분들을 돌보기도 하지만 나를 손자처럼 생각하고 돌봐주시는 분들도 있다.

1. 내가 정말로 관심 가졌던 한 할머니가 계셨다. 심장에서 잡음이 들리고 다리는 부어 있었고 숨도 헐떡헐떡 쉬시던 분이다. 보건지소까지, 내가 걸어도 30분은 족히 걸리는 거리를 1시간이나 헐떡거리며 오셨던 분이다. 내가 오시지 말고 전화하시라고 명함까지 드렸지만 할머니는 "미안항께"라고 말씀하시며 그렇게 직접 오시곤 했다. 그래서 진료가 끝나면 지소차로 태워다 드렸다. 자기 아들보다 내가 더 좋다고 하시는 분. 목포 나가서 진찰 받으라고 해도 아들놈이 돈 든다고 빨리 죽으라고까지 한단다. 그런 와중에 소장이라는 사람이 집까지 모셔다 드리니 정말로 날 좋아하셨다. 내가 도초로 간 이후 할머니는 나날이 좋아지셨다. 그런데 그저께 8일치 약을 타 가셨는데 오늘 다시 오셨다. 난 무슨 일이 있나 생각했는데 할머니가 셋째 아들이 있는 부산으로 가신다고 인사 오셨단다. 정말 고마운 선생님께 인사는 하고 가야 한다고 하시면서 1시간이 넘게 또 걸어오셨다. 그리고 마지막으로 원장님 차를 타고 집에 가고 싶다고 하셨는데 너무나 아쉽게도 지소차가 고장 나서 이틀 전에 목포 나가고 없었다. 할머니를 꼭 모셔다 드리고 싶었다. 할머니는 우리 보건지소 약 먹고 싶다고 약을 일주일 치 더 타 가시고 내 손을 잡으시며 "건강하셔요……. 그리고 좋은 색시 만나, 소장님" 하신다.

자신의 몸이 더 안 좋으면서 60살이나 어린 내게 '건강하라' 니…… 와락 눈물이 나왔다. 할머니에겐 그동안 따뜻한 말 한마디, 시선이 필요했던 것이다. 이제 할머니가 부산으로 떠나면 다신 못 뵐 것 같다. 좋으신 할머니였다. 우리 할머니를 떠올리게 했는데……. 할머니가 예수님 믿고 돌아가시면 그때나 뵐 수 있을 것 같다. 천국에서……. 할머니 말씀 받들어 건강하고 좋은 색시 만나야겠다.

2. 할머니는 오늘 아침 진료실에 들어 오시자마자 주머니 속에서 무엇인가를 꺼내시더니 갑자기 내 책상에 던지다시피 하셨다. 화장지에 고이 싸여있는 건 세종대왕이 그려진 만 원짜리 한 장! 놀란 나의 말.

"맛난 거 사 드세요. 전 나라에서 월급 줘서 괜찮아요. 할일을 한 것뿐인데 무슨 돈을 주고 그러세요."

"우유 사 드셔……"라는 할머니의 대답.

엥? 우유사서 먹으란다. 할머니 생각엔 내가 더 커야 한다는 이야길까? 할머니에겐 우유가 만 원으로 살 수 있는 가장 소중한 것인가 보다. 계속 돌려드려도 다시 꺼내고 책상에 던지다시피 하고 나가셨다. 적게 드려서 미안하다고 하시면서……. 할머니 댁에 두유라도 사가야겠다. 기분 좋은 하루였다. 내가 환자분들을 돌봐드리는 것보다 환자분들이 날 돌봐주신다는 느낌이 들었다.

3. 신안군 최고령 할머니가 도초에 계신다. 94년생! 난 첫 진료에서 주민번호가 94로 시작하기에 "공수, 들어와" 라고 했었다. 그런데 백발의 할머니가 들어왔다. 할머니가 잘못 듣고 들어오시나 싶어서 "공수 어디 있어요?"라고 한 기억이 난다. 1894년생이란다. 헉……. 110세! 실제 나이는 호적이 잘못돼서 105세.

그 할머니가 많이 아프시고 기력이 쇠하셔서 거의 일주일 동안 누위만 계시고 밥도 못 드시고 간간히 죽만 드신다고 해서 손자분의 부탁을 받고 왕진한 적이 있다. 밥도 못 드시기에 수액이랑 아미노산 수액제제를 맞춰드렸더니 어떻게 된 건지는 모르겠지만 할머니가 그 다음날 벌떡 일어나더니 전보다 더 건강해지셨다. 그래서 그 식구들은 날 생명의 은인이라며 감사하다고 했고, 내가 예수님 믿어야 된다고 하니 당장 믿으신다고까지 하셨다. 멀리 살고 있는 따님도 전화해주고 그 동네에선 명의로 소문이 나버렸다. 그런데 아쉽게도 그만 아미노산 수액제가 만병통치약으로 통하게 되었다. 이런 일이 있은 후 한 달 정도가 지난 어느 오후였을 것이다. 갑자기 면장님이 진료실로 뛰어오시더니, "오 소장! 장하네! 라디오에도 나오고……. 도초를 위해서 열심 내주니 참 고마우이"라셨다. 알고 보니 할머니의 아드님이 MBC 라디오에 내 사연과 함께 음악을 신청해서 오늘 나왔다고 한다. 더 재미있는 건 신청곡 제목이 설운도의 "갈매기 사랑"이었다. 이런 일도 겪어보고 기분은 무척 좋았다.

사랑이 필요한 또 다른 분들이 있다. 마음의 환자일지도 모르지만…….

환자는 아니지만 (혹시 환자일지도 모른다) 섬에만 근무하는, 흔히 여사라고 불리는 보건지소 공무원들도 내가 관심을 갖는 사람들이다. 복지부동으로 일을 안 하는 공무원인 여사님들이 있다. 이 분들과 트러블도 상당히 있지만 인간관계라는 게 참으로 신기하게 벌어지기도 한다. 매일 미워만 하다가 어느 날부터 지소 여사님들을 무작정 사랑하기로 마음먹었다. 그런데 이 마음가짐도 너무 사소한 일로 무너졌다. 일주일 치 밀린 빨래를 하러 세탁기에 가봤더니 여러 가운들이 세탁이 되어 있었다. 무심코 그 빨래들을 밖으로 꺼냈는데 뭔가가 우르르 떨어지는 게 아닌가. 이런! 누군지는 모르겠지만 내 가운도 같이 빨았다. 여기까진 참으로 감사한 일인데……. 난 가운에 여러 가지를 넣고 다닌다. 그걸 하나도 빼놓지 않고 누군가 빨아버린 것이다. 내 월급 명세서, 볼펜, 펜 라이트, 껌 등등. 어제 통장을 빼놓아서 다행이었다. 볼펜은 잉크가 다 새서 못 쓰게 되었고 껌은 이리저리 다 뭉개져서 옷에 덕지덕지 묻어있고 월급명세서는 쓰레기가 되었고 중요한 펜 라이트 전구는 어딘가로 사라져 버린 것이었다. 평소엔 빨아주지 않던 내 가운을 말도 없이, 그것도 내용물을 빼놓지도 않고 빨다니……. 화가 머리끝까지 치밀어 올랐다. 펜 라이트는 8천원이나 하는데 가장 중요한 전구가 사라졌다. 으이그……. 화난 채로 막 빨래들을 뒤졌는데 전구는 보이지 않았다. 다시 마음을 가다듬고 생각했다. 여사님들이 생각해서 내 가운도 빨아주려고 했나보다. '그냥 혼자 걸려있는 소장님 가운도 빨아주자' 라고 생각했나보다. 며칠 전부터 그들을 사랑하자고 다짐했었는데……. '그래, 날 생각해서 빨아줬는데 이 정도쯤이야' 옷을 털고 널려는 순간! 옷에 덕지덕지 붙은 껌에 전구가 찰싹 붙어 있는 게 아닌가. 화난 채로 욕하면서 찾아봤을 땐 정말로 아무 것도 없었다. 마음을 고쳐먹고 사랑하자는 맘을 먹고 그냥 봤을 땐 유심히도 살펴보지 않았는데도 도망가지 못하게 껌에 찰싹 붙어있었다. 와……. 신기했다. 이제부터 모두를 사랑하자. 그러면 안 되던 일도 이루어지고 보이지 않는 것도 보이게 될 것이다. 아 참, 잊지 말자. 껌도 넣어두는 것을……. 믿습니까? 믿습니다.

삶 VS 죽음 그리고 배움

1. 거의 20일 동안 매일 찾아가서 욕창소독을 한 할아버지가 있다. 고관절 치환술을 받고서도 7번 수술을 더 받으신 분이다. 어느 날인가 할머니가 보건지소에 오셔서 "우리 집 양반이 좀 이당게라. 선상님! 꼭 한번 와서 봐 주쇼"라고 하셔서 집에 가봤더니 할아버지는 다리를 전혀 못 쓰고, 방을 빙빙 기어 다니고 계셨다. 참 난감했다. 이를 어쩐다……. 목포에 있는 큰 병원으로 옮겨야 될 것 같다고 말씀드렸지만 돈이 없다고 하셨다. 더 이상 병원에는 가기 싫다고 하시면서 할머니는 지극 정성으로 할아버지를 돌보고 계셨다. 어느 날인가 치환술 받은 부위가 부어오르고 있었다. 할머니는 겁도 없이 면도날로 찢고서 스스로 할아버지 고름을 빼냈다. 내가 가 보니 환부에서 고름이 줄줄 새어 나오고 있었다. 나는 "할머니!" 하고 소리 지르면서 절대 손대지 마시라고 신신당부를 했다. 그리고는 보건소에 말해서 관장세트도 들여놨고 욕창 치료할 세트도 구비해 놨다. 할아버지가 갑자기 많이 안 좋아 보이셨다.

숨도 쉬기 어렵고, 다리는 퉁퉁 부어오르고, 정신도 없으셨다. 코마! 내가 할머니께 해드릴 수 있는 것은 죄송하게도 이 말밖에 없었다.

"할머니, 얼른 자식들에게 연락하세요."

아침 6시50분. '띠리링' 관사 전화가 울렸다.

"소장님, 이 양반 돌아가셨어."

눈물이 났다. 내가 해 드린 게 없어서 너무나도 슬펐다. 그리고 할머니를 생각하니 더욱 슬펐다. 이제 혼자 사셔야 할 테니까……

"이 양반이 있어서 그나마 행복했는데……. 이 양반 아니었으면 반찬도 그냥 안 해먹고 밥에 물 말아 먹었을 텐데……. 말도 못하고 똥도 못 가누고 그랬어도 이 양반 먹이려고 반찬도 하고 그랬는데……. 이제 뭐 먹고 사나……."

"한번도 안 본 사람과 중매로 결혼했지만……. 50년 같이 살면서 나 고생시킨 적 한번도 없는데……. 불쌍한 양반, 이제 가버렸네……."

사랑은 위대한 것 같다. 마음이 아프다. 의사란 이런 건가? 자신이 치료한 환자가 세상에서의 소풍을 마치고 떠나갈 때……. 아무 도움도 되지 못했다. 할아버지, 죄송합니다.

2. 요사이 세상을 떠나는 할머니, 할아버지들이 많다. 오늘도 내가 근 한 달간 매일 찾아갔던 폐암 말기 할아버지가 자신이 믿는 주님 곁으로 가셨다. 내가 할아버지를 알게 된 건 작년 4월이었다. 혈압 약을 타러 오셨고 그때 폐암 말기라는 사실을 알게 되었다. 그런대로 그렇게 잘 지내 오셨는데 한 달 전에 할머니가 보건지소로 찾아왔다. 할아버지가 너무 아파하시니 주사 좀 놔달라고……. 그리고 그 날부터 계속 주사를 놔 드리러 갔다. 그런데 오늘 주님 곁으로 가셨다. 호스피스가 되어드리려고 노력했다. 언제나 내가 찾아가는 오후 5시만 되면 날 기다리셨던 할아버지. 꼭 내게 고맙다는 말 한마디

를 하시곤 했다.

"소장님, 고마우이."

그런데 언젠가부터 안 맞겠다며 내가 놔준 수액도 빼버렸다. 이걸 맞으면 오래 사니까 그냥 굶어 죽겠다는 것이었다.

'어휴'

그 이후 L - 튜브와 폴리를 하시게 되고, 관장까지 해야 했다. 그런데 할아버지가 다시 수액 좀 놔 달라고 하셨다. 설에 초상 치르면 주위 사람들한테 미안하다고 하시면서……. 2시간을 낑낑대며 겨우 찾아낸 혈관에 수액을 똑똑 떨어뜨리기 시작하면 이내 부풀어 올랐다. 혈관이 너무 약해져 있어 금방 터져버리는 것이다. 뜨거운 수건으로 마사지를 하고 혈관 찾아낸 후 다시 시작했다. 와, 이번엔 정말 잘 꽂았다. 수액도 잘 들어갔다. 할아버지……. 언젠가부터 말씀하기도 힘들어하셨는데, 오늘만큼은 손을 흔드시며 "고, 마, 워."하신다. 내가 마지막으로 본 생전의 할아버지 모습이었다. 그리고 음성도. 할머니는 우시면서 내게 전하셨다.

"소장님한테 조금만 더 살려달라고 해야겄어."

이것이 할아버지의 마지막 말씀이었단다. 아, 방문가기 싫다. 계속 죽음을 봐야 하기에. 의사란 이런 것임을 감당하기가 쉽지 않다. 특히 1년차 의사에게는……. 휴.

3. 일년도 안 되어 세 구의 변사체를 검안했다. 첫 번째는 공사장 인부였는데 여관방에서 자살. 두 번쨀, 여름에 방죽에서 수영하다 익사한 중학생. 오늘 세 번쨀, 보건지소 단골인 아저씨. 오랜만에 목포에 나가서 세상 구경 좀 하고 들어오자마자 파출소에서 나와 기다리고 있었다. 시체검안을 하러 가야한다는 것이었다.

이번의 아저씨는 대학도 다녔던 분이라 다른 섬사람들보다 유식했던 분이다. 집도 옛날에 엄청 부자였는데 지금은 다 망하고 자신은 알코올 중독자가 되었다. 매일 지소 와서 순서도 안 지키고 무작정 들어왔던 분. 말싸움하기 귀찮아서 예전 지소장들은 들어오자마자 무조건 주사 놓아주고 보냈었던 분. 자기 맘에 안 맞으면 물건을 막 부숴버리려고 하시던 분. 가족에게도 버림받아서 혼자 컨테이너 박스에서 사시던 분. 한번은 오후에 곤드레만드레 술에 절어 보건지소에 오셨다. 기다리는 환자도 없어서 이런저런 이야기를 들어주었다. 단지 들어주기만 했다. 그랬더니 펑펑 눈물을 쏟으시는 게 아닌가! 자기 한탄도 하고 계속 울면서 '원장님, 고맙다'고 했다. 30분가량 이야기를 들었던 것 같다. 지소 여사님들이 아저씨가 우는 것 처음 봤다고 했다. 이전 선생님들은 무조건 주사 주고 빨리 가라고 했다고 한다. 내가 해 드린 건 그냥 들어주는 것뿐이었는데. 그 날 이후 아저씨는 날 신뢰하게 되었고 보건지소에 와서도 다른 사람 말은 안 들어도 내 말은 잘 들었다. 그 전까진 아무 말도 못했는데, 우신 후부터는 그래도 가끔은 교회에 가볼 거라고 약속했었다. "의인을 위해 예수님이 오시지 않았어요. 아저씨"라며 전도 하려고 노력(?)을 했었는데……. 1주일 전에도 약 타 갔었는데…….

그랬던 아저씨가 세상을 떠났다. 아, 또 한 영혼을 떠나보냈다. 40년 넘게, 그 화려했던 과거가 현재와 미래를 모두 망쳐버렸다. 오로지 과거만을 생각하면서 술로 하루하루를 살아갔다. 미래를 보여 주었어야 하는데, 희망을……. 아저씨 곁엔 아무도 없었다. 단지 기르던 강아지만이 그 곁을 맴돌 뿐이었다. 내가 위로해 드렸어야 하는데……. 친구가 되어 주었어야 하는데……. 후회해도 소용없다.

환자분들에게서 배우다

1. 오전에만 환자분들이 몰리고 오후 4시부터는 거의 오지 않는다. '방문진료 나가야지' 생각하며 여사님께 거동 불능자로 파악된 분들 찾아 가자고

했다. 여섯 분을 찾아가게 되었다. 직장암 수술하신 분. 한쪽다리가 없는 할머니. 잘못된 치료로 한쪽 다리가 완전히 꺾인 할아버지 등등. 내가 가서 그냥 혈압 재고 이것저것 말해주니 너무나 고마워하신다. 그분들은 의사 자체에 동경을 가지고 계신다. 얼굴 보는 것만으로 힘을 얻으셨다. 내가 정말 해드린 건 없지만 그 분들의 맘속에 소외 받는 설움이 사라지길 기도한다. 한쪽 다리를 절단하신 후 화장실 외엔 가지 못하시는 할머니를 뵈었을 땐 눈물도 핑 돌았다.

"얼른 죽게 해주시오. 소장님!"

할머니의 부탁이었다.

"귀여운 손자들이 있는데 왜 죽어요. 그리고 생명은 제가 주관하는 게 아니에요. 그리고 우리 할머니 돌아가셨을 때 저 많이 슬펐어요. 더 오래 사셨으면 좋았겠단 생각이 들어요. 할머니도 오래 사셔서 손자들 커가는 모습 보셔야죠!"

우리 할머니 대하듯 할머니들을 찾아뵈어야겠다. 오늘 처음으로 눈물 흘린 날이다.

2. 무면허 한의사에게 뜸을 맞다가 화상 입으신 할머니가 오셨다. 섬엔 아직도 이런 '야매'들이 많다. 그 분은 엉덩이에 화상을 입으셨다. 그게 약만 잘 바르면 금방 나을 것 같았는데, 이거 웬길! 집에 혼자 사신단다. 누군가 한 명만 같이 살아서 약만 매일 발라주면 좋을 텐데……. 할머니가 오늘 다시 오셨다. 아물기는커녕 더 심해졌다. 그래서 저녁에 찾아뵙겠다고 했다. 밤이 되어 약속한 대로 찾아갔다. 집을 찾는 게 쉽지만은 않았다. 도초는 정말 큰 섬이다. 마을이 30개나 된다. 육지의 웬만한 면 단위보다 더 크다. 그래서 그 지역까지 가서 교회를 찾아갔다. 곤란할 때 비빌 언덕은 언제나 교회다. 사모님이 직접 그 할머니 집까지 안내해 주셨다. "할머니"하고 부르는 순간 방에

서 불이 켜졌다. 할머니는 날 보고서 너무 기뻐하셨다. 손까지 잡으시며 "이렇게 소장님이 다 오셨네"라고 좋아하셨다.

"약속은 지켜야죠."

엉덩이에 약을 발라드렸다. 할머니의 눈가엔 눈물이 맺혀 있었다. 내가 해드린 건 없는데 나를 보는 것만으로도 누군가가 자기를 찾아주는 것에 감사하는 것 같았다. 이제 가봐야겠다며 문을 나서는 순간, 할머니가 돈을 주시려는 것이었다. 2만원. 난 내가 할 일을 했을 뿐이라며 '멋지게' 말씀드리고 나왔다. 할머니는 힘든 몸을 이끌고 문 앞까지 배웅해 주셨다. 50살이나 어린 내게 "소장님, 참 고맙다"고 하시며 눈물까지 흘리셨다. 당연히 해야 할 일들이 이 곳 주민들에겐 정말로 위안이 되나 보다. 특히 외롭게 혼자 사시는 할머니들에겐 더욱 더……. 엉덩이에 약 한번 발라주는 것에 할머니의 마음을 적실 수 있었다면 좀 피곤한 건 참을 수 있다. 내일은 예수님도 함께 발라주고 와야겠다.

3. 방문보건 차 마을길을 걷고 있었다. 이곳에서 너무나도 큰 가르침이 나를 기다리고 있었다. 아주머니 두 분이 오고 계셨다.

"넌 누구냐?"

아주머니 중 한 분이 그렇게 물어봤다. (깜깜해서 아무것도 안보이니까)

"보건소장……."

그랬더니 그 아주머니의 이어진 말이 내 가슴을 후벼 팠다. 알고 보니 아주머니는 일주일 전에 돌아가신 할머니의 딸이었다. 내게 한 번 와달라고 했는데 차차 미루다가 가 보지 못했던 그 분. 내게 와달라고 한 후 일주일 만에 돌아가셨다. 진짜 가보려고 했었는데…….

그 아주머니는 내게 말했다.

"우리 어머니 생전에 와 달라고 했을 때 오지도 않더니……. 울 어머니 의사도 못 보고 돌아가셨어……."

정말 죄송하다. 내가 가도 해 드릴 수 있는 건 아무 것도 없을지라도 이 분들에겐 의사라는, 보건지소장이라는 신분이 위안이 되는 것이다. 의사를 만나보지도 못하고 돌아가시는 분들이 있다는 데 나는 더욱 놀랐다. 의사는 아무 것도 아님에도 불구하고 환자분들에게 믿음과 신뢰를 주는 존재임을 깨닫는다. 그게 의사의 진정한 힘이요, 능력이 아닐까 하는 생각이 든다. 다짐한다. 이제부터는 누구를 막론하고 찾아와 달라고 하는 집은, 다시는, 다시는 미루지 않고 찾아가 보기로……. 죄송합니다. 진심으로!

4. 섬에 있다보니 쓸쓸함이 밀려올 때가 많다. 그걸 잊기 위해 방문 진료에 열을 올리고 있다. 이걸 바로 승화라 하는 것일까? 보건소 단골인 할머니가 있다. 원래 자주 떼를 쓰시는 할머니다. 약을 어떻게 먹으라고 매일 알려줘도 계속 물어보는 분이다. 근데 오늘은 왠지 떼를 쓰셨다. 눈물까지 흘리시면서…….

"똥을 못 싸는데……. 어떻게 해 주셔."

"좌약 드릴 테니까, 집에 가서 가족들에게 넣어달라고 하세요!"

할머니, 말을 머뭇거리면서 "소장님 아니면 해줄 사람도 없어" 하신다. 해줄 사람이 왜 없냐고 물었더니 같이 안 산다고 우셨다. 아들은 혼자 나가서 살고, 딸 하나가 같이 살긴 한다고 하시며 또 우시고…….

'아따, 이 할머니 왜 그러신댜? 짜증나네.'

속으로 투덜댔다.

"할머니, 제가 그러면 저녁에 집에 가서 좌약 넣어 드릴게요!"

짠! 또 멋진 말을 해 버렸다. 진료를 마치고 집을 찾아갔다. 딸이 도대체 어떻게 생겨 먹었기에 좌약도 못 넣어드릴까? 문을 열고 들어가자마자 난 이유를 알았다. 시각장애인이었다. 자기 엄마인 할머니한테 "엄마 때문에 내가 이렇게 되었다"고 화를 자주 낸다고 했다. 할머닌 자식이 많았는데 병에 걸려 다 죽었다고 신세를 한탄하셨다. 자기 탓인 냥 가슴을 치시기까지 했다. 요즘 부쩍 내게 기대는 이유를 알 것 같았다. 말을 걸어주고 그 아픔을 들어줄 수 있는 사람이 나밖에 없다는 걸 알았다. 아까 속으로 화냈던 것이 죄송했다. 내가 그 분들에게 해 드리는 것 보다 더 많은 것을 배운다. 좌약 넣어드리고 나오는데 할머니가 한사코 밖에까지 나와서 날 배웅해 주셨다. 날이 무척 추웠다.

"할머니, 똥 나오려 하지 않아요? 신호 오죠?"

"안 그래도 꾸물댄당게. 변소깐 가야겄어."

"소장님, 고마워."

그 눈엔 눈물이 맺혀 있었다.

이맘 잃지 않기를…….

이곳 도초에서 벌써 1년 8개월이 지났다. 다른 이들은 1년 있으면 다들 떠난다. 처음부터 떠나기 위해서 잠시 들른다. 바로 10분 거리에 있는 섬에 공보의로 같이 온 친구가 있지만, 바다가 가로막고 있다. 외롭고 쓸쓸할 때가 너무나도 많다. 그럴 때마다 더욱더 방문을 가려고 노력한다. 그 분들께 의료적으로 해 드리는 건 정말 빈약하지만 친구가 되어드리고 싶다. 내가 해 드리는 것보다는 받는 사랑이 더 크기에, 사랑을 배우기에 일부러라도 나가게 된다. 의사라는 직업은 참으로 좋은 직업이다. 어떤 맘을 가지고 있든지 간에 자기를 찾아오는 분들에게 베풀어 줄 수 있는 직업이기에 그렇다. 아직도 이곳에서 1년 5개월 정도가 더 남았다. 앞으로 더욱더 나를 단련시킬 일들이 많을 것이다. 기대도 되지만 부담도 된다. 할머니들한테 너무나도 많이 받아먹는 소장이기에 더욱 그렇다. 병원에 들어가면 또 달라질지도 모른다. 그러나 이곳에서 의사라는 신분은 치료 여부를 떠나서 그 존재만으로 여전히 큰 의미가 있고 의사가 내 집에 와주는 것만으로도 손 잡아주는 것만으로도 큰 힘이 된다고 믿는다. 찾아가는 의사와 그 의사를 가르치는 환자들. 많은 것을 배우는 3년이다. 병원으로 돌아가게 되고, 평생 의사의 삶을 살아가면서도 이 마음을 잃지 않고 간직하고 싶다. ■

5회 장려상 수상작이다. 오지수 선생은 공보의 근무를 마치고 지금은 차병원 인턴으로 일하며 내과의사가 될 준비를 하고 있다. 오지수 선생은 병원에서는 배우지 못했을 많은 것들을 보고, 배우고, 느꼈기 때문에 도초에서 배운 것들을 평생 잊지 않는 의사가 되고 싶다고 말한다.

황씨 노인 │유동욱│

어느덧 가을이 겨울의 문턱에서 서성이고 있다. 스산한 바람이 불어와 낙엽을 어디론가 쓸고 간다. 뜨거운 햇살을 밑천으로 한때 무성했던 수목들이 바랜 사진 같은 잎사귀들을 흔들고 있다. 멀리 산야엔 저마다의 세월로 녹이 슨, 연한 갈색의 잎들이 아른거린다.

푸드덕 새가 떠나고 홀로 남은 가지 밑으로 푸석한 나뭇잎이 힘없이 떨어진다. 생로병사라고 했던가. 겨울을 죽음의 계절이라 한다면 가을은 늙고 병든 계절일 게다. 발밑에서 올라오는 그윽하고 맑은 낙엽 냄새가 상가(喪家)의 선향(線香)마냥 경건하기조차 하다. 어쩌면 낙엽 진 거리를 함부로 바스락거리며 거니는 나의 젊음이란 그 자체만으로도 불경스러운 건 아닐는지. 그러나 조락의 계절, 낱낱이 지는 무수한 잎사귀의 사연이야 어찌 다 알겠냐마는 가을은 그 변두리 어디를 들춰보아도 아름답기만 하다. 형형색색 생동하는 봄날의 그것과는 사뭇 다른 이 늙고 병든 계절의 아름다움은 도무지 어디서 연유하는 것일까.

황씨 노인 집으로 방문 진료를 나가게 된 것은 몇 주 전부터다. 사실 그와 처음 얼굴을 마주하게 된 것은 그보다 오래된 일이나 이전에 그는 내게 괴팍스러운 환자 중 하나였을 뿐이다.

의대를 졸업하자마자 공중보건의로 지원한 나는 무의촌 지소생활에 대한 막연한 동경심을 갖고 있었다. 농촌에서의 전원적이고 서정적인 생활을 꿈꾸었던 것인데 막상 와보니 현실은 그러하지 못했다. 낙후되고 노후한 지역이다 보니 인심은 오히려 야박하고 주민성은 거칠기조차 한 것이다. 게다가 낮이면 근방 공장굴뚝 연기에, 밤이면 주민들이 몰래 쓰레기를 소각하는 바람에 이곳은 도시보다 공기오염이 심각할 정도다.

　여느 농촌이 그러하듯 주민의 대부분은 노인이다. 바로 나를 찾아오는 대다수의 환자들이 이들인데 처음엔 성심성의껏 환자를 진료하였다. 그런데 어느 순간부터 몇몇 환자들이 지나치게 자주 지소를 방문한다는 사실을 깨달았다. 그도 그럴 것이 65세 이상 노인에게는 약을 무료로 처방·조제해주다보니 그에 관한 심상찮은 폐해도 생겼던 것이다. 지나친 약물의존으로 약물 중독이 되는가 하면 약 욕심에 수북이 약을 쌓아 놓고 사는 노인이 있었다. 심지어는 그렇게 모아 놓은 약을 파는 노인도 있었다. 진료에 관한 개념 역시 부족해 지척의 거리에서 손자나 며느리에게 약심부름을 시키는 경우도 많았다. 상황이 이쯤 되자 환자 관리를 더 분명히 정립할 필요성을 느끼게 되었다. 하여 모든 환자가 지소로 방문할 것을 권고하였고 더 면밀한 진료를 시행하게 되었다. 그러자 언제부터인가 내 주요업무는 정확한 진단을 내리는 것이 아닌 병의 진위를 가리는 것이 되어버렸다. 황씨 노인은 그 무렵 나를 방문한 환자다. 마르고 거친 피부에 짧고 굵은 목, 우락부락한 얼굴이 노인임에도 험상궂은 인상을 풍겼다. 진료실을 들어서는 그는 무슨 까닭인지 불편한 심기를 감추고 있는 듯 해 보였다. 아마 그는 전처럼 쉽게 약을 타 갈 수 없다는 소문을 익히 듣고 왔으리라. 진료를 받고 나갈 차례였지만 그는 잠시 주춤하였다. 다른 사람의 약도 타 가게 해달라는 것이었다. 예상은 적중한 것이었다. 현 방침 상 그렇게 할 수 없다고 주지시키자 그는 고집을 부리기 시작했다. 근간에 자주 부딪히는 일이기도 하여 인내심을 갖고 여러 차례 반복하여 이유를 설명해주었다. 몇 십 분이 지나서야 그는 겨우 체념하는 듯했다. 진료실을 나와 대기실에서 약을 기다리는 동안 그는 한동안 이기죽거리고 있었다. 그런데 약실에서 그의 이름이 호명되는 순간이었다. 갑자기 진료실 문을 열고 들어와 흡뜬 눈으로 나를 위협적으로 노려보더니 나중엔 심한 욕설까지 퍼붓는 게 아닌가. 갑작스런 소란에 놀란 직원들이 달려 나와 그를 만류하였지만 지소를 떠날 때까지 욕설은 멈춰지지 않았다. 얼굴이 화끈거리고 말문이 막혀 직원들 보기 면괴스러울 정도였다. 내가 왜 이런 곳에 지원까지 하여 이런 모욕을 감수해야하는지 심각한 회의가 들었다. 근처 주민들의 말에 따르면 성정 급한 그는 젊어서 주색과 도박에 빠져 가산을 탕진하고 하고한날 싸움질에 만취한 날이면 집안 물건을 부수고 마누라를 때리기 일쑤였다고 한다. 부당한 모욕감에 며칠이 지나도 텐덕스러운 감정은 가시지 않았다. 그러나 일주일이 꼬박 지나자 그는 다시 지소를 찾아왔다. 접수를 마치자마자 순서도 없이 진료실로 들어오더니 내게 반말을 하며 다짜고짜 약부터 내 놓으라는 것이었다. 아무리 연세가 지긋한 어른이라도 그러한 언행은 상당히 불쾌하였다. 나는 최대한 감정을 가다듬으며 진료 받을 것을 권하였고 침착히 문진을 시작하였다. 마지못해 건성으로 답을 하던 그에게 주기적으로 처방하는 혈압 약을 처방하고 나자 이번엔 그가 배꼽을 짚으며 아프다는 것이다. 배가 아프니 소화제를 달라는 것인데 이래저래 진찰을 해보자 꾀병이란 사실이 금세 탄로 났다. 그는 이번엔 아예 노골적으로 고집을 부리기 시작했다. 무슨 이유인지 소화제가 필요한 듯 했으나 한껏 예민해진 나로서도 그에게 지고 싶어지지 않았다. 그는 점점 더 거센 고집을 부리기 시작했고 오래잖아 다시 내게 욕설을 퍼붓기 시작했다. 두 눈을 부릅뜨고 시뻘게진 얼굴로 '젊은 놈'을 운운해가며 '싸가지가 없다'는 둥, '아래 위가 없다'고 다그치더니 나중에는 애먼 부모까지 들먹이는 게 아닌가. 참다 못한 나 역시 언성을 높이고 맞대응하고 말았다. 순간 진료실이 아수라장이 되었고 놀란 직원들이 그와 나를 떼어놓았다. 두 번 다시 그가 지소를 찾지 못하게 하겠다는 내 암중에 깔린 계산도 있었으리라마는. 이후 그는 지소를 찾지 않았다.

진료시간은 오후 여섯 시까지지만 다섯 시 이후엔 환자가 없는 편이다. 그럴 때면 나는 지소 앞 초등학교 운동장을 한가로이 걸어 다니곤 한다. 학교 담벼락 은행나무가 아이들 웃음마냥 환하게 물들어갈 무렵 그날도 학교 운동장을 걷고 있었다. 골목 저편 어귀에서 한 노인이 수레를 끌고 있었다. 오후 다섯 시 반, 학교 담벼락 넘어 석양이 새하얀 구름에 보랏빛을 덧칠하고 있었다. 함부로 쳐다볼 수 없던 태양도 이쯤이면 눈앞에서 윤곽을 드러내곤 한다. 갈수록 기우는 해는 떨어지는 조도만큼 다채로운 빛으로 하늘을 물들인다.

하루치 빛이 마감하는 순간 노을은 그 아름다움에 절정을 이룰 것이다. 덜커덩거리며 수레 소리가 들려왔다. 내가 선 담벼락 아래로 구부정한 허리에 시든 살갗, 얼굴 가득 검버섯 피어오르는 노파가 푸석한 낙엽처럼 수레에 담겨 지소를 향해 실려 가고 있었다. 한 걸음 한 걸음 조심스레 수레를 끄는 노인의 얼굴을 보았을 때 나는 놀라지 않을 수가 없었다. 황씨 노인이었다. 다행이 그는 나를 보지 못했지만 미안함과 당혹스러움이 먼저 가슴을 강타했다. 거동이 불편한 노파를 위해 약을 타가려던 그를 무턱대고 내가 의심부터 했던 것이다. 그러나 한편 지금도 잊을 수 없는 두 노인의 몸짓, 몹시도 아름다웠던 두 노인의 눈망울이다. 뒤뚱거리며 못내 뒤를 흘깃거리는 그와 미안한 표정을 감추는 듯 노파의 얼굴. 가끔씩 마주치는 두 노인의 눈망울에는 맞은 편 붉게 번지는 노을의 처절한 그 무언가가 담겨 있었다. 젊은 연인의 그것과는 사뭇 다른 눈물겨운 그 어떠한 아름다움이 서려있었다. 노부부는 5리가 넘는 길을 그렇게 왔던 것이다.

나는 이제 그것을 연민이라고 부르고 싶다. 비포장 시골 길 위로 도시의 아스팔트 위로도 낙엽은 쓸쓸히 겨울을 향해 몰려가는 것이다. 누구에게나 가을은 찾아오리라. 늙고 병든 아내를 바라보던 남편과 이제는 자신의 병 수발을 드는 늙어버린 탕아를 올려다보던 아내. 그렇게 서로를 연민하지 않을 수 없는 황혼의 그들을 나 역시 참회와 반성으로 연민하고 있었던 것이다. 사랑하지 않을 수 없는 것이다. 나는 더 이상 '사랑하되 연민하지 말라'는 어느 유명한 철학자의 말을 신봉하지 않으련다. 연민하지 않을 수 없는 것이 사랑이요, 아름다움이기 때문이다. * '잔인하게 죽어간 붉은 세월이 곱게 접혀 있는 몸통 위에' 오롯이 단풍든 노부부가 이제 내게 더없이 아름다운 사람들인 것은 그들이 한없이 약한 존재이기 때문임을. 고즈넉이 잎사귀가 가지를 떠나는 이 계절의 미학 역시. 며칠 전 황씨 노인이 가져다준 단감이 수줍게 익어가고 있다. ■

* '잔인하게~몸통 위에' : 기형도의 시 〈병〉 일부

5회 우수상을 수상한 작품이다. 유동욱 선생은 공보의 근무를 마치고 단국대병원 인턴으로 일하고 있다. 전공의 선택을 앞두고 있어서 더욱 바쁜 하루를 보내고 있다고. 정신과를 지망했다는 유 선생은 수상소감에서 "너울거리는 파도 위에 철판 한 장 깔고 앉아 막 잡아 올린 한치며 오징어, 고등어를 회쳐 먹던 날이 엊그제 같다"며 "3년이라는 시간이 저물어가고 다시 몸을 추슬러야 할 때가 온다"는 말로 끝나가는 공보의 시절을 회상했다.

스물일곱, 다시 태어나다 |최윤석|

"어휴, 저걸 어째…."

아내는 오늘도 TV앞에 앉아 훌쩍이고 있다. 아내는 눈물이 많다. 그렇게 맘이 약하면서도 몸이 아픈 사람들의 투병기를 담은 논픽션 프로그램을 거의 빼놓지 않고 보면서 가슴아파한다. 눈물뿐 아니라 겁도 많아서, 끔찍한 수술 장면이라도 나올라치면 어차피 모자이크 처리로 알아볼 수 없게 뭉개진 화면임에도 불구하고, 그 장면이 지나갈 때까지 눈을 질끈 감고 진저리치는 때가 많다. 그러면서도 아내는 결코 채널을 바꾸는 법이 없다. 아내에게 화면 속에 비춰지는 그 모든 이야기들은 생과 사를 넘나드는 엄숙하고 치열한 삶의 기록일 게다.

하지만 나로 말하자면 600병상 종합병원의 내과전문의. 집만 나서면, 그야말로 아픈 사람들에게 겹겹이 둘러싸여 사는 나에게 화면 속의 환자들이라고 별달라 보일 리 없다. 심지어, 때로는 과장되게 부풀려진 그들의 드라마틱한 사연들이 오히려 비현실적으로 느껴질 때도 있을 정도이니 말이다.

이런 나도 TV속 안타까운 사람들의 희비에 같이 혀를 차고 눈물을 흘리는 아내의 모습을 보면서 가끔 생각에 잠길 때가 있다. 의사들은 자주 환자들의 마음을 잊고 산다고 했던가. 나에게도 '내과전문의 최윤석' 이라는 직함이

박힌 빛나는 흰 가운보다, 질병의 수의(囚衣)를 입은 듯 창백하게 움츠러든 환자들의 여린 마음에 더 가까웠던 시절이 있었을 텐데.

처음으로 해부학실습을 하던 날, 포르말린 냄새로 칠갑을 해놓은 메마른 시신 앞에 고개를 숙이고 위령제를 올리던 나. 그 숨 막히는 침묵 속에서 혹여나 점잖지 못하게 쿵쾅거리던 내 심장 뛰는 소리를 들키지 않을까 가슴 졸이던 기억, 난생처음 병원실습을 돌던 본과 4학년 무렵, 내 눈앞에서 죽어가는 환자들을 속수무책 바라보며 내 일처럼 가슴이 아파 몇날며칠을 우울해 했던 기억, 혹은 처음으로 새 생명의 탄생을 지켜보던 벅차고 경이롭던 기억, 처음으로 환자의 병세가 달라지는 사인을 잡아내고는 명의라도 된 듯 짜릿해하던 기억들…….

지금의 나는 웬만한 위급상황이나 특이상황이 아니고서는 한밤중의 콜에도 당황하는 법이 없다. 느긋한(?) 마음으로 당직선생의 공지를 받고, 가끔은 대수롭지 않은(?) 상황에서 새벽 콜을 일삼는 소심한 초턴들에게 핀잔을 주는 일도 있다. 삶과 죽음의 한복판에서 외줄타기를 하고 있는 환자를 위한 오더를 내릴 때조차 담담할 수 있는 내 스스로가 어쩔 땐 조금 낯설어지기도 한다. 듣기 좋게 말하면 감정에 휘둘리지 않고 냉정한 판단을 해야 하는 의사로서의 마음가짐에 조금씩 익숙해져가고 있다고 해야 하나. 수련시절엔 그렇게도 멀고 높게만 보이던 여유만만 보드맨이 되었건만, 요즘의 나는 끊어질 듯 팽팽한 긴장감으로 어지러웠던 오래전의 서툰 열정이 그리워지곤 한다. 그리고 그 그리움의 끝자락에 늘 함께 떠오르는 낯익은 얼굴 하나.

*

전공의로서의 첫해가 시작된 레지던트 1년차 시절. 병원 밖의 세상에 새잎이 도는지 꽃이 지는지 알기는커녕 낮밤이 돌아가는 것조차 느낄 겨를 없이 하릴없는 의국귀신으로 살아야했던 봄, 나를 포함한 내과 9명의 수련동기들은 주치의로서의 첫경험을 호되게 겪고 있는 중이었다. 인턴시절, 파트별로 발을 담가본 경험이 있는 병동생활이었지만, 오롯이 주치의의 몫으로 짊어져야하는 환자에 대한 책임감과 정신적 중압감은 잔심부름이나 하며 몸으로 때우던 인턴시절의 그것과는 천지차이였다.

마침 동기 중 한 친구의 생일이었던 그날, 미역국 한 그릇 없이 녀석의 생일이 저물어가고 있었다. 과부심정 홀아비 아니면 누가 알아주랴. 환자들에게 시달리고 선배들에게 깨져 만신창이가 된 동기 녀석의 우울한 생일 대미(大尾)를 따뜻하게 보듬어보자며 일과를 마치고 삼삼오오 내과 의국으로 모여든 때가 새벽 2시. 이미 자정이 지나 유효기한이 지나버린 생일파티였지만 흐뭇해하는 동기의 얼굴을 보면서 모두들 모처럼 기분 좋은 나른함에 취해가고 있었다. 한 건물 한 병동 안에서 24시간 내내 동동거리면서도 이렇게 모두 모여앉아 주거니 받거니 농담 따먹기를 해본 것이 얼마만인지.

조촐한 생일파티를 마치고 레지던트 숙소의 빈 침대를 찾아 천근같은 몸을 눕힌 지 채 5분이나 지났을까. 가물가물한 의식 저편에서 낯익은 기계음이 레지던트 숙소 안에 울려 퍼졌다. 누군가 받겠지, 가위라도 눌린 듯 내 몸은 꼼짝 않는다. 잠자던 레지던트들의 짜증 섞인 불평이 튀어나올 즈음, 나는 도박꾼이 마지막 패를 들춰보듯 기도하는 심정으로 호출기를 꺼내본다. 참으로 애석하게도, 내 호출기가 내는 소리다. 응급실에서의 호출이다. 침대발치에 벗어놓은 구두의 온기가 채 식기도 전에 나는 다시 뜻미지근한 구두를 꿰차고 응급실로 달려갔다.

밤이 되면 오히려 더욱 소란스러워지는 응급의료센터. 어수선한 응급실 한구석에서 인턴선생이 내게 손짓을 했다.

"선생님, 여기요!"

커튼을 젖히고 마주하게 된 환자는 백발이 성성한 60대 후반의 할머니였다. 원래 심장질환병력이 있던 할머니로 심실빈맥의 소견을 보이고 있었고,

심한 부정맥으로 병원에 도착했을 당시 이미 의식이 없는 상태였다고 했다. 대기 중이던 응급의학과와 순환기내과 당직선생님들은 강도 높은 전기충격과 심장마사지를 시행 중이었다. 희망의 끈을 놓지 않으려는 분주하고 급박한 상황 일면에, 언뜻언뜻 스쳐가는 불길한 분위기는 뻑뻑한 눈을 부릅뜬 나에게도 긴장감의 한기를 불러일으키기에 충분한 것이었다.

30분여동안 계속된 전기충격과 응급처치에도 환자의 의식은 돌아오지 않고 있었다. 갖은 수단과 방법을 동원하여 할 수 있는 모든 처치를 시행했지만 환자가 소생할 가능성은 희박해보였다. 응급의학과 과장선생님은 착잡한 표정으로 커튼 밖의 보호자에게 조심스럽게 상황을 설명하고 있었다.

"지금 환자분 의식이 30분 넘게 돌아오지 않고 있습니다. 일단 저희가 할 수 있는 처치는 다해봤고 최선을 다했습니다만, 돌아오더라도 장담할 수 없는 상태구요."

사실상의 포기. 온몸에 비 오듯 땀을 흘리며 심장마사지를 하던 나도 아쉽지만 환자에게서 손을 뗄 수밖에 없었다. 그리고 침대에서 내려와 숨을 고르는 순간, 나는 커튼 밖 침대발치에 서있던 환자의 보호자들과 우연히 눈이 마주쳤다. 지금도 나는 그들의 표정을 잊을 수가 없다. 희망도 절망도 이야기할 수 없는 복잡하고 겁에 질린 그 표정. 할머니의 남편과 아들로 보이는 두 남자는, 그 생김새의 닮음만큼이나 똑같은 심정으로 나를 바라보고 있는 듯 했다.

아니죠? 설마……, 아닌 거죠? 제발, 살려만 주세요.

숨 가쁘게 진행되던 응급처치는 어느덧 소강상태. 모두들 손을 떼고 꺼져가는 촛불 같은 심실세동 심전도만 하릴없이 바라보고 있었다. 물끄러미 바라보던 제세동기의 심전도가 환자 주위를 떠다니는 영혼의 낙서 같다는 생각이 들던 순간. 바로 그때, 왜 그랬을까? 어디서 본 것일까?

"선생님, 아미오달론 한번 써보면 어떨까요?"

처치를 거두고 철수하려던 의료진들은 불쑥 튀어나온 난데없는 내 제안에 의아한 표정으로 서로를 바라보았다. 그리고 누가 먼저랄 것도 없이 마지막 시도라는 생각으로 하나둘 다시 침상 가까이로 모여들었다. 아미오달론이 투여되고 다시 전기충격처치. 그리고, 내 굵은 땀방울이 몇 번 환자 얼굴을 적시고 10분여가 지날 무렵, 거짓말처럼 환자의 의식이 돌아왔다. 혹시나 하던 우리의 낮은 술렁거림은 어느 순간 탄성으로 변해있었다. 그 때의 그 벅참과 환희! 이번엔 환자가 아닌 내 심장이 터질 듯 부풀어 올랐다.

며칠 후 할머니는 병문안 온 가족들과 웃으며 담소를 나눌 수 있을 정도로 상태가 호전되었다. 엘리베이터에서라도 마주칠라치면 내손을 잡고는, "아이고, 우리 생명의 은인 선생님!" 하며 몇 번이고 내 손을 어루만져 얼굴이 달아오를 때가 많았지만, 참으로 싫지 않은 난처함이었던 기억이다.

그로부터 7년이 흘렀다. 할머니는 아직도 건강하시고 해외에 사는 자식들 집을 오가실 정도로 정정해지셨다. 그리고 정기 검사를 위해 병원을 찾으실 때마다 내 안부를 물으신다고 한다. 레지던트 시절에는 좋은 처자를 소개시켜 주마고 마음을 써주시더니, 오랫동안 교제해온 지금의 아내와 결혼하게 됐다고 했더니 식장에 온 가족이 함께 달려와 진심으로 축하하고 기뻐해주셨다. 계절이 바뀌거나 명절이 되어 가끔 통화를 할 때면, 아내도 나도 할머니를 스스럼없이 '어머니' 라 부른다.

그리고 나는 7년 전 패기만만한 레지던트 1년차였던 때에 꿈꾸던 모습에서 얼마니 기꺼운 하루하루를 살아가고 있을까. 4년간의 내과수련을 마치고 전문의가 된 나는 고향인 강릉에서 공중 보건의로서 마지막 계절을 보내고 있다. 의사들끼리 하는 말로 의사인생에 있는 마지막 휴가라고 하는 공보의 시절, 나는 강릉에서 환자가 제일 많은 민간병원의 순환기내과를 지원했다. 내가 공중 보건의의 좀더 여유로운 생활을 포기하고 순환기내과 병원근무를 지원하게 된 것이나, 일찌감치 순환기 전공 의사로서의 길을 선택하고 학교로 돌아갈 결심을 하게 된 데는, 그날 밤 느꼈던 벅참과 짜릿함을 잊지 못하는 까닭이 크다.

누군가 내게 잠시 쉬어가도 되는 길에서의 전력질주가 숨 가쁘지 않느냐고 묻는다면, 나는 대답할 것이다. 아마도 순환기내과 의사에게는 하나의 심장만 있는 것이 아닌 것 같다고. 그러고 보니 의사로서 끊임없이 치열하게 살고 싶은 내 바람이 쉼 없이 뛰고 있는 우리네 심장과 참 많이 닮아있는 것 같기도 하다고.

사족 : 젊은 날의 패기가 바래지고 흔들려 힘겹게 지쳐갈 때, 꺼내어 볼 소중한 인연이 있다는 건 참으로 고마운 일입니다. 내 나이 스물일곱 살의 그해 봄, 멈춰있던 환자의 맥박이 돌아옴과 함께 내 인생의 새로운 심장박동도 다시 시작된 것 같습니다.

다가올 날들에도 또 다른 특별한 인연이 의사로서의 제 삶에 큰 용기를 주게 되겠지요.

이글의 주인공인 전양순 할머님, 내내 건강하시길 기원합니다. ■

4회 장려상을 수상했던 최윤석 선생은 지금 가톨릭의대 여의도 성모병원 임상강사로 일하고 있다. 공보의 근무 마지막 해에 '기념'으로 한미수필문학상에 응모한 것이 좋은 결과로 이어져 반갑고 기뻤다는 최윤석 선생은 여유 만만하던 공보의 시절과는 다르게 숨 가쁘게 살고 있다고 근황을 전했다. 그는 수상소감에서 "항상 27세, 시작하는 청년의사로서의 활기와 마음가짐을 가질 수 있도록 노력하겠다"는 각오를 밝혔다.

개입 |안수현|

#1 궁금한 일이었다.

8층 내과병동 특실 중 한 병실. 그 병실 문 앞에는 날마다 다른 내용의 성경 구절 또는 읽을거리가 바뀌어 내걸려 있었다. 보기 드문 일이어서 나와는 상관없는 과 환자인데도 호기심은 모락모락 피어올라 결국 병실을 담당하고 있는 간호사에게 어떤 환자가 입원했는지 묻지 않을 수 없었다. 전해들은 이야기는 대장암 환자인데 미국에서 치료를 시도했지만 별 차도가 없어 다시 국내로 들어오신 분이라는 정도였다. 현재는 환자의 전반적인 상태가 좋지 않아 대증적인 치료를 하고 있는 중이라고 했다. 결국 손쓰기는 이미 늦은 말기 암 환자라는 이야기인 것 같았다. 바쁜 병원 일정으로 그 병실 앞을 지나쳐 가는 중에도 꾸준히 연재되는 글귀를 그냥 지나치기란……. 결국 나는 며칠 후 책 몇 권과 카세트테이프를 챙겨서 저녁 늦게 그 병실 문 앞에 섰다.

혹시나 싶어 조용히 문을 열고 들어가 보니 넓은 특실 한 편에 환자가 힘없이 누워 있는 모습이 눈에 들어온다. 그 곁에는 딸인 듯한 자매가 깜빡 잠들어있었고, 저만치 소파에는 아주머니 한 분이 곤히 잠들어 계셨다. 눈이 움푹 팬 환자는 흰 가운을 입은 낯선 사람의 방문을 경계할 만한 힘도 모자라 보였다. 나는 나직이 병실 밖에 내걸린 말씀을 읽고 한번 들르고 싶었노라고 찾아온 이유를 말한 뒤 챙겨온 책과 테이프를 전하면서 함께 짤막히 기도했다.

다음날, 병실 보호자가 나를 만나보고 싶어 한다는 이야기를 전해 들었다. 어제 소파에서 주무시던 그 아주머니였다. 내가 궁금해 했던 그 성경구절은 바로 아주머니 작품이었다. 남편을 통해 어젯밤 내가 찾아왔다는 이야기를 들었다며 고마운 마음을 전하고 싶었다고 했다. 이윽고 아주머니의 입을 통해 듣게 된 이 가정의 이야기는 마음 아픈 것이었다.

환자는 역량 있는 사업가였고, 아주머니는 모 대형병원에서 오랫동안 약사로 일한 경력이 있는 분이었다. 부족함 없는 가정환경에 두 딸 또한 잘 자라주어 차례로 원하던 대학에 들어갔고, 교회에서도 열심히 봉사하던 그 다복한 가정에 고난이 찾아든 것은 한해 전이었다고 한다. 혈변(hematochezia)이 있어 시행한 대장내시경에서 직장암이 발견된 것이다. 국내 유수의 병원을 찾아 절제수술을 받았으나, 병은 너무 빨리 재발했다. 환자와 가족은 이 병원의 치료방향과 방법이 적절하지 못했다는 확신을 가졌고, 맏딸이 국내외를 수소문해 해외에서 항암치료를 받아보자는 대안을 내놓았다. 이 과정에서 아주머니는 깊은 우울증과 신경쇠약으로 정신과에 입원하게 되었고, 대신 맏딸이 아버지를 모시고 미국으로 치료를 위해 길을 떠났다. MD 앤더슨 병원을 찾은 환자는 새로운 항암치료를 시행 받았으나 병의 경과를 돌이키지는 못했다. 별달리 선택할 길이 없는 상황에서 의료진은 귀국해 대증적인 치료를 받을 것을 권했고, MD 앤더슨 병원을 거친 바 있는 한국 의료진을 소개해줘 우리 병원을 찾게 된 것이다.

아주머니는 비록 의료진이 남편의 병세에 대해 비관적인 입장이지만, 하나님께서는 반드시 남편을 일으키실 것이라는 확신에 차 있었다. 또 남편이 미국에서 치료받는 기간 동안 자신 또한 치료받느라 남편을 제대로 돌보지 못했다는 안타까움이 절절했다. 맏딸이 아버지의 소소한 부분까지 챙기기엔 어려웠을 것이라고 하면서 이제는 자신이 남편 곁에 있으니 가장 잘 간병할 수 있노라고, 그래서 결국엔 침상을 훌훌 털고 일어나게 될 것이라고 흥분된 어조로 말했다. 그 확신을 감히 부인하기는 어색해서 고개를 끄덕였지만, 일단 그녀의 믿음에 힘을 실어주면서 함께 지켜보기로 했다. 하지만 이후로 고개를 갸우뚱하게 되는 일이 생기기 시작했다.

방에 자꾸만 화분이 하나둘 늘어갔다. 남편이 워낙 화분을 좋아하고, 또 맑은 공기를 많이 마시면 몸에도 좋을 거라는 설명이었다. 하지만 그 이야기를 듣고 있는 환자의 얼굴은 그리 밝지 않았다. 현재 환자상태와 앞으로의 경과에 대한 의료진과 아주머니의 의견에는 계속 현격한 차이가 있었고, 게다가 병실을 맡은 간호사와 사소한 말다툼까지 있었다는 이야기를 전해 듣고는 무언가 문제가 있는 게 아닌가 하는 생각이 들었다. 그 의문이 풀리기 시작한 것은 환자의 맏딸과 대화를 나누게 되면서부터였다.

#II 조심스럽게 부모님 사이에 엿보이는 불편함의 이유가 무언지를 질문하자, 그녀는 입을 열어 숨겨져 있던 또 다른 진실을 이야기하기 시작했다.

"어머니는 교회 일이다 직장이다 하면서 늘 집안을 돌보지 않았어요. 청소든 부엌일이든……. 저는 일찌감치 홀로 서는 법을 배워야만 했지요. 공부도 알아서 했고 동생도 제가 돌봤구요. 아버지 말상대도 되어 드렸지요. 어머니는 언제나 소녀 같았어요. 자기 하고 싶은 일만 하시는 거죠. 하지만 자식들이 당신 원하는 수준에 못 미치는 걸 부끄러워 하셨죠. 입학하고 나서 과(科)를 바꾸게 된 것도 다 엄마 성화 때문이에요. 그러던 중 아빠가 암에 걸렸어요. 엄마는 울고불고 난리가 났죠. 아빠를 도와주기는커녕 자기 앞가림도 하지 못하셨어요. 자기를 추스르지 못하더니 결국 우울증으로 입원까지 하게 됐구요. 아빠는 제가 살려야 했어요. 엄마는 이 어려운 상황에서 아무런 도움이 안 됐고, 일이 마무리될 때까지 전 학교를 일단 휴학하기로 했지요. 모든 자료를 뒤졌고, MD 앤더슨 병원에서 치료를 받게 하자는 결론과 모든 비행기 일정, 치료 진행과 간병 모두 제가 혼자 했어요. 그런데 귀국하자 엄마는 저보다 엄마가 아빠를 더 잘 알고 잘 돌볼 수 있다고 우기면서 제가 간병하는 하나하나를 문제 삼기 시작했어요. 우울증에서 차츰 벗어나게 되자 이제는 아빠를 내게 뺏겼다는 생각이 엄마를 사로잡은 거예요. 아빠는 미국에서 가망이 없다는 선고를 받고 돌아오셨어요. 그나마 실낱같은 희망을 버리지 못해 다시 병원을 찾게 된 건데, 엄마는 모든 걸 부인해요. 그저 아빠는 나을 거라는 이야기뿐이에요. 저도 하나님을 믿지만, 엄마의 저런 반응은 아빠까지 안정을 찾지 못하게 하고 있어요. 전 정말이지 저런 엄마를 엄마로 인정할 수가 없어요."

아주머니는 점점 자신의 생각과 남편의 병세가 회복되면 하고 싶은 일들을 이전보다 더 스스럼없이 내게 털어놓았다. 병실을 찾아갈 때마다 아주머니는 여전히 환자 곁에서 희망찬 이야기를 쏟아놓았지만, 환자와 맏딸의 굳은 얼굴은 풀릴 줄 몰랐다. 나는 계속되는 만남을 통해 환자와 맏딸, 그리고 아주머니 각각과 어느 정도의 신뢰를 쌓아갔고, 그들 모두에게 좋은 의사로 남아있기는 어렵지 않았다. 하지만 그들의 일그러진 관계를 바라보면서 내게는 그 관계 사이에 개입하는 것에 대한 부담감이 찾아들기 시작했다.

그것은 환자와 가족만의 개인 사생활이 아닌가? 내가 그 가운데 개입하는 것은 부질없는 욕심 혹은 교만이 아닐까? 하지만 내버려두는 것도 책임을 유기하는 것이 아닌지 고민하는 가운데 환자의 상태는 차츰 악화되고 있었다.

나는 맏딸에게 들은 이야기 내용은 모른 척 하고, 아주머니에게 자녀와 남편과의 관계에 대해 조심스러운 질문을 던져보았다. 역시 아주머니는 문제가 뭔지 잘 인식하지 못하고 있었다. 그녀에게 있어서 맏딸은 그저 알아서 잘 커준 자녀 중 하나이며, 현재는 자신에게서 남편을 소원(疏遠)하게 하는 원인이 되는 일종의 경쟁 상대였다. 딸아이의 갈등이 무엇인지에 대해서는 별

관심이나 문제의식을 느끼지 못하고 있었다.

아주머니는 다시 내게 — 당시로는 유일한 환기구였을 듯 하다 — 남편과 맏딸에 대한 서운함과 믿음 없음을 이야기하면서 여전히 자신이 생각하는 이후로의 하나님의 역사하심을 이야기했다. 들어주는 것도 도움이 되겠다 싶어 듣기 시작한 지 얼마쯤 지나, 나는 아주머니의 그릇된 영적 환상(spiritual fiction)을 바로 잡아주는 것이 더 필요하겠다는 마음을 갖게 되었다. 하지만 그러기 위해서는 위험을 감수해야 했다. 원만한 관계가 깨어질 위험을 무릅쓰고, 한 가족의 사적(私的)인 관계에 개입해야 하는 것이다. 더 이상 고민만 하고 있을 수는 없었다. 병실 앞에서 아주머니와 다시 마주치게 되었다. 마침 환자 병실 앞에 위치한 의대생 실습실이 비어있는 차여서 면담을 하기에는 알맞았다. 결국 나는 모험을 하기로 했다.

#Ⅲ "그런데 사모님, 그런 일들에 앞서서 먼저 하셔야 할 일이 있습니다. 큰 따님과 어머님과의 관계가 먼저 개선되어야 합니다. 두 분이 서로 사랑하는 마음으로 대화를 풀어가기 시작해야 갈등이 해소될 것이고, 제 생각에는 다른 무엇보다 중요한 일입니다."

예상은 했지만, 아주머니의 얼굴은 금세 굳어지더니 흙빛으로 변했다. 보이고 싶지 않던 치부를 들킨 듯, 그녀는 싸늘한 목소리로 짤막하게 대답했다.

"선생님, 너무 깊이 아신 것 같군요. 앞으로 더 이야기하기는 어려울 것 같아요."

그녀는 서둘러 방을 떠났다. 이후로 한참 대화 없이 서먹서먹한 시간을 보냈다. 급속도로 냉각된 관계를 바라보고 있기란 편치 않았다. 맏딸도 여간해서는 모습을 보이지 않았고, 순환근무 일정상 나 또한 곧 다른 병원으로 옮겨가야 했다. 병원을 떠나기 전, 병실을 다시 찾았다. 병실에는 환자분 혼자 계셨다. 이 모든 어려움과 갈등 속에서 감사하게도 그에게는 평안함이 있었다.

그날 밤 찾아와 준 내게 감사하다면서 마치 하나님께서 천사를 보내신 줄 알았다는 농담까지 곁들였다. 아무 말도 하지 않았지만 이제 생의 끄트머리에 서있음을 말없이 공감한 우리는 다시 하나님께 남은 생을 의탁하는 기도를 드리고 헤어졌다. 그런데, 복도에서 아주머니를 만났다. 아주머니는 조금은 어색해했지만 애써 웃으며 딸아이와 대화를 좀 해봤노라고 하셨다. 잘 화해했다는 이야기를 다 믿지는 않았지만 적어도 관계개선의 가능성을 확인한 것만으로도 감사할 이유는 충분했다. 병원을 옮겨가는 내 마음이 한결 가벼워졌음은 물론이다.

20여일 후, 일이 있어서 병원에 들렀다가 그 환자의 병실을 찾아갔다. 병실은 이미 비어 있었다. 지난주에 임종하셨다고 한다. 방안 가득 놓여있던 큼직큼직한 화분이 사라진 병실은 더 쓸쓸해 보였다.

석 달쯤 지나 수첩에 적혀있던 아주머니의 연락처를 찾은 나는 천천히 다이얼을 눌렀다. 전화를 받은 사람은 맏딸이었다. 나는 깊은 애도의 마음을 전한 후, 맏딸에게 그 이후에 가족들이 잘 지내고 있는지 궁금해서 전화했다고 말했다. 맏딸은 담담히 그 이후의 이야기를 전해주었다. 어머니와 대화를 시작했노라고, 아직 다는 아니지만 화해하게 되었고 서로 의지하며 살아가기로 했다고 말이다. 이번 학기에 복학하게 되어 다시 학업을 시작했고, 동생과 함께 교회에도 잘 다니고 있다고 한다. 많이 걱정하고 기도했는데 감사한 일이라고 답하며 앞으로 더욱 꿋꿋이 앞길을 헤쳐 나갈 것을 당부하고 통화를 마쳤다. 그리고 일말의 근심을 덜어내면서 연락처를 적었던 종이를 천천히 찢어냈다. 주여, 그 가정을 돌봐주소서.

*

적절한 시기와 행동이었는지는 아직 자신이 없다. 하지만 그 경험이 내게 가르쳐 준 것은 어떤 환자에게 있어 육신의 질병은 빙산의 일각(一角)일 뿐

87

이며, 그 수면 아래에 도사리고 있는 더 큰 아픔을 볼 수 있어야 할 뿐 아니라 용기 있게 문을 두드릴 수 있어야 한다는 것이었다. 아마 그 환자와의 만남에서 그 선을 넘어서지 않았다면, 나 또한 죽어가는 말기암 환자를 그저 바라보며 무력감에 빠지는 한 의료인에 지나지 않았을 것이다. 어느 사이에 흰 가운을 입은 의사들은 환자가 전인격적인 존재임을 애써 부인하며, 그네들의 삶에 깊이 관여하기를 기피하는 불완전한 치유자로 너무 일찍 만족하고 있는 것은 아닐까. 보이지 않는 곳에서 육신의 불편함보다 더 깊은 아픔으로 신음하는 우리 이웃들, 환자들. 한 사람의 작은 관심과 개입이 때로는 모든 장벽과 불신의 벽을 허무는 도화선이 될 수 있다는 걸 우리는 너무 자주 잊고 산다.

오늘도 쏟아져 나오는 뉴스와 온갖 정보의 홍수 속에서 어느새 불확실성으로 가득 찬 세상에 압도되고 있는 나 자신을 발견한다.

그 불확실함에 맞서 자신의 앞길을 설계하고 꾸려가기에 바빠 "내가 여기 있음을 누군가 알고 있나요?" 하고 애타게 부르짖는 그 눈빛을 날마다 놓쳐버리고 등 떠밀어 보내는 우리.

의료인이란 어떤 존재인가? 나의 부르심은 무엇인가? 어제 일하는 모습에 도통 의욕이 없어 보여 따끔하게 질책했던 후송계 병사의 어머니가 만성 신부전(CRF)으로 수년 째 혈액투석 치료 중이라는 이야기를 전해 들었다. 나는 언제쯤 제대로 눈을 뜨고 볼 수 있으려나. ■

3회 대상을 수상한 작품이다. 안수현 선생은 군의관 전역을 4개월 앞둔 지난 2006년 1월 5일 33세의 나이로 소천-그는 신실한 기독교 신자였다-했다. 병명은 유행성출혈열. 기독교계에서 젊은 리더로 손꼽히던 그의 사망 소식에 많은 이들이 애도를 표했다. '이타적 싱글'이라는 말로 다른 사람과 사회를 위해 살고 싶다는 소망을 우회적으로 표현하던 안수현 선생의 모습이 이 글 속에도 생생히 표현되어 있다. 그의 생전 모습이 궁금한 독자는 www.cyworld.com/stigma를 찾아 보시기 바란다.

삼겹살에 소주 한잔 –
노(盧)아저씨를 떠올리며 | 최혁기 |

"이제 담배 태우시면 절대 안 됩니다. 지금까지는 잘 버텨 오셨지만 조금 이라도 더 태우시면 목에 안 좋은 혹 생깁니다. 아셨죠?"

"허, 참. 하루에 세 갑 피우던 담배를 어떻게 끊어, 절대 못 끊지."

"그러면 성대(聲帶)에 붓기 빠질 때까지라도 일단 좀 줄이세요. 안 그러면 나중에 목에 구멍 뚫려서 돌아가실 때까지 말씀 못하게 되실 수도 있어요."

"암? 생겨도 괜찮아. 살만큼 살았는데……. 의사양반, 나중에 삼겹살에 소주나 한잔 같이 하지!"

담배를 피우는 의사가 자신의 환자에게 금연에 대해 설득하기란 어릴 적 잘못을 숨긴 채 어머니께 거짓말을 할 때처럼 어색하고 힘이 든다. 그래도 아버님 연세 정도의 어른께 어떻게든 담배를 끊게 할 요량으로 조금은 과장되게 말씀드렸지만 별 효력이 없다. 이 어른은 나와 같은 동네에 사시고, 출근 길마다 수인사를 서로 주고받아 마치 친척어른인 듯한 느낌이 드는 분이다. 일전에 동네 삼겹살 집에 소주 한잔 하러 갔다가 뵙고, 잔을 몇 번 받기도 했다. 그 때 담배를 물고 있다가 나를 부르시는 손짓에 얼른 담배 든 손을 내렸던 기억이 난다. 그 인연 때문인지 이 어른께는 유독 금연, 금주를 권하기가 어려운 느낌이 드는 것 같다. 그 분과 나누었던 삼겹살에 소주 한잔, 그리고

"언젠간 소주 한잔하지"란 말씀에 진료실을 나와 잠시 창문을 열고 선 내게 소소한 상념들이 바람처럼 스친다.

삼겹살에 소주 한잔⋯⋯. 요즘처럼 찬바람 부는 겨울철이면 삼삼오오 모여 찾아들게 되는 소시민의 만찬이며 저녁밥 대신, 하루의 노고를 씻어줄 피로회복제 대신 기꺼이 찾게 되는 애주가들의 단골메뉴다. 불판의 종류에 따라 흰빛과 분홍빛, 빨간빛의 삼겹살이 각각 익는 속도도 다르고 맛도 다르다. 요즘은 기존 금속 불판 이외에도, 대나무 불판, 벼루 모양 돌 불판, 바비큐 같은 회전식 삼겹살구이 등 익히는 방법도 가지가지이고, 삼겹살과 주꾸미 혹은 김치숙성, 와인숙성, 녹차숙성 등 정말 다양한 맛의 삼겹살을 먹을 수 있다. 그에 곁들여 소주 한잔 하면서 날씨에 대해서 이야기하고, 친구에 대해서 이야기하고, 가끔씩은 언성이 높아지기도 하면서, 서로의 돈독한 정을 확인할 수 있다.

'삼겹살에 소주 한잔'에 얽힌 소소한 사연들이 기(奇)하겠냐마는 그 중 특히 잊을 수 없는 기억이 불현듯 떠오른다. 그것은 5년 전 만났던, 동네 어르신 연배쯤 되는 '노(盧) 아저씨'란 분에 대한 기억이다. 6년 동안의 의대생활을 마치고, 의사로서의 첫발을 내디딘 지 두 달째인 2000년 4월, 나는 흉부외과 인턴이었다. 당시 흉부외과에 전공의가 없던 관계로 의국에는 교수님 두 분과 인턴 한 명이 전부였다. 그 때 만났던 노 아저씨는 만성B형 간염으로 간경화 초기 증상까지 보이면서 두 달 동안 식사도 잘 안하고, 소주를 두세 병씩 드시다가 화농성 객담과 흉부통증을 주소로 응급실로 내원한 환자였다. 입원하자마자 중환자실로 이송될 정도로 심각했다. 좌측 폐가 농으로 가득 차 있어 흉관삽입술을 시행하고, 흉관을 통해서 배농을 하였지만 이미 면역능력이 많이 약해져 빈혈에, 간 수치까지 올라가 있어 상태는 점점 악화되어가는 상황이었다. 내가 흉관 주변을 드레싱 하러 하루에 두세 번 중환자실로 갈 때면 노 아저씨는 고열로 고생을 하면서도 가끔씩 술 생각이 난다고 했었다.

"의사양반 왔어? 좀 안 아프게 해줘. 아파 죽겠어."

"그럼요. 아저씨! 저도 가능한 안 아프게 해드리려고 하지요. 근데 왜 아침 식사는 이것밖에 안 드셨어요. 가뜩이나 영양상태도 안 좋은데. 아주머니한 테 개소주라도 해오라고 했으니 많이 좀 드세요. 그래야 약발이 받지."

흉관을 통해 식염수 1리터 정도로 세척을 하는데, 아저씨는 폐 안 깊숙이 물이 들어왔다가 나가는 순간 물살의 흐름이 살을 칼로 회치는 듯한 느낌이 든다고 하셨다. 통증이 인내의 역치를 넘어설라치면 버럭 화를 내기까지 했 다. 노 아저씨의 상태는 호전될 기미를 보이지 않았다. 급기야 괴사성 근막염 이 되어 등과 가슴 쪽의 근막이 염증으로 붓고, 근육이 녹기 시작해 화농성 염증이 피부를 전체적으로 벌겋게 만들고, 피부와 흉관 틈새로 농이 스며 나 오는 상태에까지 이르렀다. 가득 찬 농을 배출시키기 위해 일반외과 선배의 도움을 받아 피부에 열서너 군데 절개를 가했고, 그 절개 부위 하나하나를 항 생제 탄 생리식염수로 세척했다. 환자의 회복 정도는 주치의가 얼마나 자주 열심히 드레싱하고 세척하느냐에 달렸다는 선배의 말을 귀담아 들었던 나는 하루에 네 번씩 중환자실을 찾았다. 아저씨는 갈 때마다 잠들어 있는 경우가 많았는데, 내가 깨우면 말똥 같은 눈물을 뚝뚝 흘리기가 다반사였다. 목소리 는 모기만 하게 내면서……

"나, 이제 아파서 못하겠어. 그냥 주사 맞고 약으로 치료해줘."

"…우리 아저씨가 오늘 애기처럼 왜 이러실까. 안 아프게 오늘은 진통제 두 방 놔 드릴 테니 좀 참아 보세요. 빨리 나아서 저랑 삼겹살에 소주 한잔 하 셔야죠. 예?"

"뭐? 삼겹살에 소주! 그러지, 그러지. 빨리 나아서 소주 한잔하지. 내 잘 아 는 단골집 많거든. 내 한잔 대접해야지."

눈뜰 힘도 없던 사람이 '삼겹살에 소주' 란 말에 눈가에 불현듯 생기가 돌면서 치료에 응하는 게 신기했다. 그 후 치료 때면 삼겹살에 소주 한잔을 상기시켜드리는 게 절차처럼 돼버렸다. 한 번 드레싱하고 소독하는 데 한 시간 반이나 걸렸고, 마약성 진통제를 치료 전후로 2번을 주사해야 겨우 치료를 마칠 수 있었다. 인턴이 주치의 역할을 맡아 열심히 하는 게 기특한 생각이 들었는지 처음에는 잘 도와주던 간호사들이 갈수록 싫은 기색을 내비치기 시작했다. 그래서 간호사 한 분에게 조용히 말을 했다.

"우리 삼촌뻘 되는 아저씨인데……. 일반외과에서도 열심히 드레싱하고 세척해야 좋아진다고 말하더라고요. 돌봐야 할 다른 환자들이 많아 힘들더라도 조금만 더 도와주세요."

노 아저씨는 하루 네 번씩, 대여섯 시간을 치료받으면서 지독한 육체적 고통에 눈물을 흘렸다. 내 썰렁한 농담이나 정성, 강도 높은 진통제로도 그 눈물을 마르게 할 수는 없었다. 거의 매번 치료받기를 꺼려하던 아저씨를 나는 하루에도 네 번씩 찾아가 때로는 썰렁한 농담으로 때로는 우는 아이를 어르듯 달래가면서 치료했다. 아저씨는 등을 보이며 돌아누워 치료 받지 않겠다고 아이처럼 굴다가도 '삼겹살에 소주 한잔' 이란 말에는 이내 누런 치아를 드러내 보이며 치료에 응했다. 그렇게 계속되는 노 아저씨와 내 실랑이 속에 아저씨 등과 가슴 여기저기 눈 뜨고 볼 수 없을 정도로 많이 절개된 상처의 악취는 조금씩 옅어져 가고 있었다.

입원한 지 한 3주일쯤 되던 어느 날이었다. 아저씨는 새벽에 찾아온 나에게 힘들게 미소를 한 번 짓고는 이내 미간을 찌푸리면서 복통을 호소했다.

"에이, 아저씨! 일단 치료 받으시면, 제가 배 만져 드릴게요. 오늘은 엄살 부리지 마세요. 제가 좀 바쁘단 말이에요. 조금만 더 열심히 치료 받으시면 삼겹살에 소주 한잔! 얼마 안 남았어요."

하지만 아저씨는 혈압까지 떨어지고 얼굴이 창백해 보였다. 즉시 방사선 촬영을 했더니, 복막 아래로 공기가 떠있는 소견이 보였다. 위 같은 소화기관의 천공 시에 보이는 소견이었다. 급하게 내시경을 시행했는데 스트레스성 위궤양으로 위 천공이 돼 버린 상황이었다. 말로 표현할 수 없는 3주 간의 고통은 노 아저씨의 위에 오백 원짜리 동전 크기 구멍을 뚫고야 말았다. 그 구멍은 마치 내가 뚫은 것 같았고, 아저씨의 위에 난 구멍을 통해 들어가는 빛이, 놀란 심정에 더욱 힘차게 뛰는 내 탄탄한 심장 구석구석을 무안하게 비추는 것 같았다.

"아저씨, 배수술 받으셔야 된대요. 이때까지 잘 참으셨는데. 조금만 더 힘내세요."

당시 내가 할 수 있던 것은 이 말뿐이었다. 그 당시 임상 초기에 나에게 가득하던 '오로지 열심히만 하면 된다' 는 열정에 심한 균열이 생겼으며, 노 아저씨를 완벽하게 치료할 수 없다는 사실에 자괴감마저 들었다. 나를 바라보며 희미하게 미소 짓던 아저씨는 수술실로 들어가면서 아무 말도 못했다. 이대로 그냥 돌아가시는 게 아닌가 했다. 다행히 2시간 남짓의 수술로 아저씨는 다시 중환자실로 돌아왔지만 일반외과로 전과(轉科)를 해야 했다. 이제는 더 이상 내가 주치의가 아니었고, 내가 할 수 있는 일이란 하루에 한 번 드레싱을 해드리는 것뿐이었다. 내가 해야 하는 일의 절반이 줄어든 셈인데도 가뿐하기는커녕 허전하기 짝이 없었다. 노 아저씨가 '삼겹살에 소주 한잔' 이란 말에 누런 치아를 내보이며 내 쪽으로 돌아눕던 모습이 자꾸 떠올라 전과가 되어도 이전처럼 찾아가 드레싱을 해드려야지 했지만 그조차 하기 힘들었다. 이미 일반외과 레지던트 선배들이 번갈아 가면서 거의 매번 자리를 지키고 있었기 때문에 갈수록 나와 노 아저씨가 만날 수 있는 기회가 줄어들 뿐이었다. 아저씨는 수술 후, 이틀이 지나서야 정신을 차렸고, 이제는 양미간을 있는 대로 찌푸리긴 하지만 아무런 소리를 내지 않았다. 일반외과 선배들은 한번에 두세 명이 가서 열심히 환자를 치료했다. 내가 드레싱을 하러 가도 꿔다 놓은 보릿자루마냥 서 있어야 했고, 기껏해야 흉관 부위만 간단하게 확인하고, 아저씨의 얼굴 한번 보고 오는 것이 고작이었다. 아저씨가 정신을 거의 회복한 어느 날이었다.

"아저씨, 많이 좋아지셨네. 병 다 고쳐서 나가게 아픈 데 있으면 다 말씀하세요. 그래야지 안심하고, 삼겹살에 소주 한잔하지."

"그동안 의사양반 수고 많이 했지. 얼른 나아야지. 근데 요즘은 별로 안 아파. 새로 온 의사양반들이 쑤셔대도 느낌이 별로 없어. 좋아지려나 봐."

"아저씨, 저보다 잘하시는 선생님들이라 안 아프게 하나 봐요. 힘내세요."

사실은 그렇지가 않았다. 절개부위 하방에 자리한 모든 감각신경들이 이제는 통증을 느끼지도 못할 정도로 지쳐버렸고, 통증의 역치가 너무나 커져버린 탓에 고통을 느끼지 못하는 것뿐이었다. 노 아저씨는 결국 나와의 약속을 못 지키고, 화창한 봄날 새벽에 하늘나라로 가셨다.

그 날 이후로도 의사생활은 수없이 많은 환자들과 그들이 가진 정신과 육체의 고통과 함께 계속되고 있다. 가끔씩은 피로와 기분상태로 인해 아픈 사람의 마음을 더욱 아프게 한 적도 있지만, 내 아버지처럼 내 어머니처럼, 형제자매처럼 환자를 대하려고 노력해왔다. 하지만 노 아저씨 이후로 어떤 환자에게도 '삼겹살에 소주 한잔'하자고 하지는 못했다.

공중보건의사로 아담한 시골병원에 근무하는 지금도 선배의사와 곧잘 삼겹살에 소주 한잔을 한다. 그럴 때면 오늘처럼 노 아저씨가 생각난다. 그 한 달가량의 기간 동안 아저씨와 새내기 의사가 벌였던 말도 안 되는 입씨름과 수없이 반복했던 똑같은 약속. 일천한 경험의 병아리의사 시절 나름대로 최선이라 믿던 그 때의 모습은, 어수룩했지만 지금보다 더 뜨거웠던 순진한 열정이 겹겹이 배인 소중한 흔적이 아니었는지 자위해본다.

창 밖 거리의 낙엽도 다 지고 시린 바람이 분다. 아마 지금은 혹한의 겨울 같던 고통도 봄눈처럼 녹은 어느 따뜻한 곳에서 노 아저씨가 편히 쉬고 계시리라 믿지만 아저씨에게 희망의 미소를 짓게 하던 '삼겹살에 소주 한잔', 결

국은 지키지 못한 약속 하나는 여전히 아쉽기만 하다. ■

5회 장려상 수상작품으로 최혁기 선생은 경남 거창 서경병원 이비인후과에서 공보의로 일하고 있다. 오랜 시골 생활로 이제 말투까지 경상도 사투리로 변해버렸다는 최 선생은 1년 남은 공보의 동안 더 많은 사람과 더 좋은 추억을 가지고 싶다고 전했다. 최 선생은 수상소감에서 "수상을 계기로 다시 노 아저씨를 만나던 그 뜨거운 가슴으로 진료에 임하고 싶다"면서 "그러다 보면 또 다른 노 아저씨에게 삼겹살에 소주 한잔을 권할 날이 올지도 모르겠다"고 밝혔다.

어떤 용서 |김경중|

'잊어버리기 전에 써두자.'

그랬습니다. 그래서 이 글을 쓰게 되었는지도 모르겠습니다.

2002년 초여름, 당신이 병원에 찾아와서 처음 만났을 때 "갑자기 어지럽고 가슴이 두근거리고 메스껍다, 기분이 불안하고 잠이 잘 안 옵니다"라고 다른 사람들과 별반 다를 바 없는 흔한 증상을 얘기하기에 저는 그저 그런가 보다고만 여겼습니다. 그러나 면담을 거듭할수록 당신에 대해 알게 되면서 놀라움을 금치 못하게 되었습니다.

경기도 K읍이 고향이고 12세 때 어머니가 죽고, 18세 때에는 아버지마저 돌아가셔서 육남매 중에 넷째인 당신이 몹시 가난한 친정에서 도망치듯 결혼을 했는데, 그 결혼 생활까지도 남편의 학대로 아이들이 고등학교를 마칠 때까지만 참고 살자고 이를 악물고 살다가 그 뒤 남편이 같이 살자고 애원하는데도 헤어졌다고 들었을 때에 '보기보다는 독한 데가 있구나'라고만 생각했습니다. 그러나 치료하는 중에 자주 듣는 악몽에 대한 얘기가 당신의 깊은 슬픔과 억눌린 한, 분노, 죄책감을 짐작케 했습니다.

치료를 시작한지 6개월쯤이 지난 뒤 면담 중에 당신이 18세일 때 손위 언니들은 타지로 시집을 가버려서 당신이 중학생이면서도 어린 나이로 살림을 근근이 살고 있는데, 아버지가 살기가 힘들다고 어린 동생들과 당신이 먹을 쌀 한 톨도 없는 상황에서 아이들을 팽개치고 집을 나가버려, 부엌을 뒤져서 남은 국수 약간을 가지고 물에 불려서 삶아 먹는 둥 마는 둥 하면서 거의 굶거나 동네사람들에게 얻어먹고 육 개월 이상을 살았다고 했습니다.

그러다가 아버지가 딸만큼 어린 새엄마라는 여자를 임신까지 시켜서 데리고 들어 왔다고 했습니다. 억지로 들어 온 아버지는 새엄마 뒷바라지까지 시키며 온갖 궂은일과 학대를 일삼다가 생활고에 새엄마가 도망을 가니까 그나마 살기 싫다고 농약을 마시고 집안을 구르다가 마당에 쓰러져 당신을 쳐다보며 물을 달라고 애원했다고 했습니다.

그러나 아버지가 원수같이 미워서 그 간청을 뿌리치고 매몰차게 외면했고 그래서 끝내 아버지가 죽을 때까지 쳐다보지 않았고 결국 아버지가 죽었다고 하는 얘기를 듣는 순간 몸에 소름이 돋으면서 '세상에 이런 일이 있을 수 있나, 아무리 아버지가 미워도 어찌 자식으로 그럴 수가 있을까, 당신이 얼마나 그동안 죄책감으로 시달렸을까' 하는 생각이 들었습니다.

그동안 악몽 중에 아버지가 자주 나오고 또 그 아버지가 뒤돌아 앉아있거나 얼굴 모습이 보이지 않았던 이유를 알게 되었습니다.

그 뒤에 부모가 다 죽고 동생 세 명을 데리고 살던 곳에서 처음에는 동네사람들이 불쌍하다고 동정해주는 밥을 얻어먹다가 나중에는 그나마도 밥을 주는 사람이 없어 나중에는 집을 떠나 전국을 헤매고 다니면서 굶기를 밥 먹듯이 하고 잠 잘 데가 없어 바닷가에서 자기도 수없이 했다는 말을 듣고는 그 고생이 어떠했을까는 상상이 잘 안되었습니다.

그러다가 동생들 데리고 있으면 자신도 굶어죽겠다는 생각에 자는 동생들을 내버려두고 밤사이에 몰래 도망쳤단 얘기를 듣고 배고픔의 처절함에 몸서리가 쳐졌습니다. 그러다가 어찌어찌 만난 남편이라는 사람이 또 의처증과 술 중독이 있어 툭하면 날아오는 손찌검과 온갖 폭언, 욕설로 정신적 학대를 당했다고 했습니다. 그래서 남편과 나이 차도 많아서 이혼을 하고 싶어도 딸 둘이 생기는 바람에 아이들이 고등학교를 마칠 때까지만 참자고 하다가 아이들이 고교를 졸업하는 날 이혼을 했다는 얘기를 들었습니다.

또 그렇게 어렵게 살던 중에 하나밖에 없는 남동생이 일하다가 전신에 2도 화상을 입어서, 자신이 버리고 도망치는 바람에 동생이 그리된 것 같은 생각에 너무 괴로워서 남편 몰래 가야 했고 또 몰래 갔다 왔다고 모진 매를 맞았다는 얘기를 듣고는 어찌 사람의 팔자가 이리도 기구할 수가 있을까 하는 생각이 절로 들었습니다.

아무튼 연이은 면담과 약물치료 때문인지 당신의 악몽이 덜해지고 증상은 많이 호전되었습니다. 그러나 여전히 형제들과 연락은 하기 싫고 사람들 만나기도 꺼려지고 가슴이 항상 답답한 증상은 여전히 남아있었습니다.

그러다가 12월 초에 E.M.D.R.(안구운동 민감 소실 및 재처리 요법)을 시행하게 되었습니다. 처음과 두 번의 치료에 그동안 꿈에서라도 보고 싶었는데 전혀 못 보았던 어머니를 꿈에서 보고 너무 아늑하고 편안한 기분을 느꼈고, 가슴은 덜 답답한데 기운이 쭉 빠지면서 못 움직이겠다고 했습니다. "그동안 독기로 살았나 보다"라는 말에 웃을 수가 없었습니다.

극적인 변화는 세 번째에서 일어났습니다.

고정된 틀보다 생각나는 대로 이미지를 떠올리면서 차를 타고가면 경치가 뒤로 흘러가듯이 흘러보내라고 하니까 마음이 점점 편해진다고 했습니다. 마음이 가벼워지면서 과거 부모가 다 죽고 나서 동생들 데리고 구걸하면서 살다가 너무 힘들어서 몰래 서울로 도망쳤던 일이 떠오르면서 죄책감이 들지만 그리 심하지는 않다고 했습니다.

조금 더 흘려보내라하니까 머리가 맑아지면서 "내가 한 마리 기러기 되어 청천을 나르는 모습이 떠오른다"라고 했습니다. 그러면서 "가슴에 맺혔던 것이 뻥 뚫리는 기분"이라고 했습니다. 기러기처럼 "숲과 강에 머물다가, 그렇게 주어진 대로 살다가 하늘로 날아가고 싶다", 또 "육체적으로라도 건강해서 큰 행복이다. 이제는 다른 것이 떠오르는 것은 없고 마음이 후련하고 편하다"고도 했습니다. 또 "이제는 아버지에게 용서를 빌 수도 있을 것 같고 아버지를 용서하고 싶다"라고도 했습니다. 이런 생각이 가능하리라고는 생각지도 못했다고 기뻐했습니다.

정말 놀라운 일은 그 다음에 만났을 때 일어났습니다. 면담 끝에 불쑥 "죽으면 시신을 기증하기로 했다"라고 당신이 얘기했습니다. 그 말을 듣는 순간 죄송하지만, 당신같이 못 배우고 고생만 한 사람이 무슨 생각으로 저러나 하는 생각이 들었습니다. 그러나 당신이 남동생이 아플 때부터 이런 생각을 해왔고 딸들에게 얘기했을 때 죽는 얘기라고 둘째가 반대해서 결심을 미루어왔다가 이번 치료를 받고 결심하고 오늘 시신기증 서약을 하고 오는 길이라는 말을 듣고 불현듯 내 눈시울이 뜨거워졌습니다.

그 말을 하는 순간 당신의 모습은 이제 무거운 마음의 짐을 벗어놓고 그동안의 모든 잘잘못을 용서하며 당신을 향해 무시하고 고생만 안겨주었던 세상을 향해 용서와 화해의 팔을 벌리는 것처럼 보였습니다. 환한 미소와 함께 수줍게 얘기하는 모습에서 정신과 의사로서의 기쁨을 그 때만큼 느껴 본 적이 없었던 것 같습니다. 아니, 평소에 그런 신문기사를 보면서도 감히 결심하지 못하는 못난 내 자신의 모습이 겹쳐지면서 더욱 당신이 존경스러웠습니다. 또 능숙하지도 못한 치료방침에 군말 없이 따라와 준 당신에게 정말로 고마움을 느꼈습니다.

그 뒤 이 치료에 대해 다른 사람들에게 얘기하면서 당신이 보여준 그 감동적인 말과 행동들을 옮길 때마다 나도 모르게 목이 메어오는 것을 참느라고 혼이 났습니다.

그것은 메말라가고 있던 내 감정에 당신이 기름을 부어주었고 오랜 동안 잊고 있었던 '의사는 환자에게 배운다'라는 말이 생각나게 하는 계기가 되었습니다.

팍팍한 일상생활 속에서 나 자신이 지쳐가고 환자분들의 얘기가 건성으로 들릴 때 치열하게 살았고 진정한 용서와 화해를 했던 당신의 모습을 마음속에 떠올리며 앞으로도 열심히 이 일을 계속하고 싶습니다. ∎

4회 장려상을 받은 작품이다. 김경중 원장은 울산 한양신경정신과를 개원하고 있다. 여전히 열심히 환자를 보고 있다는 김 원장은 글 소재가 되어준 환자가 "할머니가 됐다"며 기념으로 양말을 선물하더라는 후일담을 전해왔다. 김 원장은 "갈수록 팍팍해가는 현실에서 한 줄기 위안은 환자와 뜨거운 가슴으로 정신적인 교감이 있을 때"라며 "그런 날은 정말 기분이 훨훨 날아갈 것만 같다"고 말하는 천생 의사다.

운명하셨습니다 | 양호진 |

나는 그를 모른다. 이름도, 무슨 병으로 이 곳까지 왔는지, 그에 대해서 아는 것은 아무 것도 없다. 그 사람과의 시작은 의사와 환자로서의 만남도 아니었다. 그를 처음으로 만난 순간이 곧 마지막이었을 뿐이다.

잠시 동안 잠잠한가 싶더니 또 다시 호출기가 주머니 속에서 요란하게 울려댄다. 7층 중환자실에서 올라온 호출이다. 다행이다.

일반 병동에서 올라온 호출이라면 환자 상태 때문에 간호사들이 찾는 게 대부분이다. 하지만 중환자실에서는 간호사가 인턴을 찾는 경우는 거의 없다. 아마도 담당 주치의나 당직 레지던트 선생님이 심부름을 시키려고 부른 호출일 꺼다.

"예. 소화기 내과 인턴입니다."

예상과 달리 수화기를 통해서 흘러나오는 건 간호사의 무미건조한 목소리다.

"환자 트랜스퍼 있습니다."

그 한마디가 전부다. 곧바로 떨어지는 전화 신호음을 들으면서 나도 모르게 미간이 찌푸려진다.

인턴들 중에는 환자 이송을 좋아하는 부류가 있다. 특히나 그 이송 거리가 멀면 멀수록 반기곤 한다. 일단은 병원을 떠나있을 수가 있고, 환자 이송을 하는 시간만큼은 자신에게 쏟아질 호출을 다른 인턴에게 맡기고 벗어날 수 있기 때문이다. 호출기에 깔리는 가위에 눌려 새벽에 깨곤 했다는 동료가 있을 정도로 인턴이 끔찍해하는 물건이 원내 호출기가 아니던가. 하지만 난 환자 이송이 그리 반가운 것만은 아니다. 이송 도중 구급차 안에서 환자에게 무슨 일이 일어날지 예측할 수 없을뿐더러 그에 따른 처치와 책임을 모두 감수해야 하기 때문이다. 그건 초보 의사인 나로선 적잖은 부담이자 두려움이기도 했다.

장 선생을 만나 전후사정을 말하고 호출기를 건넨다.

"어디까지 가는 거래요?"

장 선생의 얼굴과 목소리에는 이미 짜증이 배어있다. 늘 자기 일이 많다며 투덜거리는 그로서는 건네받는 남의 호출기가 반갑지만은 않을 터이다.

"내가 갔다 오면 안 되겠어요?"

부탁인지 신경질인지 구분이 안가는 장 선생의 태도가 영 맘에 들지 않는다. 이전에 환자 이송을 다녀온 장 선생은 오자마자 자신의 호출기를 넘겨받아야하는데도 불구하고 숙소에서 잠을 청한 적이 있다. 그리고는 돌아오는 길에 차가 막혀 늦었다면서 뻔한 거짓말로 사람을 황당하게 만들지 않았던가.

"글쎄요. 저도 이런 건 처음이라 경험삼아 한번 가 보려구요."

자신의 호의가 무시당했다고 생각했는지 장 선생은 굳은 표정으로 손 안에 쥐어진 호출기만 내려다본다.

병동 분위기라는 것은 마찬가지겠지만 중환자실의 공기는 문을 열고 안에 들어가면서부터 확연히 다르다. 벽마다 싸늘함이 가득히 배어있는 것만 같고, 일하는 사람들의 표정도 어둡고 삭막하기만 하다. 저만치 담당 주치의 선생님은 환자의 기도 삽관 때문에 무척이나 힘들어하고 있다. 옆에 있던 3년차 송 선생님이 안 되겠다 싶었는지 후두경과 튜브를 건네받고서는 손쉽게 성공한다. 평소엔 신기할 정도로 기도 삽관을 잘 하시는 주치의 선생님인데 의외네, 하는 생각을 하며 걸음을 그 쪽으로 옮긴다.

"인턴 선생 왔어? 이 환자 지금 트랜스퍼 할 거니까 따라갔다 오구."

이마에 땀방울까지 맺힌 송 선생님은 끼고 있던 글러브를 잡아채듯 벗어서 바닥에 내던지고 중환자실을 나간다. 새까만 피부에 갈비뼈가 드러날 정도로 야윈 남자는 60대 중반인지 후반인지 나이를 가늠할 수가 없다. 송 선생님이 나가자마자, 간호사들은 일사천리로 환자 주위에 붙은 선들을 떼어내고, 모니터를 치우며 주변정리를 한다. 데스크에서 환자 차트정리를 끝내고 온 주치의 선생님은 그제야 한숨을 내쉬며 내 옆에 다가선다.

"좀 전에 숨진 환자거든요. 선생님이 고생스럽더라도 따라갔다 와야 할 것 같네요."

나이가 같은 탓인지 원래 성격이 온유한 탓인지 주치의 선생님은 항상 존댓말을 사용한다.

"시골 사람들이라 그런지 병원에서 죽는 걸 대단히 안 좋게 생각해요. 객사 취급하는 거죠. 게다가 큰아들이라 그런지 집안 어른들이 어떻게든 고향집에서 숨을 거둘 수 있게 해달라고 그러네요. 딸만 아버지 돌아가신 거 알고 다른 보호자들은 아직 숨은 쉬는 걸로 알고 있으니까 내색하지 말구요."

말이 끝나기가 무섭게 주치의 선생님의 호출기가 울려댄다. 간호사들은 환자를 이송용 침대에 들어서 옮기려는지 도와달라는 눈짓을 보낸다. 옮겨진 환자의 입에 간호사가 앰부백을 연결하고 산소통과 이어지는 튜브를 끼워준다. 남자 보조원은 침대바퀴의 잠금장치를 풀고, 난 앰부백을 쥐어짠다.

"선생님. 이거 끼고서 하시는 거예요."

간호사가 내게 흰 면장갑 하나를 건넨다. 죽음 앞에서 살아있는 자가 보여야 하는 겸허한 태도를 지적받은 것 같아 가슴이 뜨끔했다. 간호사의 작은 배려가 고맙기만 하다. 그러나 그 배려가 단순히 직업적인 행동에서 나온 것임을 알기까지는 일 분도 걸리지 않았다.

"오실 때는 에어웨이랑 튜브, 실린지, 그리고 앰부백은 꼭 잊어먹지 말고 챙겨 오셔야 돼요. 튜브 입에서 빼는 건 아시죠?"

대답을 듣고 싶어 한 질문이 아니었기에 아무 말 없이 앰부백만 쥐어짜면서 옮겨지는 침대와 걸음 속도를 맞추며 중환자실을 빠져나간다.

구급차는 요란하게 사이렌을 울리며 질주하고, 흔들리는 차에 적응하며 앰부백을 쥐어짜느라 여간 곤혹스러운 게 아니다. 아내는 아직도 울면서 자신 앞에 놓인 남자의 발만 매만지고 있다. 여자의 손은 살아온 세월이 어떠했을지 짐작이 갈 정도로 거칠고 온통 상처와 주름투성이다. 더 이상은 나올 눈물도 없을 텐데 그래도 계속해서 흐느낀다.

"고맙습니다. 선생님."

딸이 들릴 듯 말 듯한 작은 목소리로 말한다. 무엇이 고맙다는 건지…….

남자는 이미 숨져있기에, 갑작스레 눈을 부릅뜨며 일어나지 않는 한 특별한 상황이 발생하지는 않을 거라고 생각해서였을까. 시간이 지나면서 긴장이 풀렸는지 졸음도 슬며시 밀려들고, 럭비공 같은 앰부백을 쥐어짜는 두 손에서는 자꾸만 힘이 빠져나간다. 추라도 매달았는지 눈꺼풀은 자꾸만 아래로 가라앉는다.

고개를 떨어뜨리다가 제 풀에 놀라 눈을 동그랗게 뜨고 다시 앰부백을 짜면서, 그런 모습을 행여나 아내와 딸이 봤을까 싶어 은근슬쩍 눈치부터 살핀다. 아내는 지쳤는지 남자의 발만 두 손으로 감싼 채 고개를 숙이고는 아무런 움직임도 없다.

"방금 잠드셨어요. 며칠동안 계속해서 날 새셨거든요. 선생님도 피곤하시죠?"

딸은 오히려 날 걱정한다. 깜빡 졸았던 모습을 아무래도 옆에서 본 듯하다.

확실치도 않은데 괜스레 내 맘이 찔린다. 민망함과 난처함에 얼굴까지 화끈해진다.

어떻게 이런 분위기에서 내 일이 아니라고 졸 수 있는 건지. 딸이 날 얼마나 한심스럽게 보았을까.

"선생님들 그 동안 애쓰셨는데 이런 일로 끝까지 힘들게 해드리네요."

더 이상은 딸도 나도 아무런 말이 없다.

딸은 시간을 거꾸로 돌려놓고 싶었을 테고, 난 어서 빨리 시간이 흘러가기만을 바랐을 뿐이다.

구급차가 남자의 집에 도착했다. 이미 집 앞은 사람들로 부산스럽다. 구급차 기사와 함께 남자를 차에서 내리자 사람들은 우리 주위를 에워싼다. 누군가가 깊은 한숨을 내쉬더니 잇따라 울음이 터져 나오고 여기저기서 곡성이 들리기 시작한다.

"뭣들 하는 거여. 앞을 그렇게들 막고 있음 ○○ 아버지 어떻게 들어가라고. 다들 길 좀 터주쇼."

누군가가 갈라지는 목소리로 모여든 사람들을 옆으로 밀쳤다. 우리는 트인 길을 통해 남자를 집안으로 옮겼다. 방안에는 곱게 이불이 깔려 있고, 아내는 부랴부랴 방으로 들어와 이불 위에 잡힌 잔주름들을 자신의 주름진 두 손으로 편다. 그 위에 남자를 눕힌다. 뒤따라 들어온 사람들이 하나 둘씩 남자의 주위에 자리를 잡고 앉는다. 아내는 남자의 얼굴을 매만지고, 딸은 그 옆에서 남자의 손을 쓸어내리고 있다. 남자의 임종을 알리는 일을 어떻게 시작해야 할지, 어떤 말을 처음으로 열어야 할지 좀처럼 그 시작점을 찾지 못하겠다. 난처해하는 내 모습을 눈치 챘는지 경험 많은 구급차 기사가 한마디 거든다.

"선생님, 다들 모인 것 같은데 시작하시죠?"

기사의 말이 끝나자 방안에 있던 모든 사람들이 일제히 나에게 시선을 모은다. 5월 밤인데도 등엔 식은땀이 흘러내린다.

'힘들게라도 숨을 쉬고 있는 사람이라면 마지막 죽음을 내가 판단하고 결정해야 하겠지만, 이미 이 남자는 병원에서부터 숨진 채 옮겨진 사람이다. 다시 눈을 뜨고 일어날 일은 없지 않은가. 그래도, 내가 죽음을 알리는 순간 어이없이 눈을 뜨고 일어나면 어떡하지. 돌팔이라고, 멀쩡한 사람을 죽었다고 했다면서 동네 사람들한테 멱살이라도 잡히면 어쩌나. 도대체 무슨 바보 같은 소리야, 차라리 멱살 잡혀도 좋으니까 살아나기라도 했으면 좋겠다고 생각해야지. 아니야, 지금 무슨 소설 쓰니. 넌 의사야. 과학을 공부하고 객관성을 보여야 할 사람이 이미 병원에서 숨진 사람 앞에 두고 무슨 생각을 하는 거야. 정신 차려!

사람들은 내가 무슨 말이라도 해 주길 바라는 듯 초조하게 쳐다보고 있다. 밖에 서 있던 구급차 기사와 순간 눈이 마주친다. 기사는 부드러운 표정을 지으며 나를 보고 가볍게 고개를 끄덕인다. 긴장 탓에 입 안에 고인 침을 목구멍 깊숙이 밀어 넣은 뒤, 준비한 글러브를 낀다. 실린지로 공기를 제거하고 남자의 입에 물린 튜브와 에어웨이를 이가 손상되지 않게 조심스레 뺀다. 튜브를 제거하기 무섭게 아내는 울음을 터뜨리고, 딸은 그런 여자를 달랜다. 손목시계를 본다. 임종 날짜와 시간을 잘못 말하지 않으려고 재빨리 머릿속으로 되뇐다.

지금 말하는 이 날짜와 시간을 아내는 한평생 기억하며 남자의 기일로 삼을 텐데 실수해선 안 된다. 담담하게 그리고 정말로 침착하게 해야만 하는 일이다.

"○○○님. 5월 XX일. 밤 11시 30분에 운명하셨습니다."

말이 끝남과 동시에 아내는 오열했다. 아직도 흘릴 눈물이 남아있었는가 보다. 딸은 울지 않으려 애써 참고, 주위에 있던 사람들은 차마 소리 높여 울 수 없었던지 숨죽이며 흐느꼈다. 할 말도 없었고 더 이상은 내가 해줄 수 있는 일도 없었기에 조심스레 자리에서 일어나 밖으로 나온다. 구급차 기사와 함께 마당에 서서 5월의 시골 밤하늘을 올려다본다.

"이런 일 처음이신가 봐요. 많이 당황하시던데……."

기사는 담배 한 개비를 내민다. 나는 그냥 고개만 가로젓는다. 기사는 내밀었던 담배를 입에 물고 불을 붙인다.

"시골이라 확실히 공기가 다르죠? 별도 많고. 수원에선 별 본지가 언젠지 기억도 안 나네요."

기사는 어떻게든 내 기분을 살려주고 싶었는가 보다. 이래저래 말을 붙이지만 난 특별히 할 말이 없다.

"오늘 선생님 애 많이 쓰셨어요. 보호자들한테도 신경 많이 쓰시구. 잘하셨어요."

잘했다는 기사의 말이 자꾸 귓전에 맴돈다. 무얼 잘했다는 것일까. 땀 때문에 등에 달라붙은 셔츠의 느낌이 그리 좋지 않다. 별을 다시 올려다본다. 기사도 그런 내 모습을 따라 시선을 하늘로 옮긴다. 유난히 반짝이는 별 하나가 밤하늘 한가운데에 슬프게 박혀있다.

"아까 휴게실에서 따님이 선생님 이야길 했어요. 피곤해서 졸음이 오는 것 같은데 억지로 참아가면서 앰부백을 짜시더라고요."

졸았던 내 모습을 딸이 보았던 게 확인되는 순간, 거짓말이 들통 난 어린아이마냥 얼굴이 화끈 달아오른다.

"이미 돌아가신 분, 그렇게까지 안 해줘도 될 것을 끝까지 산 사람처럼 대해주셔서 고맙다고요. 전 선생님이 참 부럽네요. 저야 기껏 운전 밖에 할 줄 몰라 이러고 살지만, 선생님은 해줄 수 있는 게 많잖아요. 죽은 사람에게나 산 사람에게나……. 안 그래요?"

가끔 밤하늘을 올려다 볼 때, 눈물방울처럼 반짝이는 별이 보이면 그 때의 긴장이 떠올라 손바닥에 땀이 맺힐 때가 있다. 그리고 생각해본다. 지금의 나

는 정말 해 줄 수 있는 게 많은 사람일까. 조금이라도 해주는 게 있다면 제대로 잘하고 있기는 한걸까. ■

3회 장려상을 수상한 작품으로 양호진 선생은 충청북도 진천군 중앙의원에서 봉직의로 근무하고 있다. 양 선생은 소감에서 "가장 좋은 가르침은 자신에 대해서 돌아보고 반성하고 깨닫는 것이 아닌가한다"며 "스스로를 돌아볼 수 있도록 기회를 주고, 호흡을 가다듬을 수 있게 여유를 만들어주는 이 행사에 감사하며, 오래오래 지속될 수 있기를 간절히 바란다"는 말을 전했다.

가난한 향기를 풍기는 사람 | 최충언 |

  겨울이면 따뜻한 남쪽으로 노숙자들의 이동이 있어서 부산역 지하도에 노숙자가 부쩍 늘어난다. '노숙'이란 세계인권선언 25조에 정한 '적절한 삶의 수준' 중에서 주거가 보장되지 않는 상태를 말한다. 노숙자문제는 단순히 주거문제 뿐만 아니라 실업과 빈곤, 사회적 차별, 정신적·육체적 질환과 관련되어 있을 것이다. 노숙자 수가 1998년 IMF사태 때 전국적으로 6천 명에 가까웠고, 여인숙, 일세방, 만화방 등지에서 잠을 자면서 밥은 무료급식소를 이용하는 사람도 노숙자로 보면 이런 사람 수도 3~4천 명은 된다니 모두 합하면 만 명 정도로 추산된다는 보도를 접했고, 경험으로도 금융위기 이후 노숙자들이 병원으로 심심찮게 진료 받으러 왔던 기억이 난다. 사회안전망이 제대로 갖추어지지 않은 우리사회에서 구조조정의 매서운 칼바람으로 또 얼마나 많은 노숙자들이 길거리나 지하도에서 종이박스에 고단한 몸을 눕히는지…….

  IMF로 인해 구조조정의 칼바람이 휘몰아치던 1998년 여름이었다. 당시 세 명이 근무하던 H종합병원 외과에도 과장 한 명을 줄여야 한다는 이야기가 나왔을 때, 전문의 2년차이던 나는 아무런 대책 없이 사표를 썼다. 두 달을 하릴없이 빈둥거리다 다시 찾은 직장이 마리아수녀회에서 운영하는 구호병원이었다. 이름처럼 30년 넘게 자선병원으로 운영된 곳이고, 내 종교도 가톨릭이라 여러 가지로 조건 맞는 직장을 구했다고 생각했다. 무엇보다 가난한 환자들과 함께 할 수 있고, 노숙자나 건강보험, 의료급여조차 없는 일반 환자들, 그리고 꿈을 잃지 않은 '소년의 집' 아이들을 만날 수 있기 때문이다.

K씨를 처음 만난 것은 작년 대통령 선거 한 달 전쯤이었다. 병원 접수대에서부터 배 아프다고 안절부절 못하는 모습을 복도를 지나다 보게 되었다. 환자 상태가 수술을 해야 할 정도로 위급해 보였다. 옆에는 환자의 살림 보따리(?)인 듯한 짐이 있었다. 보호자도 없고, 의료급여 카드도 없고, 돈도 없고, 가진 것은 견디기 힘든 복부 통증으로 연신 아픔을 토해내는 깡마른 몸뚱이 뿐이었다.

일단 접수를 하고 급하게 복부 사진을 찍어보니, 기계적 장폐쇄란 진단을 내릴 수 있었다. 대장이 풍선이 터질 듯이 늘어나 있었고, 소장은 늘어나고, 부어올랐다. 복부 진찰을 할 때 보니 뱃가죽은 바늘만 찔러도 피식하는 소리가 날 정도로 부풀어 올랐고, 청진기를 대보니 쩌렁쩌렁하는 금속성 장운동 소리가 들렸다. 틀림없는 기계적 장폐쇄라 응급수술을 해야 할 판인데, K씨가 알려준 집 전화번호로 전화를 해도 '그런 사람 없습니다. 전화 잘못 거신 것 같네요.' 하는 대답 뿐 수술 동의서를 써줄 가족과 연락할 방법이 없었다. K씨는 집 나온 지 오래된 노숙자였던 것이다.

검사결과는 더욱 비관적이었다. 혈압은 겨우 유지하고 있지만 맥박이 빠르고, 열도 나고 백혈구 수치가 25,400/㎟를 넘어 패혈증 상태로까지 진행되고 있었다. 장폐쇄 원인 중 가장 많은 것이 복부수술을 받은 경험이 있는 경우 유착성 밴드가 장을 졸라매는 것인데 K씨의 복부에는 20년 전 복막염 수술을 받은 상처가 있었다. — 암이나 탈장 등 원인은 수없이 많다.

수술은 해야겠고, 가족과는 연락이 안 되고. 이럴 때는 동사무소나 경찰에 연락하여 신원 조회하는 것이 빠르다는 것을 경험으로 알고 있다. 우선 수술 준비를 하면서 장이 막힌 원인을 찾기 위해 CT촬영을 하고, 신원조회를 통해 형이 부산에 살고 있다는 사실을 확인했다. 병원 수녀의 말로는 형 집으로 전화를 하니 형수가 받는데, 형은 직장 나가고 없고, 시동생은 죽든지 알아서 하라며 전화를 뚝 끊었단다. 다시 전화를 걸어 환자상태를 설명하고 우리 병원은 치료비는 걱정하지 않아도 된다며 응급수술을 하는데 수술동의서에 서명만이라도 해 달라고 하자, 그제야 병원에는 오겠단다. 젊어서부터 애를 먹이더니 어쩌니 하면서……

CT결과는 최악이었다. 직장암이 퍼져 골반에 전이된 상태여서 근치 수술은 불가능하고 복부에 인공항문을 내는 수밖에 없었다. K씨에게 물어보니 대변은 고사하고 방귀를 뀐 지 보름쯤 되었다고 했다. 직장이 암으로 인해 완전히 막힌 것이었다. 환자는 수술실에 들어가 수술복으로 갈아입고 있는데 형수가 병원에 도착했다는 연락이 왔다.

형수는 말했다.

"우리는 삼촌이 죽든지 살든지 관심 없심더. 의사 선생이 알아서 해 주이소."

어느 정도 예상은 했지만 이 정도일 줄은 몰랐다. 말 못할 사정이 있겠지 생각했다.

"일단 사람부터 살려야 안 되겠어요? 빨리 서명만이라도 해 주이소."

그리고는 수술실로 직행했다. 수술용 브러시에 소독액을 듬뿍 묻혀 애꿎은 양 팔뚝과 손을 빡빡 문지른다. '세상이 와 이렇노' 하며 궁시렁거리면서.

수술복을 입고 수술용 고무장갑을 끼고 수술대 옆에 선다. 기도가 끝나고 메스를 집어 들고 피부절개를 한다. 복막이 열리는 순간, 부풀어 오른 창자가 와르르 쏟아진다. 도저히 도로 담아 넣을 수가 없다. 여기를 누르면 저기가 삐져나오고……. 골반 밑으로 손을 집어넣으니 어른 주먹만한 암 덩어리가 단단한 돌처럼 직장을 완전히 막아버렸다.

인공항문을 만들기 전에 똥으로 가득 찬 창자의 내용물을 빼내야 한다. 간호사에게 세척할 생리식염수를 대량으로 준비시키고 소독된 세수 대야를 받친 후 대장에 절개를 가한다. '피~' 하는 소리와 함께 구린 방귀 냄새와 내려가지 못한 부패한 음식물이 똥이 되어 콸콸 쏟아져 나온다. 마스크 속의 코를 연신 킁킁거린다. 장이 막힌 지가 얼마나 오래 되었던지 약 20분 동안이나 창자 속의 변을 짜냈다. 그 다음엔 생리식염수로 똥 범벅이 된 복강을 씻어내고 또 세척하고…….

이젠 늘어난 창자가 제 기능을 하는지, 세균의 독소로 장에 염증이 생겨 썩은 부위의 절제 여부를 결정해야 한다. 의심스러운 부분이 있었지만 다행히 절제하지 않아도 되겠다는 판단이 들었다. 다음은 원위부의 대장은 그냥 봉합하고 근위부의 대장을 좌하복부에 구멍을 내 인공항문을 만들어 준다. 다시 생리식염수로 복강을 세척하고 출혈여부를 확인한 뒤 드레인을 박고, 절개부위를 꿰매어 주는 것으로 수술은 끝났다. 환자는 마취에서 깨어 비몽사몽 간에 수술 부위 통증을 호소한다.

K씨는 자기가 암이란 사실을 알았던 것 같았다. 여기저기 매스컴에서 나온 이야기도 하는 것으로 보아서는 분명히 알았는데 왜 나에게는 그 사실을 처음부터 말하지 않았을까?

추측건대 대학병원으로 가라고 하는 말을 듣는 게 두려웠던 것 같았다. 암 수술 받을 형편이 못 되는 처지를 너무나 잘 알기 때문이 아닐까? 경제적으로 어려운 사람들도 그런 상황인데 노숙자가 오죽하랴!

수술한 다음날 아침 회진시간, 그는 쑥 꺼진 배로 한쪽 다리를 꼬고 침대에 누워서 간호사 수녀보고 이렇게 말했다.

"수녀님! 이제 통증도 없어졌고 세상 돌아가는 것도 좀 알아야겠으니 TV 좀 켜주세요."

그 모습을 생각하면 지금도 웃음이 난다. K씨는 젊을 때 노래도 잘해 '딴따라' 생활을 했다고 들었다. 지금도 하늘나라에서 편하게 누워 노래를 흥얼거리고 있지 않을까 하는 생각이 들 때가 있다.

입원 한 달 후 퇴원하는 날이 되자 K씨는 고맙다며 다음에 또 오겠다는 인사를 하고 보따리를 들고 병원을 나섰다. 그러나 그는 3일 만에 다시 입원 좀 시켜달라며 외래를 찾았다. 아니나 다를까, 인공항문에 붙인 비닐 주머니는 다 뜯어지고 휴지를 덧대어 놓았다. 퇴원 전에 그렇게 교육을 시켰건만. 형님 집에 얹혀사는 것이 힘들고, 등도 당긴다면서 꼭 입원을 다시 시켜 달란다.

이럴 땐 강공법이 최선이다. "내가 당신 똥 닦아 주는 사람입니까?" 하고 소리부터 빽 질러 놓고, 인공항문 주위 오염된 곳을 닦고 세척한 후 임시로 인공항문 백을 달아준다. 그러고 나니 인공항문 관리가 잘 되었다. K씨는 일주일에 한번씩 외래에서 'MS 콘틴' 마약진통제를 맞으며 그런대로 견뎌내고 있었다.

지난 여름 K씨는 경구진통제로는 도저히 통증을 참을 수 없다며 형수와 함께 다시 병원에 왔다. 소변을 보기가 힘들고, 혈뇨가 있다고 하였다. 직장암이 방광까지 전이되었나보다. 빈혈이 심하고 온몸은 부어 있었다. 수술 후 퇴원해서는 기초생활보호대상자가 되어 매달 동사무소에서 20여만 원의 생계비를 지원받았는데도 계속 노숙자 생활을 했다고 한다. 형은 재래시장에서 청소를 하고 형수는 정신분열증 치료를 받았던 터라, 인공항문을 달고 조카들과 한 방에서 생활하기가 어려웠을 터였다. 이제는 입원시켜 마지막을 편하게 맞을 수 있도록 호스피스해 주는 일만 남았다.

K씨는 45일간 입원한 후, 고달픈 지상에서의 순례를 마치고 하늘나라로 떠났다. 떠나기 며칠 전, K씨는 말했다.

"과장님, 그동안 고마웠심더."

지난 10개월 동안 미운 정 고운 정이 많이 들었던 모양이다. 순간 눈물이 핑 돌았다. 형도 그가 편안하게 눈을 감았다며 고마움을 표하면서 그를 간병하던 형수는 정신분열증이 재발하여 입원했다고 전했다.

다음날 저녁 집으로 퇴근하는 길에 영안실에 들렀다. 영정 속의 K씨는 날 보며 물끄러미 웃음을 지어보이고 있었다. 고개를 숙이며 속으로 말했다.

'K씨, 고함을 쳤던 나를 용서해 주지 않을래요? 용서해 주실 거죠?'

가난한 이웃의 문제, 특히 '잠잘 곳이 없어 거리에서 자는 사람들의 문제'에 더욱 관심이 필요하리라. 마더 테레사의 말처럼, 가난한 사람들도 고귀하게 죽어갈 장소가 필요하지 않겠는가? 노숙자들의 몸에서 풍기는 고약한 냄새를 병원 수녀님들은 '가난의 향기'라고 말한다. '가난의 향기'를 '그리스도의 향기'로 여기며 하루하루 나에게 주어진 일을 하다가 하늘나라에서 K씨와 반가운 재회의 포옹을 하고 싶다. ■

3회 장려상을 수상한 최충언 원장은 지난 2005년 8년간 근무했던 마리아수녀회 구호병원을 그만두고 후배와 함께 '남부민의원'을 개원했다. 최 원장은 수상소감을 통해 "의사들은 늘 환자의 죽음에 좌절하기도 하고, 생명의 끈을 놓치지 않기 위해 애를 써 보지만 인간의 한계를 절감하는 존재지만 생명의 신비를 알기에 비록 허공에다 하는 주먹질일망정 주어진 조건에서 희망의 끈을 놓지 않고 최선을 다 할 것"이라는 다짐과 함께 "일하는 사람들의 노동가치와 삶의 기쁨이 일터에서 삶터에서 온전히 자리할 수 있도록 더욱더 낮은 자리에서 의사의 직분에 충실하고 싶다"는 바람을 풀어놓았고 그 말대로 열심히 환자를 보고 있다.

2장
환자에게 배운다

첫 환자, 이삭 |천성빈|

'2001년 2월 28일 오후 5시'

그렇게 기다리던, 또 그만치 두렵던 시간은 오고야 말았다. 의대 6년 마치고 곧장 시작한 '피억류자' 인턴의 삶. 모든 '피억류자' 들의 유일한 희망은 오로지 주치의가 되는 이 날, 이 시간이었다. 주. 치. 의. 내 이름으로 등재된 환자를 직접 책임지게 되는 뿌듯한 그 이름.

70년대 백과사전 같은 자주색 소아과학 교과서, ⟨Harriet Lane⟩이라는 빨간 핸드북, 의약품집, 청진기, 펜 라이트, 그리고 새로 받아 빳빳한, '응급의학과' 란 전공과목까지 명기된 하얀 가운 두 벌에 1주일 치 러닝셔츠와 팬티……. 한 보따리 짐을 안고 나는 소아과 동6병동에 들어섰다. 응급의학과 원칙상, 1년 차 전공의는 열두 달 수련기간 중 내과 석 달, 외과, 소아과, 신경과 두 달씩 파견근무를 하는데, 난 소아과부터 시작이었던 것.

병동에 들어서자 하얀 백보드에서 담당 환아부터 확인했다. 어느새 그들 이름 앞엔 '천' 이란 약칭이 파랗게 표기돼 있었다. 그 여섯 명의 '천' 들 중, 보는 즉시로 기억된 이름이 있었으니 바로 이삭이었다. 이삭? 아브라함이 백 살, 사라가 구십 노인일 때, 신이 당신의 약속을 지키려 주셨다는 기적의 외아들, 바로 그?

이름이 잘 기억된 이상으로 날 당황케 만든 건 병명이었다. 'O이삭, 남/10개월, 입원일 2.17'을 잇는 병명 'Agyria'는 난생 처음 보는 것이었다. 'Gyrus(뇌이랑)가 없는 병'이라 유추할 순 있었지만, 그런 병이 있다는 건 처음 알게 되었다. 곧이어 확인한 뇌 사진은, 차라리 충격이었다. 굵다랗게 대충 반죽해 놓은 듯한 도넛 모양의 뇌······. 남들에게 다 있는 꼬불꼬불 뇌이랑, 뇌고랑이 이삭이에겐 하나도 없는 것이었다.

처음 보는 병명, 황당한 CT 소견, 게다가 '이삭'이란 이름이 주는 그 암묵의 중압감······. 소아과 진료는 의사 — 보호자 관계가 반 이상임을 몇 번이나 강조하시던 곽 선생님 말씀이 왠지 소설의 복선, 아니 예언으로까지 느껴졌다.

사십 분쯤 지났을까? 나머지 환아들 차트를 마저 훑고서, 이삭이네 6인실 문을 열었다. 마침 위치도 간호사 스테이션 바로 맞은편이던 그 방, 그 병실 문을 열기까지 난 얼마나 망설였던가. 대충 타던 가르마를 깔끔히 정돈하고, 넥타이가 정중앙에 있음을 몇 번이고 확인했다. 헛기침으로 목청을 가다듬고, 아랫배에 힘주기를 몇 번이나 하고서야, 난 방문을 열 수 있었다. 이 순간, 이 병실은 주치의로서는 처음으로 들어가는, 어찌 보면 진정한 의사의 길로 들어서는, 엄청난 의미의 시공간이 아니던가?

허나 막상 이삭 엄마를 발견한 순간, 내 긴장과 선입견은 완전 무너져 버렸다. 이브라함과 시라는 신의 복을 받았으니 고결한 기품 같은 게 넘쳤을 것이다. 게다가 사라는, 남편이 신변의 위험을 느낄 만큼 절세 미녀 아니던가? 그러나 내 눈앞의 이삭 엄마는, '6시 내 고향' 인터뷰에 나올 법한, 떡 벌어진 체구에 화장기라곤 하나 없이 까무잡잡하고 퉁퉁한 용모를 지닌 시골 아낙이었다. 사십 대 초반으로 뵈는 이 수더분한 아줌마는, 침대 옆 간이 장의자에 수건 서너 개 포갠 걸 베개 삼아 비스듬히 누워 자고 있었다. 내가 옆에서 한참을 지켜 서도 반응이 없자, 옆자리 다른 보호자가 민망했던지 그녀를 흔들어 깨웠다. 그제야 날 발견한 그이의 첫인사는 이랬다.

"안녕하서유. 선상님이 우리 이삭이 새 주치의신감유? 잘 좀 부탁드리겠구면유. 아 근데 글씨, 몇날, 몇일을 있어두 야가 나슬 기미 안 보이네유. 이게 다 우찌된 일이구먼유?"

깍듯이 그러나 최대한 당당하게 보이게끔 인사한 나는 얼른 병실을 나와버렸다. 이제야 인계를 받아 환자 파악이 완전하지 못해 죄송하다, 내일이 삼일절 휴일이니 파악하는 대로 성심껏 진료하겠노라는 다짐을 남긴 채.

여섯 환아들 및 부모들과 인사하고서 스테이션에 돌아온 나는, 다리가 무척 저려왔다. 다른 소아과 주치의 셋도 별반 다르지 않은 모양이었다. 꼬박 밤을 함께 지새우면서 당분간은 아무도 집에 가지 말고 자기 환자는 자기가 책임지자, 그리고 중환은 다같이 보자고 결의해가며 마른 입속에 컵라면을 후후 불어넣고서야 그나마 마음들이 조금 놓였다.

소아과학 교과서를 펼쳤다. 이것만 다 알면 전문의 시험도 붙는다는 1,400쪽짜리 교과서의 색인에, 'agyria'란 항목은 아예 존재하지도 않았다. 2천 페이지짜리 소아과학의 바이블 〈Nelson Textbook of Pediatrics〉에는 두 문장짜리 개념 설명뿐이었다. 한숨이 절로 났다. 차트를 펼쳤다.

'생일: 2000년 4월 20일'

'인적 사항: 부 45세, 모 38세, 다른 형제 없음'

내가 너무 늙게 봤나? 이삭 엄만 삼십 대 후반이었다.

'주소: 충청남도 예산군 OO면 OO읍 ……'

이전 주치의가 남긴 'Off duty' 노트에는 이렇게 적혀 있었다.

'조절되지 않는 경련으로 입원한 환아입니다. CT, MRI상 agyria가 확인됐습니다. 책에도, 논문에도, 병에 대한 정보가 거의 없습니다. 혹시나 해서 아미노산 검사 등은 내놓았습니다만 별로 의미는 없을 듯 합니다. 결과 확인하시고서, 경련 조절되는 대로 퇴원시키십시오. 보호자는 아직 환아 상태를 잘

이해 못 하는 것 같습니다. 그럼, 수고하세요.'

'Duty'에서 'off' 되는 홀가분함이 역력했다. 그만큼 내 마음은 조여들었다. 아, 나의 주치의 생활은 대체 어디로 가려는가?

신경 분과 교수 회진은 1주에 세 번뿐이었다. 분과 담당 수석의, 병동 수석의, 전임의 선생님 회진까지 치면 결코 적진 않았으나, 교수 회진 자체는 적었다. 주치의 하면서 교수님들 맘을 이해하게 되었다. 전국 방방곡곡에서 신경학적 문제로 대학병원에 입원해야 할 정도로 아픈 환아들의 예후는 대개 만성적이었다. 이러면 치료 되겠습니다, 하는 속 시원한 말보다, 글쎄요, 약을 좀 더 올려볼까요, 약을 한번 바꿔봐야겠네요 식의, 의사도, 보호자도 지쳐가는 그런 병이 대다수였다. 암 전공 내과 교수님들이 그렇듯, 신경분과 소아과 교수님들도 늘 고민에 찬 회의자의 모습이었다. 평생 이런 환아들만 봐야하는 이분들께 회진은 잔혹한 고문이었으리라.

최종 책임은 분명 주치의에게 있었다. 그러나 나라고 특별한 방도가 있을 리는 없었다. 다만 하루에도 대여섯 번씩 틈만 나면 병실 문을 두드렸다. 괜히 가슴에다 청진기도 대보고, 뽀얀 배도 만져보았다. 하루는 이삭이 안고 휘휘 돌자, 보호자들이 한 마디씩 했다.

"이삭이네 선생님은 알고 보니 총각이시네. 애 안은 폼이 영 시원찮은 게……"

"그러게 말이에요. 그래도 이삭 엄만 얼마나 좋아. 우리 애 주치의는 하루에 한번 얼굴 보기도 쉽지 않은데 말이에요."

이삭 엄마는 교수 회진 때 묻는 법이 없었다. 회진 후 내가 다시 들르면 꼭 그 때 물었다.

"선상님, 우리 이삭인 우째 나슬 기미가 없어유? 저 옆에 송이는 내일 퇴원한다 그러던디…… 지도 얼릉 집에 가서 농사도 짓고 그래야 쓰것는디, 여지까지 병원에만 있으면 어쩌간디?"

"천 선상님, 이삭이도 확 그냥 수술해버리면 안 되남유? 그래서 나슬 거면 속이 다 시원하것는디……."

보름이 넘도록 난 집에 가지 않았다. 팬티와 러닝셔츠는 물론 양말까지 2, 3일은 기본이었다. 스스로도 더 이상 못 견디게 된 어느 토요일의 오후, 병실 문을 열었다.

"이삭 엄마, 저 오늘 집에 좀 갔다 올게요. 속옷이랑 양말이 없어서 도저히 안 되겠네."

주말 오후, 교수님과 수간호사가 없는 틈을 타 보쌈을 시켜 먹던 보호자들이 말했다.

"아, 우리 천 선생님도 같이 좀 드세요. 이삭 엄마가 안 그래도 찾았었는데, 스테이션에 안 보이셔서 그냥 우리끼리 먼저 시작했어요. 자, 어서 여기 좀 앉으세요. 네?"

"아유 참, 우리 이삭이 봐주시느라 입때껏 집에도 못 가셨단 말이유? 빤쯔랑 양말은 지가 다 빨아둘 텡께 그냥 집에서 푹 좀 쉬다 오셔유."

그들이 집어주는 보쌈을 한입 가득 넣고서야 난 겨우 그 방을 빠져나올 수 있었다.

달을 넘겨도 이삭인 호전의 기미가 없었다. 약의 용량은 물론, 종류까지 두세 배 늘렸건만, 하루 열 번하던 경련이 대여섯 번으로 준 게 다였다. 하루는 병실에 그냥 들어갔는데, 이삭이가 경련 중이었다. 양 눈이 오른쪽으로 홱 쏠리고, 양팔은 앞으로 나란히 자세로 부들부들 떨고 있었다.

"이삭이 엄마, 애가 이렇게 경기하는데 저 안 부르고 뭐하세요, 예?"

"아, 하루에도 몇 번이고 이러는디, 우리 천 선상님 힘드시게 우뜨케 할 적마다 불러쌴데유? 지도 염치가 있지, 안 그려유?"

"아 참, 이런 거 하라고 주치의가 있지, 안 그럴 거면 주치의가 왜 필요해요. 네?"

잠시 침묵 뒤, 이삭 엄마가 말을 이었다.

"들어보니께 선상님도 다다음 주면 딴 데로 가신다면서유. 지두 이제 이삭이 데리고 농사지으러 고향에 내려 가야겠시유. 우리 천 선상님도 못 고치는 병을, 워디 딴 사람이라고 고치것시유? 야 병은 아무도 못 고치는 기유, 그치유?"

가타부타 말 못한 채 병실을 나선 나는 간호사에게 항경련제 주사를 지시하고 당직실로 들어가 버렸다. 방에서 나올 수가 없었다. 내가 의사라는 사실이 원망스러웠다.

4월의 마지막 토요일 오후, 소아과에서의 마지막 당직 날이었다. 이제 'Off duty' 노트 쓸 때가 된 것이다. 두 달간 많은 애들이 입원하고 또 퇴원했지만, 이삭이만 아직 그대로였다. 이삭이 차트는 밀쳐둔 채, 향후 계획이 뚜렷한 애들 차트부터 정리하기 시작했다. 이삭 엄마가 날 부른 건 그 때였다.

"천 선상님, 우리 이삭이가 또 그러구먼유."

과연 그랬다. 며칠 전, 치료 농도를 넘지 않을까 걱정될 정도까지 약 용량을 올렸는데도, 이삭이는 또 경련하고 있었다. 나와는 물론 엄마와도 단 한번 맞춘 적 없는 두 눈은 초점 없이 하늘을 치켜다보았고, 온 사지는 뻣뻣하게 떨고 있었다.

순간 나는 이삭일 번쩍 들었다. 그러고는 10킬로그램도 안 되는 이삭일 마구 흔들어댔다.

"이삭아. 너 대체 왜 이러니? 왜 이리 내 맘을 몰라주는 거야? 왜? 제발……. 제발 좀 나아다오. 제발!"

내가 몇 번이고 격하게 애를 흔들어대자, 놀란 이삭 엄마가 달려들어 빼앗았다.

"아니, 안 그려도 불성헌 애한테 왜 자꾸만 그런데유? 지발, 지발, 그러지 마셔유……."

한번도 내 앞에서 운 적 없는 이삭 엄마 목소리가 떨리고 있었다. 난 고개를 숙인 채 얼른 병실을 나와 버렸다. 사람들에게 내 얼굴을 들키고 싶지 않았다.

그 다음 주 월요일 회진 때, 이삭 엄마는 교수님께 퇴원시켜 달라 말했다. 교수님도 특별히 더 이상 대책이 없는지라 '정 그러시다면' 하셨다. 그 날 저녁, 나는 허망하게 앉아 퇴원 오더를 내렸다. 달리 해줄 수 있는 게 없었다.

다음 날 오후 컨퍼런스로 한 시간 병동을 비운 사이, 이삭 엄만 몰래 퇴원해 버렸다. 눈물을 훔치며 병실을 나섰다는 그이는 러닝셔츠랑 팬티를 두 벌씩 고이 싸서는 천 선상님 오시면 대신 좀 전해 달라 했다 한다. 얼굴도 못 뵙고 가 죄송하단 말 꼭 전해 달라며, 그렇게 그이는 병동을 떠났다 한다. 그리고 이후 나는 이삭이도, 이삭 엄마도 만나보지 못했다.

의업에 들어선 지 5년 남짓…… . 이제 그이에게 못했던 말, 짧은 편지로 대신하며 글을 맺으련다.

이삭 엄마, 잘 계세요?

기억하시죠? 4년 전 봄, 동6병동 주치의에요. 애도 하나 잘 못 안는다며 구박하던 그 총각 주치의 말이에요. 벌써 절 잊으신 건 아니죠?

이제 저도 총각 선생이 아니랍니다. 작년에 결혼해서 아들도 있어요. 엊그제가 돌이었답니다. 제가 이제 얼마나 애 잘 보는지 모르시죠?

그거 아세요, 제가 종종 이삭이랑 이삭 엄마 생각한단 사실?

그리고 마지막 토요일 오후, 경기하는 이삭일 움켜잡고 왜 그리 흔들어 댔는지, 불쌍한 애한테 무슨 짓이냐며 울먹이는 이삭 엄말 외면한 채 왜 그리 화내며 도망치듯 병실을 나가버렸는지, 그 때 제 맘 다 아시죠?

이삭 엄마, 비밀 하나 알려드릴까요? 제가 왜 이삭일 못 잊는지, 왜 평생 잊을 수 없는지?

이삭이가요, 어릴 적 저랑 많이 닮았답니다. 동그랗게 납작한 얼굴, 넓은 이마에 조금은 찢어진 눈매, 심지어 납작한 코에 연홍빛 얇은 입술까지……. 눈 한번 맞춰주지 않는 이삭일 볼 적마다, 어떤 약물에도 계속 경기를 해댈 때마다 전 제 분신을 보는 것 같았어요. 제 앞에선 한숨 한번 크게 안 쉬던 이삭 엄말 볼 적엔 어릴 적 엄마 생각이 얼마나 많이 나던지요.

제 아이 이름은 재희에요. 그러고 보니 그 때 이삭이랑 같은 나이네요. 어찌 그리 아빠랑 똑 닮았느냐고 다들 놀려요. 편지 쓰면서 깨달았답니다. 저 말고도 재희 닮은 얼굴을 분명 어디선가 본 것 같아 도대체 누굴까 했었는데 이젠 알겠네요.

날이 춥네요. 올해 농사는 다 끝내셨어요? 두 손 맞잡고 같이 한번 울어 보고 싶은데, 그러질 못합니다. 그리고…, 이삭이 안부를 차마 묻지 못하는 바보 같은 절, 부디… 용서해 주세요.

그럼 이만.

아침부터 빗방울 듣는 늦가을의 어느 날,

재희 아빠 ■

5회 대상수상자인 천성빈 선생은 해군해양의료원 응급의학과 과장으로 복무하는 군의관이다. 첫 아이인 재희를 보며 글의 주인공인 이삭이를 떠올리던 젊은 아빠는 2007년 1월, 두 아이의 아빠가 됐다. 천 선생은 '내 첫 독자인 아내와 분신 같은 아들 재희, 사랑은 오래 참는 것임을 긴 세월 동안 가르쳐둔 모든 이들에게 고맙다는 말과 함께 이삭 모자에게는 이 글을 쓰면서 흘린 눈물로 고마움을 대신하고 싶다'는 눈물 가득한 수상소감을 보내왔다.

고구마 꽃 | 임성룡 |

"선생님, 어디세요?"

"네? 지금 밥 먹고, 보건지소로 들어가는 길인데요?"

"왜, ○○리에 그 할아버지 있잖아요? 보건소에 전화해서 의사 어디 있냐고 난리를 치네요. 임 선생님, 월요일은 좀 조심 좀 해주세요. 우리도 이런 전화 그만 받고 싶어요."

내가 잘못한 일이긴 하지만, 두 번째 일을 가지고 마치 매 주 월요일마다 일어나는 일처럼 말하는 게 얄밉다.

보건지소 문을 열자마자 할아버지의 굵고, 짜증 섞인 목소리가 들렸다.

"보건소가 이래서 되겠어? 어? 의사가 말이야, 근무 시간에……."

최 영감님이다. 시계를 보니 점심시간 10분이 지난 시간이다. 그러고 보니 오늘은 최 영감님이 오시는 날인데, 식당을 나서려고 할 때 아주머니가 주신 사이다는 먹지 말 것을, 하는 후회가 들었다. 최 영감님은 항상 점심시간에 와서는 지각생 잡는 학생주임 선생님처럼 1분이라도 늦으면 큰 소리를 치면서 정부와 보건소와 의사를 욕하곤 한다. 진료실로 들어오니 최 영감님은 벌써 얼굴이 빨갛게 달아올랐고, 간호사는 라디오 주파수를 맞추면서 할아버지의 호통에 '일체 무시'로 답하고 있었다.

최 영감님은 헛기침을 몇 번 하면서, 아직도 화가 덜 풀린 듯이 작은 소리로 뭐라고 혼잣말을 하셨다. 그러면서도 내 책상 앞으로 오면, 오면서 하는 헛기침 한번으로 아무 일 없었다는 듯 아픈 데를 얘기하신다.

　　"이번 주는 어떠셨어요?"

　　"뭐, 하루에도 몇 번씩 깨지. 임 선생, 김○○ 선생이라고 알아?"

　　"아, 네. 전에도 말씀하셨잖아요. 저도 그 선생님한테 배웠습니다."

　　"그래, 내 조칸데, 흉부외과인가 교수라. 음……."

　　"오늘은 NTG(급작스런 심근경색으로 인한 흉통에 쓰이는 혈관 확장제)는 필요 없으시죠?"

　　"약 다 떨어져 가는데 더 줘. 가가 ○○대학교 교수라. 지금도 있제?"

　　"아니, NTG를 이렇게 자주 쓰실 정도면 큰 병원에 한 번 가 보세요. 계속 이것만 먹어서 될 일입니까?"

　　"그래. 가기는 가야지. 가가 어릴 때부터 참 똑똑했는기라."

　　나는 학교에서보다 여기에서 김○○ 선생님 이름을 더 많이 듣고 있다. 아마 우리 보건지소를 다녀가는 모든 사람이 김○○ 선생님을 알고 있을지도 모르겠다.

　　"컵 어디 있노?"

　　최 영감님은 내 의자 뒤로 비집고 들어와 찻장에서 녹차를 꺼내서는 컵 어디 있느냐고 물으신다. 간호사는 내게 황당하다는 얼굴 표정 한 번 보이고는 저기요, 하고 쌀쌀맞게 대답했다. 최 영감님은 녹차를 타서는 다시 환자대기석으로 가서 후루룩 소리를 내면서 한 모금, 한 모금 천천히 드시며 갈 생각을 않으신다. 간호사와 나는 많이 겪은 일이다. 이럴 때에 우리는 최대한 최 영감님과 얼굴을 마주치지 않기 위해서 노력을 했다. 그렇게 나는 컴퓨터 모니터에, 간호사는 라디오 주파수에 신경을 쓰고 있으면, 최 영감님은 어험, 헛기침을 하고는 수고하라는 말과 함께 진료실을 나가셨다. 이렇게 최 영감님이 가시고 나면, 간호사 둘은 모여서 '최 영감님'을 가지고 한참을 구시렁 구시렁 얘기를 한다.

"아이고, 자식은 뭐, 비행기도 타고, 선생도 한다 하드만 한 번 내려오는 꼴을 못 봤다."

"그래, 면장님보다 더 무섭다. 자기가 무슨 상관이다, 상관이야!"

"소금 뿌려라, 소금."

이렇게 자기들끼리 신나하면서 이야기를 한다.

그 다음 주에도 어김없이 최 영감님은 월요일 점심시간에 와서는 나를 기다리고 있었다. 내가 진료실에 들어가니, 시계를 보고 계시다가 고개를 들어 내 얼굴을 본다. 가끔은 그 모습이 아이같이 귀엽게 보일 때도 있어 나는 피식 웃으면서, "할아버지, 오늘은 제 시간에 왔죠?" 하며 인사를 했다. 최 영감님은 못 들은 척 진료 의자에 앉았다.

"빨리 약이나 줘. 노인대학 가야 된다. 저번처럼 그냥 지어줘."

최 영감님은 그렇게 바쁘다고 하고서는 오늘도 녹차를 마신다. 그런데 오늘은 녹차를 두 잔을 마셔도 가시지를 않는다. 나는 한참을 모니터를 보다가 가셨나, 해서 눈을 들었는데 최 영감님과 눈이 마주쳤다. 최 영감님은 어험, 헛기침을 한 번 하고는 "여기는 나무 찔렸을 때 듣는 약이 있나? 어? 흠, 여기에 그런 약이 있나?" 내 얼굴 한 번, 보지도 않는 간호사 얼굴 한 번, 이렇게 번갈아 보며 이야기를 한다. 그리고는 다리를 걷어 나무에 찔린 종아리를 보여 준다. 오래돼서 오히려 균이 살고 있을 것 같은 붕대를 걷고 나니, 상처 입구는 작은데 안에 이물질이 만져졌다.

"할아버지, 일단 사진을 한 번 찍어 봐야 되요. 사진을 찍어서 안에 뭐가 있는지 보고, 꺼내고 난 다음에 다시 한 번 찍어서 또 없는지 보구요."

"그래. 안 된단 말이가? 됐다, 마. 이 앞에 병원이나 가야지, 뭐. 도대체 보건지소가 뭐 하러 있노. 제때 맞춰서 오기를 하나, 가슴 답답다고 그렇게 말해도 그걸 고칠 줄을 아나."

나가시면서 또 구시렁구시렁 하신다.

"보건지소에 나무 찔린 데 쓰는 약도 없으면 뭐하노? 정부 예산을 다 어디에 쓰는 기고. 아이고, 참. 으흠."

싸워도 소용없는 일이다. 괜히 말대답하고 싸워봤자, 말이 통하지도 않고, 군청까지 전화할지도 모를 일이기 때문이다. 그러고 나서 한 달 즈음이 지났다. 나는 월요일에는 언제나 식당 아주머니한테 주문을 조금 재촉하고, 밥도 조금 빨리 먹었다. 그 날은 오후인데도 환자가 한두 명씩 계속 오고 있었다. 최 영감님은 녹차 두 잔을 마신 후에도 따뜻한 물 몇 잔을 마시고 있는 중이었다. 환자가 다 가고 나니, 최 영감님이 나를 바라보고 있다는 것이 컴퓨터 모니터를 사이에 두고도 느껴졌다. 나는 전에 할아버지가 한 것도 있고 해서, 괜히 한 십 분 할아버지를 앉혀 두었다. 그렇게 십 분을 앉혀 두고 나니, 나도 마음이 조금 풀려 할아버지를 힐끔 봤다. 최 영감님은 눈이 마주치자, 헛기침을 한 번 한다.

"할아버지, 뭐, 필요한 거 있으세요?"

헛기침을 한 번 더 하시더니, 천천히 발을 의자에 놓으면서 바지를 걷어 전에 다친 다리를 보여주었다. 전의 붕대보다 조금 더 낡아 있는 것 같았다.

"할아버지, 다친 지 꽤 됐잖아요? 병원에 안 가셨어요?"

붕대를 풀어보니, 농이 꽤 많이 묻어 있었다.

"갔지. 약도 먹었는데. 오늘, 내일이면 했는데 계속 나오네. 으흠."

"그러면 계속 가봐야죠? 사진은 찍어 보셨어요?"

"몰라. 뭐 약만 먹으면 된다 했는데. 몇 번 가도 안 되는데 뭐……. 으흠."

그리 큰 상처도 아니고, 항생제도 드셨다는데 아직도 농이 나오는 게 이상해서 한참을 농을 닦아 가며 살펴보았다. 조금 절개해볼까 해서 포셉과 블레이드를 들고 이리저리 건드리고 있는데, 상처 안에서 뭔가가 포셉에 걸렸다. 최 영감님이 아픈지 얼굴을 찡그렸다. 내가 잘못 잡았나 했는데, 연조직치고는 너무 딱딱했다. 최 영감님의 얼굴을 보니 잠시 망설여졌다. 조금만 더 당겨보자, 생각하고 좀 더 힘을 주었더니, 엄지 한 마디는 되어 보이는 나무 조각이 포셉에 끌려 나왔다. 보고 있던 간호사, 나, 최 영감님까지 모두 눈이 휘둥그레졌다.

"아이고, 시원하다. 이제 다 나았네."

할아버지는 빨간 얼굴이 풀리더니 손뼉까지 치면서 좋아했다.

"할아버지, 그래도 사진 한 번 찍어 보는 게 좋습니다. 아직 더 있을지 모르잖아요."

"다 됐는데 뭐. 이제 됐어. ○○ 의원에도 가 보고, ○○ 병원에도 갔는데, 임 선생이 낫네."

포셉으로 나무 조각을 잡고 최 영감님의 화난 얼굴이 겹쳐졌을 때, 잠깐이나마 그냥 놓을까 생각했는데 참 다행스런 일이었다. 혹시나 해서 항생제 5일치를 지어드리고, 거즈를 대어 놓고 보내드렸다.

"최 영감, 왔다갔나?"

뒤늦게 들어오는 이 간호사가 들어오면서 최 영감님과 마주쳤는지 투덜대며 이야기했다.

"언니야. 전에 왜 최 영감 다리 다쳤잖아. 거기서 이만한 거 나왔다 아이가. 선생님요, 그냥 놔두지 뭐 하러 빼냈어요? 그런데 참나, 세상에 최 영감이 웃는 거 봤나? 아이고, 세상에 별 일이 다 있네."

기분 좋은 하루였다. 학생주임 선생님한테 칭찬을 들었기 때문이다. 긴장이 풀어진 탓일까? 보건지소 식구들끼리 오랜 만에 점심모임을 하느라 월요일 점심시간을 지키지 못한 것이다. 우리는 오면서 최 영감님이 어떻게 말씀하실까, 군청에 전화는 넣지 않았을까, 걱정 반, 재미 반 섞어서 후식으로 즐기고 있었다. 아니나 다를까 보건지소에 도착하니, 최 영감님이 기다리고 계셨다. 예전 같으면 벌써 얼굴이 벌겋게 달아오르셔야 할 텐데, 오늘은 그냥 헛기침으로 인사 아닌 인사를 하신다.

"임 선생, 덕분에 다리는 다 나았다. 내가 조카한테도 말을 잘 해 두겠네. 내가 왜 전에도 말했지만 OO 대학교에 어……, 흉부외과."

그 날은 최 영감님 얘기에 맞장구 쳐주고 싶었다.

"감사합니다. 그렇게까지 안 해 주셔도 되는데요. 김OO 교수님은 학교에서도 실력 있다고 유명합니다. 그나저나 다리 다 나으셨으니까 다행이네요. 심장은 어떠세요? 요즘에도 주무시다가 가슴이 아파서 깨기도 하고 그래요?"

"약이 바뀌었나? 요즘엔 세 개를 먹어도 잘 안 듣네. 전에 약이 좋았는데."

몇 년 전부터 똑같은 약을 써 오고 있는데, 약이 바뀔 리는 없었다.

"할아버지, 이제는 안 되겠어요. 약은 그만 놔두고, 지금 당장 대구 큰 병원에 가서 심장에 혈관을 뚫던지 해야 됩니다."

"뭐, 더 살아서 뭐하게. 약이나 더 좋은 거 줘."

한참을 설득해도, 최 영감님의 고집을 꺾을 순 없었다. 약을 드리고 혹시라도 안 들으면 구급차를 부르는 요령까지 말씀드렸다. 최 영감님은 녹차도 한 잔 드시지 않고 나가려다가, 마치 깜빡했다는 듯 어색하게 검은 비닐봉지를 내밀었다.

"이거, 오늘 밭에서 캔 건데, 맛있어. 먹어 봐. 그리고 요즘 젊은 사람들은 커피를 좋아한다 카데."

검은 비닐봉지 안에는 아직 흙이 채 다 떨어지지 않은 고구마 세 개, 요구르트 세 개, 커피믹스 한 통이 들어 있었다. 선물을 받을 땐 일단 두 번쯤 사양을 한 다음에 감사하다고 받는 게 보통이었지만, 그 날의 선물은 그냥 마냥 좋았다. 흙 묻은 고구마도, 요구르트도 좋았고, 최 영감님한테 받는 선물이라 더 좋았다. 나는 그냥 씩, 웃으면서 잘 먹겠다고 말하면서 검은 비닐봉지를 받았다. 간호사들은 또 모여 최 영감님 얘기를 한다. 고구마 한 상자도 아니고, 달랑 세 개 가지고 온 게 뭐냐, 요즘 이런 50원 짜리 요구르트를 누가 먹느냐, 커피는 또 제일 싼 거다, 사람이 그렇게 못 살게 굴 때는 언제고, 이제 와서 왜 이러느냐는 둥. 앞으로 당분간은 최 영감님이 아무리 잘 하더라도 간호사들의 험담을 면하기는 어려워 보였다. 어쨌거나 우리는 고구마와 요구르트를 하나씩 나누고, 내가 받은 고구마를 하나만 찔 수도 없는 노릇이고 기념품도 되고 해서, 컵에 물을 받아 그 위에 고구마를 올려놓고 내 책상 위에 관상용으로 두었다.

시간이 지나면서 고구마 줄기가 올라 왔다. 매일 아침 출근 하는 길엔 줄기가 얼마나 올라왔을까 궁금해 하고, 보건지소에 들어와서 제일 먼저 확인하는 게 또 고구마였다. 초등학교 때 방학 숙제할 때에는 쳐다보지도 않던 고구마였는데, 지금은 시키지도 않은 일을 매일매일 관찰을 하고, 인터넷에서 '고구마' 를 검색해 보기도 하였다.

그러던 어느 날, 고구마에 꽃이 피었다. 간호사들도, 나도 처음으로 보는 고구마 꽃이었다. 그냥 들에서 보았다면 색깔이 조금 다른 나팔꽃인가 하고 지나쳤을 법하였다. 연분홍 꽃잎에, 꽃술 쪽으로는 분홍빛 진한 보라색이 가득 차 있었다.

"이쁘긴 해도 고구마 꽃이 피면 나라가 망한다, 안 카드나"

나이 든 간호사가 꺼림칙하게 한마디를 한다. 나라가 망하는 것처럼 거창하지는 않을지라도, 다시 보니 진한 핏빛 보라색이 어떤 불길한 메시지를 전하는 것 같기도 했다. 갑자기 IMF가 다시 오지는 않을 것이고, 나는 가까운 사람들 얼굴 하나하나를 떠올려 보고, 괜히 조금 전에 나온 집에 전화를 걸어 어머니 목소리를 들었다. 근무시간에 사적인 전화를 해서 되겠냐는 어머니의 핀잔을 듣고, 나는 고구마 꽃을 보며 피식 웃었다. 대부분의 할아버지, 할머니들도 본 적이 없다며 신기해 하셨다. 그렇게 고구마에 핀 꽃을 한참 즐기고 있을 때 경찰서에서 전화가 왔다. ○○리에서 환자가 죽었는데, 사체를 검안해 달라는 것이었다. 이미 알고 있는 얘기를 듣는 것 같았다. 최 영감님이 선물을 줬을 때, 더 이상 약이 듣지 않는다고 했을 때, 아니면 아침에 핀 고구마 꽃에서 나는 알고 있었는지 모르겠다.

경찰차를 타고 ○○리까지 가는 길에는 역시 최 영감님이 화제였다. 그 정도면 오래 산거다, 호상이다, 죽은 지 며칠 됐으면 냄새가 심할 텐데, 나는 오늘 시체는 보기 싫다, 그냥 바람 쐬러 갔다 오는 거지 뭐, 이런 얘기들을 나누고 마지막으로 누군가 '이제 민원 넣을 사람은 없겠다'는 말에 다 같이 웃었다. 나도 웃었다. 쓴웃음이었다.

비포장도로를 한참 달리다가, 다시 차 한 대만 들어갈 수 있는 작은 길로 들어서니, 초가도, 기와집도 아닌 필요할 때마다 조금씩 뜯어 고친 엉성한 집 몇 채가 나왔다. 서울 번호가 찍힌 광택 나는 검은 리무진이 상가임을 말해 주었다.

빛 한 줄기 들어오지 않는 방에 최 영감님이 누워 계셨다. 아니 최 영감님이라면 나를 이렇게 맞이하지 않으셨을 것이다. 왜 이렇게 늦었냐면서 으흠, 헛기침으로 불만 겸 인사를 했을 터였다. 눈꺼풀을 들어 동공이 확대된 것을 확인했다. 경동맥에서는 맥이 뛰지 않았고, 심장과 폐에서도 어떤 소리도 나지 않았다. 낯선 접촉이었다. 그러고 보니 한 번도 최 영감님의 손이나 얼굴을 만져 본 적이 없다. 그 날 나무 조각을 뽑기 위해 종아리를 잡았던 것이 최 영감님과 내가 살아서 한, 처음이자 마지막 접촉이었다.

경찰들은 문 밖에서 담배를 피우며 자기들끼리 뭔가를 이야기하고 있었다. 나를 기다리는 일 외에는 특별히 할 일이 없는 듯 했다. 구경하는 동네 사람 하나 없었다. 우리마저 떠나면 도시에서 온 검은 리무진만이 상가임을 이야기하고 있을 것이었다. 나는 사체 검안서를 쓰기 위해 다시 보건지소로 돌아 왔다.

"아니요, 그게 아니라……."

상가의 한 사람이 사망진단서 때문에 보건지소로 전화한 모양이었다.

"이건 깎아 주고 그런 거 없어요. 한 장에 2만 5천원이구요. 그 다음부터는 한 장당 만원이에요. 그러니까 세 장 필요하시면 4만 5천원입니다. 안 된다니까요. 4만 5천원입니다!"

사망진단서 가격을 깎으려는 전화였지만, 나는 그것이 꼭 최 영감님의 몸값을 흥정하는 것처럼 들렸다. 결국 낙찰가는 4만 5천원이었다. 전화를 끊고는 간호사들은 원래의 잡담을 하느라 정신이 없었다. 그 잡담에는 최 영감님의 얘기, 그 집안의 얘기도 들어 있을 것이다. 경찰들도 서(署)로 가서는 최 영감님 얘기를 좀 더 할지도 모른다. 그리고 도시에서 온 그 가족이 최 영감님을 이야기 할 것이다. 동네 사람들도 저녁에 집에 와서는 최 영감님 얘기를 할 것이다. 잡담으로라도, 막걸리 안주거리라도, 사람들에게 회자된다는 것이 그나마 위안이 되었다. 적어도 나에게는 말이다.

다음날 출근하니 고구마 꽃은 무정하게도 하루를 겨우 견디고 시들어 버리고 말았다. 다음 주 월요일이 되니, 점심을 먹으며 최 영감님 얘기를 한 번 더 하게 되었다. 그리고 그 다음 주 월요일 점심때에는 TV 드라마 얘기를 하고 있었다.

최 영감님이 그렇게 별나게 화를 내고, 못살게 굴던 건 자신의 존재가 잊혀져가는 것이, 잊혀질 것이 두려웠기 때문인지도 모르겠다. 정말 그것이 이유였다면 그는 반쯤은 성공한 것인지도 모르겠다. 하루 만에 피고 진 고구마 꽃에 대한 기억이, 월요일 점심시간만 되면 약간 긴장을 하고 있는 내 위장이 그를 기억하고 있기 때문이다. ■

5회 장려상을 수상한 작품이다. 임성룡 선생은 2006년 5월 공보의 근무를 마치고 미국의사자격시험을 준비하고 있다. 그는 수상소감에서 "미소가, 한번 내민 손이 어떤 할아버지에게는 그날 가장 즐거운 일이 되기도 했다"면서 "경북 군위군 효령면에서 이분들과 가졌던 교제는 작은 관심이 얼마나 소중한지를 다시 한번 일깨워주었다"고 밝히고 있다.

백합과 할머니 |박춘원|

42병동 4203호에서 병실 바랜 회색 벽을 바라보며 애써 세상을 외면하고
자 했던 그 할머니를 난 지금도 잊지 못한다.

1995년 6월, 산부인과 레지던트 1년차. 제대로 눈을 뜨고 있기가 힘들었던
시간들.

2, 3일에 한번 꼴로 반복되는 당직과 하루 종일 계속되는 병실 챙기기, 그
리고 수술실, 분만실에서의 산부인과 레지던트 일에 점차 지쳐가는 1년차 6
월이었다. 1년차 3개월을 D병원에서 보내고 다시 순환근무를 위해 M병원에
서 근무를 시작하였다.

처음 부인과 담당 1년차가 되어 손에 병실번호와 진단명, 수술 후 ○일 경
과 등 환자에 대한 정보를 모아놓은 족보(우린 그렇게 불렀다 — 1년차 레지
던트에게 가장 중요하다)를 들고 병실로 향했다.

4212호, F/68, Ovarian cancer, POD # 7, 난소암으로 배가 부르고 복수가
찬 상태에서 개복술 시행 후 7일째 환자. 배꼽 위아래의 상처가 아물지 않아
다 열린 채로 아침, 저녁은 물론 하루 종일 시간이 나는 대로 소독을 해야 하
는 난소암 환자였다.

배의 피하지방층이 두껍기도 했고, 난소복막암으로 인해 수술 후 상처가

아물지 않아 다시 데브리망(Debridement)을 수도 없이 하는 일이, 하루 동안 환자에게 행해지는 처지의 대부분이었다. 그 일은 당연히 수련의 1년차의 임무이기도 했다.

통증이 심했기에 미리 진통제 주사를 놓은 후, 빨간 피가 솟아날 때까지 나이프로 열심히 누런 쓸모없는 지방들을 마구 베어냈다. 그래야 혈액순환이 되고 상처가 아물 힘을 가질 수 있으니까, 난 새 살이 잘 돋아나도록 열심히 드레싱을 했다. 드레싱을 하기 위해 하루에도 수없이 할머니 병실 드나들기를 일주일, 드디어 얼마간 아문 상처의 봉합수술이 이루어졌고 엄청난 굵기의 철사바늘로 열린 배의 상처를 얼기설기 묶었던 것 같다. 실을 뽑을 때도 펜치 같은 것으로 뽑았던 기억이 난다. 그 후 배가 산만 했던 할머니는 많이 날씬해진 모습으로 신나게 병실을 활보하셨다. 후후, 그땐 아무것도 모르는 1년차로서 참 뿌듯했다. 내가 드레싱을 열심히 해서 다 나으신 것 같았으니까.

보따리 장사부터 시작해 안 해본 게 없다는 할머니, "지금은 동대문에 가게가 두 개나 있어" 자랑하시던 할머니.

할아버지도 직장암으로 투병 중이라 할머니 곁에 계시지 못하고 아들과, 딸, 며느리들이 돌아가며 병실을 지켰다. 그래도 세상물정 모르는 내 눈엔 참 행복해보였다. 아들, 며느리, 딸들이 돌아가며 병실을 지키고, 계속된 고가의 항암치료에도 돈 걱정은 없어보였으니까. 천성적으로 사람을 끄는 힘이 있었던지, 아니면 활달한 성격 때문인지 할머니에 대한 첫 느낌은 좋았다. 규칙적인 항암치료를 위해 할머니는 입원과 퇴원을 반복하셨다.

병실에서 우린 눈을 마주치며 웃을 수 있었고, 항암치료를 위해 입원하시는 날 병동에서 할머니를 만나면 무척 반가웠다. 또한 외래에서 추적 검사하는 난소암 표지물질 검사결과가 점차 좋아지자 내가 다 나은 것처럼 기뻤다. 의사지만 난 그제야 비로소 항암치료는 반드시 해야 하고, 의미가 있다는 확신이 들기 시작했다. 그전에는 '만약 암에 걸린다면 치료 안 받고, 하고 싶은 일하며 주변 정리 하다가 아름답게 삶을 마무리 할 것이다' 하는 소설 같은 생각을 했다. 하지만 난소암 할머니들이 치료를 받고 해를 거듭해가며 딸 결혼식에도 참가하고 가족 곁에 함께 하는 것을 보고 생각을 바꾸었다. 하루를 살아도 소중한 사람들 곁에 남아 있다는 사실이 더 의미 있다고.

항암치료를 위해 16게이지 바늘로 혈관을 찔러가며 우린 한해를 그렇게 보냈다. 특히 항암주사는 더한 숙련이 필요해 레지던트 1년차가 직접 해야 하는 일이었다. 내가 근무한 병원은 인턴 때부터 정맥주사를 놓는 것이 인턴의 임무라 '100m밖에서 던져도 들어가겠다' 는 등 농담까지 할 정도로 정맥주사의 달인으로 자부하던 탓에 할머니는 늘 한 번의 시도로 해결하는 나를 무척 좋아하셨다. 나중엔 당직이나 다른 레지던트가 한두 번만 실패해도 부인과 담당레지던트가 아닌 나를 찾기 시작했다.

그러던 할머니가 어느 날부터인가, 나를 '백합' 이라 부르기 시작했다.

"백합, 나 주사 좀 놔주고 가."

많이 친해져서일까? 그렇게 부르면 부탁하는 마음이 좀더 편해져서일까?

처음엔 얼떨떨했지만, 손녀처럼 생각해서 예쁘게 불러주는 할머니 마음이라 느껴져서 기꺼이 웃어드리곤 했다. 내가 어느덧 담당파트가 바뀌어 산과 환자들만 둘러보고 병실을 나갈라 치면 어김없이 날 부르곤 하셨다.

"백합, 주시 좀 놔줘."

어느 날은 분만실, 어느 날은 순환근무 때문에 D병원에 가 있는데 그 병원 분만실까지 전화해서 날 찾으셨다.

"백합, 주사 좀 놔줘."

그럴 때마다 내 발걸음은 자연스레 할머니 병실로 향하곤 했다. 레지던트 2년차 6월에 난 결혼을 하게 되었다. 어느 날, 할머니가 결혼 소식을 들으시고 "백합, 이리 와봐" 하며 내 손을 잡아끌더니 금반지 하나를 내미신다.

"결혼 전에 돌 반지를 미리 받으면 아들 낳는대."

"하하, 할머니도 참……. 감사합니다, 할머니."

어리둥절했지만, 많은 걸 챙겨주는 할머니의 자상한 마음에 감사할 따름이었다. 항상 반복되는 항암 치료에도 웃음을 잃지 않고 "백합"하며 날 잡아끌 때 느껴지던 할머니 손의 땀과 항암치료 때문에 빠진 머리를 감추기 위해 쓰시던 할머니의 예쁜 모자를 지금도 잊지 못한다. 할머니께서 입원과 퇴원을 반복하는 동안 우린 가족처럼 만났다 헤어짐을 반복했다. 하지만 점차로 계속되는 항암치료에 할머니의 혈관은 작고 약해져만 갔다. 3개월마다 시행되는 순환근무로 M병원에서 할머니를 만나는 일은 기쁨이 되기도 했지만. 점차 걱정이 되기 시작했다. 날 기다리고, 주사 때문에 나에게 의지하는 할머니가 좋기도 했지만 어린마음에 부담이 되기 시작했으니까. 병실에 갈 때마다 만나는 할머니의 선물공세는 특하나 그랬다. 동대문에서 장사를 한다는 할머니답게 스카프, 스웨터, 가방, 옷……. 처음엔 할머니의 정성이라 생각하고 선물을 받았지만 어느새 부담이 되어갔다.

보통 항암제 주사는 1년차 일이건만 그 할머니는 당당히 2년차인 날 부르셨고 나 또한 달려가서 주사를 놓아드렸다. 옆에 있는 다른 난소암 할머니들이 부러운 눈으로 쳐다보셨지만 할머니는 아랑곳 않고 3년차가 된 내게 계속 주사 맞기를 원했다. 애처로운 눈으로 바라보는 다른 환자들도 다 놓아드리면 좋으련만 3년차 나름의 일에 쫓기는 나로서는 모든 난소암 환자들의 항암 주사를 다 놓아 드릴 수는 없었다. 또한 부인과와 산과는 파트마저 달라 분만실에서 진통하는 산모들과 씨름하고 있을 때, 병실에서 호출이 있어도 쉽게 달려갈 상황이 되지 못했다. 그런 반복은 점차 내겐 부담이 되어갔다. 특하나 다른 환자들의 시선이…….

난소암 발병 3년째, 다시 난소암 표지물질이 올라가기 시작하면서 할머니의 병세가 나빠지기 시작했다

새로 개발된 비싼 약으로 항암제 종류를 바꿔가며, 2차 개복수술을 시행하는 등 계속되는 치료에도 난소암은 점점 더 커져 가는 것 같았다.

할머니는 점차 반복되는 항암치료에 입맛도 잃어가고, 모자 속에 숨겨져 있던 머리칼마저 한 올도 남아있지 않았다. 웃음 띤 할머니의 얼굴에도 점차 어두움이 드리워졌다. 복강에 퍼진 암세포 때문에 장운동이 정지되면서 장폐색이 심해지기 시작했다. 병세가 심해지자 할머니는 평소 쓰시던 6인실에서 1인실로 병실을 옮기고 회진을 가도 아무 말 없이 벽만 쳐다볼 뿐 의료진들을 바라보지도 않았다. 가족들조차도 바라보지 않으셨다.

"할머니, 할머니, 저예요, 백합이예요" 해도 회색 벽만 바라보시던 할머니, 그때 할머니의 마음을 나는 지금도 다 헤아릴 수는 없을 것 같다. 아마도 앞에 다가온 죽음의 그림자를 직감하셨으리라.

세상에 대한 미련과, 당신을 암으로부터 지켜 주지 못한 의료진에 대한 원망이었을까? 많이 의지하고 찾으셨던 나마저 외면하시던 할머니가 당시엔 섭섭하게 느껴졌다. 세월이 지난 지금도, 회색 벽을 바라보며 돌아누운 할머니의 안쓰러운 등이 눈에 선하다.

산과 파트라 분만실에 근무하던 어느 봄날, 영안실로 내려가셨다는 할머니의 임종소식을 들었다. 나도 모르게 눈물이 고였다. 돌봐드렸던 시간, 백합이라 부르며 남다른 친근함과 신뢰를 보내던 할머니, 암 환자라 믿어지지 않을 정도로 활기차게 병실을 활보하던 할미니, 그러나 서서히 다가온 죽음의 그림자와 함께 주위의 모든 것을 외면해 버린 할머니. 끝내는 돌아누워 차가운 등만 내게 보였던 할머니, 내 산부인과 수련의 과정 중에 가장 많은 시간을 함께 한 할머니는 한마디 말도 없이 그렇게 떠나셨다.

그러나 발걸음은 선뜻 영안실로 옮겨지지가 않았다. 마음은 가족처럼 영안실에 가서 조문을 드리고 싶은데, 너무 미숙하고 여린 마음에 조문을 하지 못했다. 담당했던 환자 조문을 간다는 게 익숙하지 않아서, 아니 한번도 해보질 않아서 너무나 쑥스럽다는 생각이 들었다. 지금 같으면 할머니 영정 앞에 국화 한 송이 놓아드리고 고인의 명복을 빌어 드렸을 텐데…….

지금도 그때를 생각하면, 수련의 과정 중에 내 가슴 한 구석에 남아있는, 가장 날 인정하고 필요로 했던 할머니인데, 내가 볼 수 있었던 그 분의 마지막 모습이 초라한 등뿐이었다는 사실이 마음이 아프다. 좀 더 적극적으로 할머니를 도와드리지 못했다는 사실이 마음 아프다. 의사로서 최선을 다하지 못했다는 자책감 때문에 선뜻 조문을 가지 못했던 것은 아닌지……. 의사는 점차 배워가며 완성되어간다지만 수련의 시절은 베풀기보다는 환자들에게서 더 많은 것을 배웠던, 많이 부족했던 시절이었다. 생명을 의탁하고 우리에게 고마움을 표시했던 그 분들께 감사의 말씀을 전하며 다시 한 번 나에게 많은 기억과 가르침을 주신 할머니께 늦게나마 조의를 표하고 싶다.

'할머니, 하늘나라에서 행복하세요.' ■

4회 장려상 수상작이다. 박춘원 원장은 경기도 성남에서 박춘원산부인과 의원을 개원하고 있다. 박 원장은 "마지막 가시는 길에 보았던 할머니의 등만큼 내 가슴 속에 남아있던 응어리가 글을 쓰면서 풀린 듯한 느낌이 들어서 만족스러웠는데 상까지 받아서 더할 나위 없이 기쁘다"는 소감을 남겼다.

염라대왕과 관세음보살 | 손진욱 |

　　초점 없이 퀭한 눈, 툭 불거져 나온 광대뼈, 파리한 얼굴, 꺼져가는 힘없는 목소리의 김해명(金解明, 가명) 군을 대할 때면 나는 언제나 참담한 느낌과 함께 누구에겐지 모를 분노의 감정에 휩싸이곤 하였다.

　　내가 그를 처음으로 만난 것은 레지던트 3년차 때로, 레지던트 과정을 마치고 대학병원 의국을 떠나게 된 선배의사가 나에게 인계해 준 세 명의 입원환자 중 하나였다. 그 선배의사는 김해명 군의 병력을 나에게 설명하면서 골치 아픈 환자를 인계하게 되어 미안하지만 환자가 나와는 무언가 통하는 점이 있어서 잘될 거라고 생각한다는 알쏭달쏭한 말을 덧붙였었다.

　　김 군은 그 때 19세. 고등학교에서 교편을 잡고 있는 꼬장꼬장하고 융통성없는 아버지의 정과 눈물이 많은 어머니 사이에서 2남 3녀 중 첫 번째로 태어난 그는 고등학교에 입학하기 전까지는 그저 여타 학교 선생님의 자제들이 흔히 그렇듯 공부 잘하고 말 잘 듣는 모범생으로 장차 아주 평범하면서도 무난한 일생을 보낼 것으로 예견되었다. 중학교 시절 나이에 걸맞지 않게 그 또래의 아이들과 잘 어울리지 않고 간혹 형이상학적인 엉뚱한 질문을 하는 등 다소 몽상가적인 경향을 보이기는 했지만.

　　김 군이 주위의 사람들로부터 무언가 이상하다는 평가를 받기 시작한 건

세칭 일류 고등학교에 무난히 합격을 하면서부터였다. 우선 그는 그 들어가기 어렵고 장래가 어느 정도 보장되어 있다는 일류 고등학교 합격 자체를 그다지 달가워하지 않았다. 학교에 입학한 후에는 말수가 더 줄어들고 혼자 있는 시간이 많아졌다. 어떤 때는 혼자 빙긋빙긋 웃기도 하고 혼잣말로 중얼거리는 경우도 있었다. 그냥저냥 다니던 학교도 국사 시간에 엄하기로 유명한 담당 선생님에게 느닷없이 "선생님, 간첩이죠? 이제 가면을 벗고 물러가시죠"라는 엉뚱한 소리를 하고는 집어치워 버렸다. 그리고는 당황한 가족들이 어쩌나, 어쩌나 하고 있는 사이에 홀연 자취를 감추고 말았다.

가족들이 백방으로 수소문을 해보았으나 김 군의 행방은 그야말로 오리무중이었는데, 그러다가 한 보름인가 지나서 엉뚱하게도 안양 시내에 있는 한 병원에서 집으로 전화가 걸려왔다. 김 군이 그 병원에 입원 중이니 빨리 와달라는 것이었다. 허겁지겁 부모가 달려갔을 때 김 군은 오른손에 붕대를 칭칭 감은 채 눈을 감고 침대에 누워 있었고 옆에는 스님 한 분이 걱정스런 얼굴로 김 군을 쳐다보고 있었다. 어머니가 이름을 부르면서 흔들어 깨우자 김 군은 가만 눈을 떴다가는 이내 다시 눈을 감아 버리는 것이었다. 그 스님은 김 군의 부모에게 다음과 같은 이야기를 들려주었다.

'열흘 전 초라한 행색의 김 군은 안양 유원지 뒷산에 있는 산사로 찾아와서는 부처님 공부를 하고 싶으니 그 절에 있게 해달라는 부탁을 했다. 이름, 주소, 신분, 부처님 공부를 하겠다는 이유 등을 물었으나 거기에 대하여는 일체의 대답이 없이 그저 좌우간 며칠만이라도 유하게 해달라고 아주 간곡하게 애걸을 하는 것이었다. 하도 집요하게 부탁을 하고 또 마침 요양하던 결핵환자가 죽어 나간 후 아무도 쓰지 않으려 하여 비워 둔 연못가에 위치한 허름한 방이 하나 있어서 김 군을 그 방에 기거토록 했다. 처음에는 아무래도 수상쩍어 김 군을 경계도 하고 걱정도 했지만 예상과는 달리 아침 예불에 참석을 하기도 하고 스님들에게 이것저것 묻기도 하는 등 그런 대로 잘 지내는 것 같아서 마음을 놓았다. 그러던 중 어제 아침 예불과 공양에 김 군이 참석치 않은 것이 아무래도 심상치 않아 그의 방에 가보니 방안이 온통 피투성이고, 김 군은 오른손 검지와 장지의 마지막 마디가 절단된 채 정신을 잃고 쓰러져 있었다. 절단 상처에서는 검붉은 피가 계속 솟아나고 떨어져 나간 손가락 마디들이 살아서 꿈틀거리는 듯 보였다. 머리맡에는 피 묻은 연필 깎는 칼이 놓여 있었다. 그래서 김 군을 들쳐 업고 안양으로 뛰어내려와 시내에 있는 병원에 입원시키고 응급수술을 받도록 했다. 다행히 김 군의 소지품 가운데 서울 집 전화번호가 있어서 연락을 했다.'

스님의 이야기를 들으면서 김 군의 부모는 우선 경악했고, 다음은 하늘이 무너져 내리는 슬픔에 한동안 소리 내어 엉엉 울었다. 부모의 울음소리에 한번 잠깐 눈을 떴다가 감은 김 군의 입가에 희미한 미소 같은 것이 스쳐지나갔다.

손가락 상처가 어느 정도 아문 후 김 군의 부모는 결국 김 군을 대학병원 정신과로 데려갔고 정신과 의사는 김 군에게 장기간의 입원치료를 요하는 정신분열병 환자라는 딱지를 붙였다.

당시의 면담기록에 의하면 김 군은 손가락 자해사건이 있기 약 1년 전, 그러니까 중학교 3학년 때부터 이미 시도 때도 밀도 끝도 없이 들려오는 그 어떤 목소리, 즉 소위 환청에 시달려 오고 있었다. 환청은 알듯 말듯한 40대 남자의 조금 쉰 듯한 목소리로 그 내용은 대체로 심한 욕설과 저주, 그리고 따르기 어려운 느닷없는 엉뚱한 지시였기 때문에 환청이 들려올 때마다 김 군은 공포에 질리곤 하였다. 이런 환청은 단속적이긴 하지만 하루도 거를 날이 없어서 점차 모든 일상은 환청의 영향 아래로 귀속되었다. 그러면서 김 군은 환청의 주인공이 필경 염라대왕일 것이라고 생각했다. 산사 방에서의 손가락 절단도 염라대왕의 지시에 의한 것이었다.

어쨌거나, 첫 입원 시 김 군의 치료경과는 비교적 좋았다. 항정신병약물을 복용하기 시작한지 약 한달이 지나면서 그토록 집요하게 극성을 부리던 환청의 빈도와 정도가 줄어들기 시작하였고 담당의사와의 거듭되는 면담을 통하여 환청의 주인공이 염라대왕이 아니라 바로 자기 자신의 마음, 즉 무의식적 본능일 것이라는 생각을 갖게 되었다. 그리고 환청 때문에 풍비박산이 되어버린 자신의 인생에 대하여도 새로운 의욕과 자신을 보이기 시작하였다. 적어도 6개월간의 입원치료와 일년간의 통원치료가 지속될 때까지는 모든 것이 보랏빛이었다.

그러나 저 악명 높은 염라대왕은 그렇게 쉽사리 물러갈 존재가 아니었다. 학교에 사정사정을 하여 이미 정리가 되어버린 학적을 원상복구 시켜놓고 신학기 개학을 하면 다시 학교에 다닐 준비를 하고 있던 어느 이른 봄날, 그날따라 눈 녹아내리는 골짜기 물소리가 유난히 듣고 싶어 정릉 뒷산에 올라 양지녘에 벌렁 드러누워 해바라기를 하고 있었는데, 한 가녀린 목소리가 아직은 차가운 바람결에 실려 들려오는 것이었다. 한동안 뜸하던 목소리가 다시 들리기 시작하자 김 군은 바싹 긴장을 하면서 자기도 모르게 손가락으로 귀를 막았다. 그러나 그 소리는 점점 더 또렷해졌고 또 묘한 힘을 갖고 있어서 김 군은 어쩔 수 없이 그 소리에 귀를 기울이게 되었다. 기이하게도 이번의 목소리는 지금까지의 것과는 전혀 딴판으로 무엇이든 다 들어주고 용서해 줄 것 같은 어머니의 포근함을 느끼게 해 주었다. 지금까지의 것이 염라대왕의 죽음의 목소리라면 이번 것은 사바세계에서 고생하는 모든 중생의 제도를 원하는 관세음보살의 잔잔한 미소 같은 것이었다. 김 군은 곧 관세음보살의 달콤한 위로와 격려에 감동하였고 흔쾌히 자신의 모든 것을 관세음보살의 넉넉함 속에 맡겨 버리기로 결심을 하였다. 이제 김 군에게 학교, 가정 같은 것은 다 쓸데없는 허섭스레기일 뿐이었다.

김 군은 이른 봄 짧은 해가 서산으로 넘어가는 줄도 모른 채 관세음보살과 대자연과 전 우주와 혼연일체가 된 황홀감에 젖어 있다가 밤이슬이 촉촉이

옷을 적실 무렵이 되어서야 더듬더듬 산을 내려오기 시작하였다. 얼마쯤 산을 내려오던 김 군의 눈에 아련한 불빛이 들어왔다. 산을 내려오던 김 군은 불빛을 보고 주광성 동물처럼 무작정 그 불빛을 향하여 다시 산을 거슬러 올라가기 시작하였다. 넘어지고 긁히고 하면서 겨우 도착한 불빛의 근원지는 조그만 암자였다.

김 군은 몇 번 큰 기침을 해보았으나 그 암자에는 아무도 없는 듯 아무런 인기척이 없었다. 김 군은 불빛이 새어나오는 법당으로 들어갔다. 법당 안에는 초라한 불상이 흔들리는 촛불의 빛과 향의 연기에 쌓여 함께 흔들리고 있었다. 김 군은 불상 앞에 결가부좌를 하고 앉았다. 문풍지 사이로 새어든 바람에 순간 촛불이 꺼질 듯 살랑 흔들리고 향내가 코를 어지럽혔다. 그때 다시 관세음보살의 상냥하나 거절할 수 없는 목소리가 들려왔다.

해명아, 잘 들어라. 너는 반드시 해탈을 하여 밝은 빛을 찾아야 하느니라. 그것이 네 운명이니라. 너는 해명이란 이름을 갖게 된 순간부터 그렇게 운명 지어졌느니라. 해명아, 내 말을 잘 들어라. 그리고 내 말대로 하여라. 모든 책임은 내가 진다. 자, 이제 잘라라. 네 성기를 잘라라. 그것이 네가 해탈할 수 있는 유일한 길이니라. 자, 어서.

김 군은 법당 밖으로 뛰쳐나가 두리번거렸다. 마침 법당 뒤편에 놓여있던 무딘 낫이 희미한 달빛에 번쩍 김 군의 눈에 띄었다. 김 군은 낫을 들고 다시 법당 안으로 들어와서는 자신의 성기를 자르기 시작하였다. 김 군은 아무런 고통도 감각도 느끼지 못하였다. 흘러내리는 피가 허벅지를 지날 때 느꼈던 서늘한 촉감뿐.

날이 밝을 무렵 시내 외출에서 돌아온 그 암자의 보살이 법당 안에서 피에 범벅이 된 채 쓰러져 있는 김 군을 발견하고 경찰에 신고를 했다. 부리나케 달려온 경찰은 명맥이 아직은 실낱같이 붙어있음을 확인하고는 김 군을 경찰차에 태워 대학병원 응급실로 데리고 왔다.

김 군이 건강을 회복하기까지에는 숱한 고비가 있었다. 저승 문 앞까지 가 있던 김 군을 다시 이승으로 끌어내오는 데는 응급수술, 수십 파인트의 수혈, 고열과 감염에 대한 처치 등이 반복적으로 요구되었다. 입원 이틀이 지나서야 의식을 회복한 김 군이 이승으로 돌아와 처음으로 가졌던 경험은 불행하게도 관세음보살의 따뜻한 보살핌이 아니라 상처 부위의 견디기 어려운 혹독한 통증이었다.

상처가 회복되자 김 군은 다시 정신과 병동으로 옮겨졌고 그리고 얼마 후 내가 그의 주치의사가 되었다. 성기 자해사건 이후 김 군의 환청과 망상은 그야말로 씻은 듯이 없어졌다. 그러나 이제는 정신이 들어 현실을 바로 볼 수 있게 된 그의 자아의식이 문제였다. 앞으로 세상을 어떻게 살아나갈 것인가. 수많은 번민과 눈물의 밤을 보내고도 마땅한 방도가 나타나지 않자 그는 자포자기에 빠졌다. 병동 안에서 김 군은 말이 거의 없는 외톨이가 되었고 초점 없는 눈을 언제나 아래로 깔고 다녔다.

그리고 김 군의 나머지 인생에 관한 한 주치의사인 나도 아무런 도움이 되지 못했다. 내가 어떻게 그를 도와줄 수 있단 말인가. 그것은 정신과 의사의 한계를 넘어서는 일이었다. 언젠가 궂은비가 주룩주룩 내리던 날, 김 군이 나에게 풀죽은 목소리로 '선생님, 남자 소변기를 사용할 수 없는 건 그런대로 괜찮은데, 궂은 날 아래 상처부위가 근지러운 건 도무지 못 견디겠어요.' 라고 하면서 힘없이 웃었을 때 나는 참으로 가슴 저미는 슬픔과 함께 내 무력함에 대한 뼈저린 부끄러움을 느꼈었다.

되풀이되는 그와 나와의 면담에서도 우리는 별로 말이 없었다. 자연히 면담횟수도 줄어들었다. 별로 들을 말도, 할 말도 없었지만 그를 만날 때마다 느끼게 되는 인생에 대한 절망감과 무력한 나 자신에 대한 자괴감이 나도 모르게 그와의 만남을 기피하도록 한 것이리라.

나를 괴롭힌 건 그와의 만남만이 아니었다. 아들을 그렇게 되도록 만든 사람이 바로 자기라고 여겨 늘 희끄무레하고 거친 무명옷만을 입고 있던, 그리고 하도 울어서 아예 얼굴에 눈물자국이 패어있던 김 군 어머니와의 만남은 나에게 더 큰 고통이었다. 김 군의 어머니는 나에게 아무런 힘이 없음을 잘 알면서도 그래도 혹시나 하여 거의 매일 나를 찾아와서는 애걸하고 하소연 하고 하다가 결국엔 눈물바다를 만들어놓곤 하였다.

어쨌거나 어느덧 일년간의 세월이 흘러 나도 이젠 레지던트 수련을 마치고 그 병원을 떠나야 할 때가 가까이 온 어느 날 나는 김 군에게 장래의 계획을 물었다. 김 군은 예의 그 기운 없는 목소리로 "선생님이 떠나가시면 나도 퇴원을 해야죠. 그리고는 아무래도 다시 아무 절에나 들어가야 할까 봐요" 하는 것이었다. 나는 가슴이 철렁 내려앉았다. 다시 절에 들어가겠다고. 김 군에게 아직도 더 잘라야 할 그 무엇이 있단 말인가.

그러나 김 군은 놀라 할 말을 잊고 있는 나에게 환히 웃으며 말했다.

"선생님, 너무 걱정하지 마세요. 이제부터는 현실에 바탕을 둔 삶을 살아 갈 테니까요. 이 세상에는 나보다 훨씬 더 불행한 사람이 얼마쯤이라도 있다는 걸 나도 잘 알아요."

나는 다소 안심이 되어 마음속으로 중얼거렸다.

'그래, 김해명 군. 잘 해보게. 김 군의 앞날에 부처님의 가호가 있기를 비네.' ■

4회 장려상을 수상한 손진욱 교수는 경상대학교병원 정신과에 재직 중이다. 손 교수는 2년 전 수상소감에서 "의대생들에게 '의사 - 환자 관계'를 강의하고 있는데 의사 - 환자 관계가 모든 진료행위의 바탕이며, 치료의 성패를 좌우한다고 믿는다"며 "한미수필 문학상에 당선된 글을 통해 다른 의사들의 의사 - 환자 관계에 대한 궁금증을 해소하고 싶다"는 기대를 밝혔다.

수영이와 가족들 |김순기|

"선생님, 안녕하셨어요."

아이를 안고 서 있는 환한 얼굴이 눈에 들어온다.

"아, 수영이구나."

나도 모르게 반가운 목소리가 흘러나온다. 결혼하고 아이까지 낳은 수영이지만, 처음 본 순간의 앳된 모습으로만 보이는 것은 어쩔 수 없다.

수영이를 보낸 뒤, 진료실 창 밖을 내다보니 펼쳐진 빈 들판 위로 지난 기억이 떠오른다.

정신없이 바쁜 레지던트 4년차 때였다. 몰아치는 일 속에서 허덕이고 있던 그 날, 응급실로 실려 들어온 여학생이 있었다. 횡단보도를 건너던 중 승용차에 부딪혔는데, 이미 다른 병원에서 뇌출혈로 가망 없다는 판정을 받은 상태였다. 환자 가족이나, 사고 낸 운전자나 정신없기는 마찬가지였고 울며 매달리는 그들에게 둘러싸여 생명이 꺼져가는 창백하고 여린 소녀를 보게 되었다.

자기 호흡도 없고 혈압도 잘 촉지 되지 않는 상태라, 의학적 견해만 본다면 뇌사나 다름없는 상황이었다. 다들 내 결정을 묵시적으로 기다리고 있었다. 할 수 있는 것은 해 보아야 한다는 의사로서의 당연한 사명감 밑에는, 포기하라고 이야기하면 모든 것이 정리된다는 밑바닥의 간지러움도 있었다. 그때 한쪽 구석에서 두 손을 잡고 간절히 기도하는 아이 어머니가 보였다. 의학적 판단으로 모든 것을 포기하라고는 차마 이야기할 수 없었다.

"할 수 있는 것은 해 봅시다. 그러나 희망을 갖지 마십시오."

모든 것은 결정되고 마취과 선생님들의 도움으로 수술을 실시할 수 있었다.

수술 후 길고 지루한 하루하루가 지나갔다. 호흡기에 의지한 채 깨어나지 못하는 모습을 보며 식구들에게 또 다른 고통만 주는 것이 아닌가 싶어 씁쓸한 마음마저 들었다. 그렇게 2주일의 시간이 흘러 식구들도 지쳐가고 나에게도 묵직한 가슴 속 답답함으로 느껴지던 아이에게서 조금씩 변화가 일어났다. 자기호흡이 돌아오고 미세한 움직임이 감지됐다. 다들 포기해가던 그 아이가 결국은 의식을 찾게 되었던 것이다. 다들 기적이라고 말하였다. 나 역시 작은 기적이라고 생각했다. 짧은 신경외과 수련 기간이었지만 이렇게 심하게 손상된 상태에서 기운이 돌아오고 마침내 의식을 찾을 수 있을 것이라고는 생각지 않았다. 고마워하는 식구들의 인사에 당연히 해야 할 일을 했다고 말하면서도, 이 아이를 포기했다면 어땠을지 부끄러움이 앞서는 시간이었다.

문제는 그 때부터였다. 감수성이 예민한 사춘기인 아이 입장으로는 사고 자체도, 수술 후 후유증도 받아들이기 쉽지 않았던 것이다. 재활 프로그램을 시작하면서 가끔 보게 된 아이의 얼굴은 밝지 않았다. 부모의 이야기로는 "이런 모습(안면 함몰과 좌측 부분마비)으로 사느니 죽어 버리겠다"는 말을 자주 한다는 것이었다. 이미 재활을 위해 전과되어 치료받고 있는 중이었지만 부모는 나에게 와서 어려움을 토로했다. 믿고 상의하는 것에 대한 고마움과 잠시나마 포기하려했던 미안함으로, 바쁜 중에도 해줄 수 있는 일을 찾아 도와주었다. 가족과 환자는 여러 번의 고비와 상심을 이겨냈다. 그리고 몇 주가 지난 뒤 아이는 눈물을 글썽거리며 고맙다는 말을 하고 떠났다. 마음 한편으로는 안쓰럽기도 하고 앞으로의 날이 더 힘들 수 있다는 걱정도 있었지만 어려운 고비를 스스로 이겨냈기에 아름다운 인생을 만들어 갈 것이라고 기원하였다. 이 아이가 수영이었다.

사람의 인생에 있어서 인연이란 참 묘한 것이다. 이제 불혹의 나이로 많은 인생을 산 것은 아니지만 수영이의 경우를 생각하면 더더욱 그렇다.

수영이를 다시 보게 된 것은 그 후로 약 4년이 지나 공중보건의로 근무하고 있을 때였다. 급한 호출로 응급실에 도착해보니, 아가씨 하나가 의식을 잃고 쓰러져 있었다. 정확한 상황을 알 수 없었으나 같이 온 친구들의 이야기를 미루어볼 때 간질발작을 일으킨 듯 하였다. 이름과 얼굴을 보고 수영이임을 알아보는 데는 그리 오래 걸리지 않았다. 반가움보다는 안타까움이 앞서 마음이 편치 않았다.

응급처치 후 많이 성숙해진 수영이의 얼굴을 쳐다보며 몇 년간의 시간을 혼자 상상하고 있을 때, 의식이 흐릿한 중에도 수영이는 나를 알아보았다. 비몽사몽간의 대화에서 현재 대학을 다니고 있다는 것과 최근 후유증으로 인한 발작증세가 있었다는 것을 알게 되었다. 조금 후 낯익은 부모님 모습이 보이고 의식이 완전히 돌아온 뒤, 수영이는 참담한 표정으로 흐느끼기 시작했다. 그동안 어려운 고비를 하나하나 넘으며 생활에 적응해왔지만 가끔 일어나는 발작증상으로 마음 편한 날이 없었다며, 고개를 숙이고 되뇌는 모습에 가슴이 쓰렸다. 발작증세 치료를 위해 노력해왔지만 이런 일이 벌어지고 나면 모든 것이 싫어지고 자살에 대한 생각까지 하게 된다는 아이에게 "그 어려운 고비도 잘 넘긴 너였는데 이런 것 하나 이겨내지 못하겠냐"고 위로 하며, 시간이 걸리더라도 노력하면 치료가 가능하다고, 자신의 인생을 충분히 느끼며 살 수 있다고 의욕을 북돋아주었다. 그렇게 수영이와 가족의 또 다른 인고의 시간이 시작되었다.

잘 조절되지 않는 간질발작이라 오랜 기간 시행착오가 필요했지만, 수영이는 또 한번의 고비를 가족의 도움과 여린 가운데 숨겨진 수영이만의 끈질김으로 이겨냈다. 그 후 꾸준히 외래를 통해 만나게 된 수영이와 그 가족은 마치 가까운 친척같이 느껴지게 되었다.

그렇게 몇 년이 지나고 고향에 자리 잡아 개원하게 되었을 때 수영이와 그 가족도 축하하러 와 주었다. 이제 완전히 성숙한 여인의 모습으로 부모님과 웃고 있는 수영이의 모습을 보며 아마도 이런 작은 기적의 연속은, 본인과 가족의 눈물어린 정성과 기도가 있었기 때문이라는 확신과 함께 이들을 가까이에서 지켜볼 수 있는 나는 행복한 의사라는 생각을 하게 되었다.

가끔 들러 처방만 받아가던 수영이가 하루는 못 보던 젊은 남자와 함께 진료실을 방문했다.

"선생님, 저 결혼해요. 다른 사람은 몰라도 선생님께는 꼭 인사드리고 싶어서 신랑될 사람과 같이 왔어요."

수영이가 지내온 일들을 다 알고도 사랑의 힘으로 주위 분들을 설득시키고 결혼하게 된 이 젊은 친구에게서 요즘 세대와 다른 모습을 보는 것 같아 고맙기도 하고 수영이가 그간 겪었던 일들을 떠올리며, 정말로 행복한 한 쌍이 되게 해달라고 마음속으로 기도를 드렸다. 돌아가는 두 사람 뒷모습이 아름답다는 생각을 하였다.

수영이 어머니의 갑작스런 전화를 받은 것은 확실치는 않지만 추운 초겨울이었다. 결혼, 임신을 위해 그동안 복용 중이던 전간제를 중지하고, 어렵게 임신이 되어 잘 지내왔건만, 출산을 얼마 남겨두지 않고 심한 발작증세를 보였다는 것이다. 수영이가 입원해 있는 산부인과 병원에 들러 담당 선생님을 만나 수영이에 대해 말씀드리고, 상태를 지켜보았다. 마치 출산이나 한 것처럼 지치고 괴로운 표정이었지만, 아이를 낳겠다는 의지는 그 힘든 순간에도 수영이를 결연해 보이게 하였다. 그 동안 살아오며 겪은 경험이 이 순간 수영이를 더 강하게 해주는 것 같았다. 다행히 태아가 건강하고 다른 이상소견이 보이질 않아 임신을 유지시킬 수 있었지만 길지 않은 그 후 매 순간이 수영이에게나 식구들에게는 가슴이 타 들어가는 듯한 시간이었을 것이다.

그렇게 시간은 지나고 수영이 어머니께서는 수영이가 건강한 사내아이를 낳았다는 연락을 해주셨다. 수영이는 식구와 또 다른 새 가족과 함께 또 하나의 산을 넘게 된 것이다.

수영이와의 인연이 벌써 십여 년이 지났지만 내가 수영이에게 해 준 당연한 작은 일이 인생을 살아가는 데 있어 나로 하여금 그보다 훨씬 더 많은 것을 느끼고 깨닫게 해 주었다.

언젠가 학생시절 존경하던 교수님 말씀도 생각난다.

"병은 의사가 고치는 것이 아니다. 의사는 환자가 병을 이겨내도록 도와주는 것이다."

지난 일들을 생각하며 수영이와 가족들에게 더 이상의 시련은 없을 것이라 기원한다. 수영이와 같은 새로운 인연을 만들기 위해 하루하루를 보내는 나는 자신에게 물어 본다. '나는 환자들에게 진정한 도움이 되는 의사인가?' ■

3회 장려상 수상작으로 신경외과 전문의 김순기 원장은 전북 김제 중앙병원에서 일한다. 김 원장은 수상 후 연락 없던 친구들에게서 걸려온 전화도 좋았고 조금씩 글 쓰는 일에 재미를 붙일 수 있었다고 말을 전했다. 미니 홈피에 '오늘은 내 남은 인생의 첫날이다'라는 글귀를 붙이고 열심히 살려고 노력한다는 그는 수상소감에서 "수영이 같은 환자와 그 가족들은 내 생활을 돌아보게 하고 겸허하게 만드는 샘물"이라고 말했다.

순이 할머니 | 문성호 |

"문 선생님!"

지난 밤 신규 환영식 여운이 오후가 되도록 머리 언저리에 남아있는데, 여사님이 차에서 빽! 소리 지른다. 이렇다 할 인수인계 없이 차에서 간단히 환자들 신상을 듣고, 전임자가 이미 처방한 약을 그대로 들고 따라 나선다. 대궐 같은 집에 사는 장애인 노부부를 빼면, 모두 할머니들이다. 혈압, 당뇨, 아니면 둘 다. 1년 새 명의가 된 것인지, 환자는 옆에 두고 차트만 보면서 머릿속으로 벌써 진단이 끝나가고 있었다. 간밤에 무리한 탓을 하며 마지막으로 들어선 집엔 자그마한 꼬부랑 할머니가 툇마루에 걸터앉았는데, 어찌나 왜소한지 바람이 불면 집과 함께 날아갈 것만 같았다. 할머니의 굽은 등처럼 쓰러져 가는 낡은 기와에 온갖 폐가전 집기와 쓰레기 더미가 마당 구석구석에 쌓여 있어 집안 전체가 마치 조그만 고물상을 연상시키는 곳이었다.

'음, 11년생이면……, 우와!'

이렇게 순이 할머니를 처음 만났다. 기록상으로는 7개월 정도 혈압 약을 드셨는데, 전혀 조절되지 않는데다 그 수치도 조금씩 올라가고 있었다. 방바닥에 뒹구는 두툼한 약봉지들을 보고 문득 집히는 데가 있어 그동안 먹고 남은 약 좀 보여 달라 했더니, 방안 구석에서 끼적끼적하다 바구니 가득 뭔가를 가지고 나온다. 맙소사. 수많은 종류의 약들이 저마다 다른 기준으로 처방되어 있었다. 약을 전해 받을 때마다 할머니는 새로운 복약지도를 받았을 것이다. 요즘 드시는 약을 묻자 두세 가지를 집는다. 저 멀리 종합병원 약에서부터 인근 병의원과 우리지소 약까지. 대부분 혈압 약, 관절염약이다. 혼자 사는 여느 의료보호 노인들이 그렇듯, 순이 할머니도 몸이 안 좋다고 느끼는 날이면 이 많은 약들 중에서 기분 내키는 대로 아무거나 하나씩 집어 먹고 있었다. 약을 하나로 뭉쳐야했다. 할머니에게는 새 약으로 바꿔준다고 둘러대고 약을 몽땅 가져왔다. 거동이 불가능한 할머니께 많은 약이 들어왔던 경로는 의외로 간단했다. 자원봉사기관과 마을부녀회에 연락해서 방문 진료 할머니들에게 약을 타다 주지 않을 것을 당부했다. 그리고 전후사정을 설명하면서 같은 면내 의원 원장님과 인근병원 과장님께 조심스레 할머니 대리처방을 거절해 주십사 부탁했다. 다행히도 흔쾌히 동의하시며 언제든 도움을 요청하라고 병아리 의사에게 격려까지 잊지 않으신다. 남은 건 정확하고 일관된 복약지도. 글을 모르고 귀도 어두운 할머니라 이건 좀 힘들었다. 매주 귀에다 대고 고래고래 소리 지른다.

"할머니, 이 약 언제 먹으라구요?"

"뭐? 약? 아침에만 무그라메?"

"하루 몇 번이요?"

"아침에 한번만 무그라카데."

"남은 약은 어디 있어요?"

"전에 다 가져가데, 인쟈 엄써."

3주 후부터 약이 정확히 떨어져가고 찾아뵈면 항상 빈 봉투를 내민다.

짝짝짝. 나랑 여사님 박수에 순이 할머니도 따라하신다. 짝짝짝.

혈압이 안정되면서 머리 아프다는 말이 사라졌다. 다른 약을 하나씩 가감해 나갔다.

추석이 다가올 즈음, 여느 목요일처럼 할머니 집으로 가다가 순간 걸음이 멎었다. 방에서만 조금씩 움직이던 분이 엉망으로 자란 텃밭에서 콩을 뽑고 계셨다. 비틀거리며 힘겹게 지팡이를 짚었고 영화 속의 슬로우 모션보다 더 느렸지만 혼자서 나를 향해 걸어 나오고 있지 않은가! 밭에서 할머니를 부축해 나오는 내 손은 조금씩 떨렸다. 여사님은 할머니가 회춘하고 있다며 입이 귀에 걸린다. 싫다는 할머니를 붙들고 어디서 배워왔다며 다리를 주무르고 돌려대던 여사님이 자랑스러웠다. 그날 돌아와서 차트 첫 장에 누군가 써놓은 '거동불능'이란 단어를 비웃어 줬다.

　12월 중순, 대전에 사는 아들이 찾아왔다는 말을 듣고 헐레벌떡 지소를 나섰다. 마당 여기저기를 처음 보는 백발노인이 청소하고 있었고, 짧은 머리 청년이 부엌에 땔감을 산처럼 쌓고 있었다. 안내문을 보이며, 이제야 건강이 조금씩 회복되었으니 겨울만이라도 의료시설이 있고 따뜻한 군내 요양원에서 나자고, 무료니까 비용걱정도 없다고 계속해서 붙들고 설득해봤지만 백발의 아들은 묵묵히 고개를 흔든다. 갑자기 뒤에서 할머니가 소리친다.

　"보건소 양반, 내가 열일곱에 이 집에 왔어. 새끼들도 다 여기서 시집장가 보냈고, 영감이 세상 베리고도 한참을 여기 있었어. 보건소 양반, 내 안갈 끼다."

　별수 없었다. 알겠다는 내 말이 나오기가 무섭게 막내 손자를 불러서 내게 인사시키고 연신 사랑을 한다. 할머니는 그곳보다 집이 더 편하실 거라고 갑자기 환경이 바뀌면 안 좋을 테니 내가 좀더 자주 와보면 될 거라고 스스로 위로했다. 말년휴가를 나온 막내 손자는 입대 직전에도 할머니를 찾아 한동안 같이 지내며 집안 수리를 다해놓고 갔다고 한다. 그동안 구석구석 쌓인 폐집기와 쓰레기더미, 조금씩 손본 배선들도 막내 손자의 솜씨였다. 손자들 중에 유독 할머니를 좋아하고 따랐으며, 유일하게 아직까지 할머니를 찾아오고 있었다.

할머니는 추운 겨울을 고집스레 혼자서 집을 지켰다. 날이 풀릴 때까지 가족들 중 손자만 몇 번 더 다녀갔고 그때마다 땔감이 쌓여있었다. 신록이 울창해지면서 제대한 막내 손자의 방문이 더 잦아졌고 할머니 몸은 조금씩 더 좋아졌다. 가끔은 알아듣지 못할 발음으로 '휘이여'하고 우리 곁에서 노래 비슷한 걸 부르는 날도 있었고, 텃밭을 뛰어다니는 이웃집 강아지에게 쌍욕을 퍼부으며 지팡이를 휘둘러 우리를 포복절도하게 하기도 했다. 해가 꽤 길어졌고 여름이 다가오고 있었다.

귀가 멍하도록 매미가 울던 초여름의 어느 목요일, 토굴 같은 방구석에서 할머니는 울상을 하고 앉아있었다. 어디가 안 좋으냐고 물어봐도 못 알아들을 소리로 웅얼거리면서 가끔 긴 한숨만 내쉴 뿐 대답이 없다. 무르팍에 손을 얹자 그제야 알아봤는지 벌겋게 충혈된 눈으로 내 손을 잡고 또 웅얼거린다. 여기저기 수소문 끝에 진주 산다는 딸에게 물어서야 막내손자가 자살한 사실을 알 수 있었다.

며칠사이 할머니는 빠른 속도로 작아졌다. 예전처럼 다시 방안에서 쭈그리고 앉아 꼼짝을 하지 않았고 음식도 거의 손대지 않는데다가 말도 거의 하지 않아 이제는 웅얼거리는 소리마저 들을 수 없었다. 더 핼쑥해진 얼굴로 나를 보는 메마른 눈빛이 빈 우물 같아서 더 앉아있을 수가 없었다. 연락처를 아는 가족이란 사람들에게 전화를 걸어 따지며 그간 쌓였던 감정까지 실어 미운 소릴 쏟아 부었다. 말하는 동안 내가 나에게 하는 소리 같아 괴로웠다. 할머니는 인근 병원으로 강제 입원시켰다.

보름정도 지났을까? 늦은 오후 내과 과장님으로부터 전화가 왔다. 머리가 아득해지는 느낌으로 나는 할머니 차트며 방문 진료기록들을 모조리 다시 뒤져봤다. 처음 찾아갔던 1년 전 봄부터 이약 저약 처방하고 조절했던 소소한 내역까지 다시 살폈다. 있을 수 있는 모든 실수를 다시 찾고 뒤졌다. 뭘 잘못한 것인지 뭐가 잘못된 것인지 알 수가 없었다. 빌어먹을.

그러고는 한참을 방문 진료 나서는 발길이 무거워 고생했다.

시간이 조금 흐른 요즘, 순이 할머니를 생각하면 그동안 너무 자주 쉽게 들어와서 아무렇지 않게 흘려왔던 말들 — 환자가 의사를 만든다거나, 환자에게서 배운다는 그런 흔해 빠진 말들이 — 비수처럼 와 닿는다.

내가 할머니에게 해드린 것은 참으로 우스울 정도지만, 지금은 그때와 다른 내 모습을, 다른 마음가짐을 느낀다. 가슴 속 한곳이 조금 더 두꺼워진 것인지, 한 겹 벗겨져 나간 것인지는 모르겠다. 하지만 더한 아픔이 오더라도 끝까지 배우겠다. 하루하루 좀더 나은 내가 되어 그들 곁에 다가가겠다. 나는 앞으로 봐야 할 환자들이 훨씬 더 많은 풋내기 의사가 아닌가. ■

4회 장려상을 수상한 작품이다. 문성호 선생은 부산백병원 마취통증의학과 전공의 1년차로 일하고 있다. 여느 1년차 전공의와 마찬가지로 체중은 늘었고 수면양은 조금 줄었다는 문 선생은 '같은 일이 반복되면서 새로운 것이 쌓여가는' 하루하루를 지내고 있다는 소식을 보내왔다. 당선소식을 듣고 다시 글을 읽으면서 직접 겪었던 사실이 글자 몇 자, 한 두 획의 변화로 전혀 다른 느낌으로 다가오는 것을 보고 놀라고 두려웠다는 그는 "처음으로 어딘가에 내미는 이 글이 혹시라도, 누구에게든 누(累)가 되지 않을까" 하는 걱정을 전했다.

겨울딸기의 추억 | 박대환 |

올해는 유난히 일찍 시작된 추위 때문에 매섭도록 차가운 날씨가 많은 편이다. 언제부턴가 길 위 행인들의 옷차림이 점점 두터워지고, 그만큼 걸음걸이도 점점 빨라지고 있는 계절이 온 것이다.

요즘의 나 또한 차가워진 날씨와 늘어만 가는 일상의 온갖 과제들에 쫓겨 다른 행인들과 마찬가지로 여유라고는 찾아 볼 길 없는 걸음걸이를 갖게 되었다.

우리 동네에는 골목 길모퉁이를 돌아가면 가로등 아래 빨간 간판이 유독 눈에 뜨이는 과일가게가 있다. 그 날 역시 몹시 추운 날씨라 바쁜 걸음을 재촉하며 집으로 향하는 길이었다. 평소와 다름없이 무심코 길을 지나고 있었는데, 그 날은 웬일인지 눈길이 그 곳의 좌판을 향하였다. 과일 가게 좌판에 놓여있는, 종이상자에 소담스럽게 포장해 놓은 빛깔 좋은 붉은 딸기가 한눈에 들어왔다. 흘깃 보아도 얇고 투명한 셀로판지 속에서 먹음직스럽게 잘 익은, 겨울 추위를 녹일 듯 선명한 붉은 빛을 띤 굵고 싱싱한 딸기들이 포장상자 속에 가지런히 놓여 있었다. 매섭게 추운 날씨에도 불구하고 무심히 지나쳐가지 못하고 발걸음을 멈추게 할 만큼 먹음직스러워 보였다.

요즘 과일가게에는 계절과는 상관없이 다양한 종류의 과일이 좌판에 나와 있다. 온상에서 재배했을 것이 분명한, 계절을 무시한 파란 수박이나 노란 참외 같은 여름 과일들을 동네 과일 가게에서도 심심찮게 볼 수 있다. 이런 여러 색깔의 과일을 겨울에도 한꺼번에 볼 수 있을 만큼 살기 좋은 세상이 된 것이다.

그런데 이렇게 추운 날씨에 좌판에 놓여 있는 딸기를 보면, 나는 다른 이들과는 다르게 마음 한 구석이 먹먹해지면서 무언가 멍징한 울림 같은 것이 가슴을 치고 가는 것을 느낀다. 벌써 오래고 가슴 싸한 기억 하나가 추억의 창고에서 기다렸다는 듯이 떠오르는 것이다.

한겨울의 딸기는 그 달디 단 맛만큼이나 언제나 나를 각성시키고 스스로의 삶을 되돌아보게 하는 매개체다. 딸기가 들려주는 무언의 이야기들, 그것은 슬프고도 안타까운 기억이지만 내게 있어서 삶의 나침반과 같이 소중한 것이기도 하다. 성형외과 전공의 3년차 말 때의 일이니 어느 덧 이십여 년이 흘러버린 이야기이지만, 내게는 아직도 엊그제 일인 것 마냥 너무나 선명한 기억으로 남아있다.

그 해 겨울 어느 날, 고속도로에서 날씨 탓에 얼어버린 도로를 달리던 버스가 전복돼 차체에 불이 붙은 무서운 사고가 발생했다. 그 사고 탓에 몸 전체에 80%가 넘는 심한 화상을 입은 환자 4명을 포함해 화상 환자 6명이 응급실을 통해 입원했다. 바쁜 생활이 그야말로 일상이었던, 언제나 시간에 쫓기는 전공의 생활이었지만 갑자기 4명이나 되는 중화상환자의 주치의가 되면서부터는 눈코 뜰 새 없이 바쁘다는 표현도 무색해질 정도로 분주한 하루하루를 보내게 되었다.

그렇게 입원한 중화상환자 네 명 중에는 이제 갓 여섯 살이 된 아주 어린 남자아이도 있었다. 유난히 맑은 눈망울을 반짝이던 그 아이는 신체의 몇 군데를 제외한 나머지 부분에 2도와 3도에 해당하는 심한 화상을 입고 있었다. 사고 당시 같은 차량에 탑승해 있던 아이 어머니와 열 살 된 형은 창문으로 뛰어내려 간신히 위험을 피했으나 너무나 긴박한 상황에 막내를 챙길 겨를이 없었다. 그런 이유로 아이는 미처 불길을 피하지 못하고 온몸에 불이 붙었다고 응급실 당직 선생이 내게 전해주었다.

너무나도 심한 화상을 입은 중한 환자였음에도 불구하고 아이는 어린아이 특유의 천진난만함을 잃지 않고 항상 그 맑은 눈동자를 반짝이며 침상에 누워있었다. 아이는 응급 처치 후 며칠을 응급실에서 보낸 후 중환자실 격리실로 옮겨 치료를 시작했다. 그러나 당시 환자의 나이가 너무 어렸고, 엄마를 계속 찾는 까닭에 어머니가 항상 아이의 옆을 지키고 있어야만 했다.

내가 치료를 하러 들어가면 아이 어머니는 넋이 나간 표정으로 아이를 바라보며 힘없이 앉아 있었다. 그 아수라장과 같은 상황에서 자신은 멀쩡하게 탈출해 나왔으나, 자기 생명보다도 소중한 어린 아들을 불길 속에서 구하지 못한 죄책감과 안타까움으로 인해 끼니도 거른 채 까칠한 얼굴로 넋을 놓고 황망히 앉아 있기만 하였다. 아마도 그 어머니는 울음조차 잊어버린 듯했다.

그런데 이상하게도 아버지가 보이지 않았다. 나중에 들은 것이지만 4년 전 아버지가 불의의 사고로 세상을 달리하면서 가정형편이 어려워졌다고 한다. 그 후 어린아이들을 데리고 가까운 놀이공원조차 한번 가보지 못한 채 힘겹게 살다가 여섯 살짜리 막내 생일을 맞이해서 나들이 가다가 이런 일을 겪게 되었다고 간호사의 얘기를 듣게 되었다. 안타까운 마음이 들었지만 당장 앞에 있는 현실이 있기에 감상에 빠져 있을 시간이 없었다.

보통 환자라면 치료하는 동안 특히 말라붙은 거즈를 떼어낼 때는 살이 뜯겨져나가는 고통을 느끼는 것이 대부분이지만 아이는 워낙 상처가 깊었던 터라 피부가 모두 익어버려 감각조차 소실한 상태였고 그런 탓에 화상 치료를 하는 동안에도 통증은 거의 느낄 수 없었다. 그 심한 상처에도 통증이 없어서인지 말도 곧잘 하고 가끔 웃기도 하였고, 내가 회진을 하러 들어가면 그래도 눈에 익은 얼굴이라고, 얼굴에 미소를 띠며 반가워하기까지 했다.

159

하지만, 언제나 시간에 쫓기는 생활을 하던 나로서는 그 동그란 눈동자를 굴리며 내게 반가움을 표하는 어린아이나 힘들어하는 그 어머니를 돌아볼 여유도 없이 의례적인 진료와 치료를 마치고 나오곤 했다. 늘 넋이 나간 듯이 앉아 있던 아이의 어머니를 위해서 그 어떤 위로의 말조차도 해 줄 수 없었기에 애써 외면하면서 다른 환자 회진을 위해 서둘러 나오곤 했다. 아니, 사실은 스스로 여유가 없음을 탓하기 싫어 그 상황을 피하고자 일부러 도망쳐 나왔던 것일지도 모른다.

그 당시 나는 몇 년간의 전공의 생활과 주치의 생활이 일상이 된 때였고 담당 환자가 많다보니 환자를 정성껏 돌보고 치료하기보다는 '내가 해야만 하는 일이니까' 라는 의무감에만 매여 점점 환자를 기계적으로 보는 습관에 젖어 있을 때였다. 매너리즘에 빠져 뒤척이며 점차 일에 회의를 가지던 시기였다. 초심(初心)이라고는 어디에 있는지도 모른 채 현실에 지쳐 하루하루를 보내던 와중에 중화상 환자가 4 명이나 동시에 입원하게 되니 그야말로 제정신이 아니었다. 원래 화상 환자의 경우엔 아무리 작은 상처라도 손이 많이 가기 때문에 환자 한 명 한 명이 부담으로 다가오기 마련이었고 일반 골절 환자에 비해 몇 배나 번거로웠다. 오히려 그들의 존재가 원망스러울 정도였다.

첫 일주일은 수액요법과 전해질 균형을 맞추느라 눈코 뜰 새 없이 움직여야 했다. 그들의 혈압과 소변 양, 체온……. 그들의 숨소리마저 내가 모두 알고 있어야 할 것들이었다. 그리고 상처 치료하랴, 패혈증 예방하랴, 여러 가지 검사하랴, 해야 할 일이 산더미같이 쌓여 있었고 하나를 마무리 지으면 기다렸다는 듯 또 다른 일들이 나타났다. 간호사들이 나를 부르는 목소리가 겁날 정도였다.

병원 시스템을 잘 모르는 일반인들은 성형외과 의사라면 언제나 잘 빗어 넘긴 머리, 깨끗한 흰 가운에 잘 닦은 구두를 신고 얼굴 성형과 같은 깔끔한 수술만 한다고 알고 있을 것이다. 그러나 며칠 동안 감지 못한 머리로 화상연

고와 피고름이 잔뜩 묻은 더러운 가운을 입은 채 땀을 뻘뻘 흘리면서 환자 온몸의 상처를 소독하고 닦아내고 있는 모습을 본다면 아마도 생각이 달라질 것이다.

회진을 돌며 과장님께 환자 상태를 보고 할 때는 더욱 고역이었다. 전공의를 다 마쳐갈 때라 화상환자의 치료에는 어느 정도 자신감이 있었는데, 보고만 하면 모르는 것이 얼마나 많은지 나 자신이 한심해 견딜 수 없었다. 환자를 보느라 잠도 제대로 못 잔 데에다 회진 도는 한두 시간 동안 수많은 지적을 당하고 나면 '내가 왜 여기서 이러고 있지' 하는 회의가 생기기도 했다. 이건 내가 학생시절 생각하던 성형외과 의사의 모습은 아니었다. 그런 탓에 일을 하다가도 다른 길을 생각해보는 일도 있을 정도였다. 그러나 내가 하고 싶은 일이 이것뿐이라는 생각으로 나 자신을 추스르며 매일을 지냈다. 어쩌면 이제 와서 또 다시 무언가를 시작한다는 것이 두려워 나 자신을 달래면서 지냈던 것인지도 모른다.

이래저래 정신이 없었던 한 달이 후딱 지나가고, 같이 입원했던 다른 환자들은 피부이식을 시행하고 어느 정도 안정된 상태에 접어들어 병세가 안정됐지만, 유독 아이만 호전되지 않고 나빠지는 병세였다. 힘든 가정형편으로 중환자실에서 치료받을 경제적 여유도 없었다. 주위에 도움 줄 만한 친척들도 없는 거 같았다.

그런데도 아이는 저보다 몇 살 더 많은 제 형의 건강을 걱정하는 등 나이에 어울리지 않는 어른스러움을 지니면서도 어린 아이 특유의 천진난만함도 잃지 않고 그 고통 속에서도 방긋방긋 해맑은 웃음을 보이고 있었다.

그러던 어느 날 밤, 아이가 갑자기 딸기가 먹고 싶다고 했다. 아픈 자식의 갑작스런 요구에 아이 어머니는 이미 자정이 다 된 늦은 시간임에도 불구하고 아이가 먹고 싶다는 딸기를 사러 차가운 겨울 공기 속에서 온 시내를 헤매 다녔다고 한다.

지금처럼 사시사철 온상 과일이 풍부하지 않을 때이고 24시간 편의점이나 대형할인점 같은 가게도 없을 때여서 어머니는 결국 딸기를 사지 못했고, 아이의 서운한 마음이나마 달래기 위해 딸기 맛 나는 아이스크림을 사 가지고 왔다. 그것도 서너 봉지씩이나 사들고 와선 그 날 중환자실에 있던 의사들과 간호사들이 입이 얼얼하도록 먹느라 힘이 들었던 기억이 아직도 생생하게 난다.

그렇게 시간이 흐르고 있을 때 갑자기 아이의 의식이 흐려지기 시작했다. 열이 40도 가까이 올라가고 혈압이 떨어졌다. 백혈구가 2만을 넘기 시작하고 염증수치가 계속 오르는 상황이었다. 패혈증이었다. 그 작은 아이가 견디기에는 너무 힘든 상황에 빠지고만 것이다.

그러나 중환자실에서 가녀린 생명을 이어가며 힘든 투병을 하던 아이는, 결국 어머니의 지극한 정성과 의료인들의 피땀 어린 노력에도 불구하고 며칠 뒤 화상의 무서운 합병증인 패혈증으로 결국 사망하고 말았고 아이 어머니의 가슴을 찢는 울음소리만 빈 병실에 울렸다.

얼마간의 시간이 지난 뒤 언제나처럼 분주한 일상 탓에 우리들의 기억에서 아이가 서서히 잊혀져 갈 무렵 당시 함께 근무하던 간호사를 통해서 아이 어머니가 아이를 화장했다는 소식을 들을 수 있었다.

워낙 어린 환자라 불쌍하기도 하고 서글프기도 했지만 다시 반복되는 전공의 생활에 묻혀 그 아이에 대한 기억과 감정, 그리고 이름조차 점점 희미해져 갔다.

시간이 흘렀고 몇 달이 지나 따스한 햇살이 비추는 어느 봄날이었다. 이제 4년차가 되어 다른 전공의들과 회진을 돌기 위해 중환자실로 들어가려던 참이었다. 중환자실 문 앞에 어디선가 본 듯한 한 여인이 넋 나간 모습으로 손에 딸기 한 봉지를 들고 병실 앞을 서성이고 있었다. 기억을 더듬어보니, 여인은 바로 몇 달 전 어린 나이에 세상을 떠난 그 아이의 어머니였다.

천진난만한 미소와 맑은 눈망울로 나를 반가이 맞이하곤 했던 아이의 얼굴을 떠올리며 나는 "어떻게 오셨습니까?"하고 조심스레 말을 건넸다. 그녀는 넋이 나간 창백한 얼굴로 긴 시간 동안 아무 말 없이 내 경황없는 얼굴을 바라보더니 말했다.

"우리 애가 딸기가 먹고 싶다고 해서…, 딸기를 먹고 싶다고 해서 사 가지고 왔어요. …근데 우리 아이가 없어요!"

그녀는 울먹였다. 멍하게 서 있는 그녀의 눈에는 초점이 없었다. 그제야 나는 상황을 파악할 수 있었다. 목숨보다 귀한 어린 아들을 구하지 못했다는, 어머니로서의 죄책감과 자식을 먼저 보냈다는 심적 고통을 이기지 못해 마치 자식이 여전히 살아 있는 듯한 정신적 착란에 빠져버린 것이다.

그녀는 자기는 살고 자식만 죽게 만든 고속버스 전복사고를, 그저 꿈이었던 것처럼 없던 일로 생각하고 싶은 것이었다. 상황을 애써 외면하면서 난 중환자실로 들어갔다. 중환자실 간호사들의 이야기를 들어보니, 얼마 전에도 몇 번이나 딸기를 사들고 와서 아이를 찾았다고 했다. 힘없이 울며 돌아가는 그녀의 흔들리는 어깨를 바라보며 가슴에서 울컥, 뭔지 모를 덩어리가 올라왔다. '수련의로서의 바쁜 일상을 핑계로 진정한 의사가 뭔지, 의술이 무엇인지를 잊고 지내던 것은 아닐까' 하는 생각이 불현듯 머리를 스쳐지나갔다. 좀 더 의사로서 아니, 의사 이전에 한 인간으로서 인간적인 따뜻함을 베풀지 못했던 나 스스로에 대해 자책감이 들었다.

그 때 나는 매일 반복되는 일과에 심신이 지쳐 있었다. 환자와 보호자의 마음까지 헤아려가며 의사로서의 임무를 수행하기보다는 '내 일이니까, 내가 해야 하는 의무이니까' 하는 식으로 환자를 돌보고 치료하는 일이 점점 습관화돼 타성에 젖어가고 있을 때였다.

아이 어머니의 갑작스런 출현은 매일 반복되는 과중한 업무에 떠밀려 마지못해 마치 하기 싫은 숙제를 하듯이 환자를 치료하고 있던 나 자신을 뼈저리게 반성하게 만드는 계기가 되었다. 환자의 이름을 들으면 누군지 모르면서 환자의 병명을 이야기하면 누군지 아는, 사람으로서의 환자보다 그 사람이 가지고 있는 병부터 눈에 들어오는 내 모습. 환자를 대할 때 질병만 보고 어떻게 진단하고 어떤 치료를 할 것인가에만 관심을 가졌지, 환자나 환자 가족들의 정신적 고통은 외면한 데 대한 반성이었다. 의사의 본분이 단순히 질병 치료에만 있는 것이 아니라 환자와 관계된 모든 고통을 진단하고, 환자의 신체 통증만 치료하는 것이 아니라 환자를 둘러싼 상황이나 주변의 슬픔까지 둘러보며 이를 함께 치유하려고 노력해야 한다는 깨달음이었다. 문득 졸업식 때 열심히 외워 두었던 히포크라테스 선서 중 한 구절이 뇌리를 스치고 지나갔다.

'나의 양심과 위엄으로서 의술을 베풀겠노라.'

그 '양심'은 바로 환자의 모든 심적 고통을 외면하지 않고 치료하는 영혼의 자세이며, '위엄'이란 바로 육체의 질병을 치료하기 위한 의사만의 능력과 최선을 다해 노력하는 자세라는 것을……

그러면서도 나는 의사가 된 지 수 년이 지나, 그 사건이 있기 전까지는 이러한 진리를 잊고 단지 타성에 젖어 환자를 하나의 인간으로 보지 못하고 그 사람의 질병에만 관심을 가지고 또한, 그 질병의 치료에만 관심을 가지고 살아왔던 것이다. 항상 시간에 쫓겨 주위를 돌아보지 못했다. 또 자아실현을 위해서 다른 곳에 눈길을 줄 새도 없이 오지 한 길만을 바라보며 살아왔고, 그런 탓에 환자에게 작은 관심과 애정을 가질 시간조차 없이 각박해졌다.

하지만 '바쁘다'는 것은, 삶에 있어서 진정 중요한 것을 잊어버린 채 살아온 내 삶을 합리화시키는 변명일 뿐이었다는 것을, 그 아이의 어머니를 통해서 조금이나마 깨닫게 되었다. 고되고 힘들었던 전공의 시절, 그러면서도 점점 타성에 빠져 정작 중요한 본질을 잊어버리고 생활하던 그 때, 나태함을 깨우쳐 준 그 추운 겨울의 딸기는 지금까지도 내 정신의 지표가 되어주곤 한다.

지금도 겨울딸기를 볼 때면 참선하는 스님들이 사용하는 죽비에 한 대 얻어맞은 듯 정신이 번쩍 들면서 올 한해는 내가 어떻게 환자를 대했는가를 되돌아보게 된다.

내게 있어서 '겨울딸기' 는 '의사에 의한 환자에 대한 합리화' 로 고통 받는 환자에게 사람 대 사람으로 다가가리라는 다짐과 함께, 환자에게 희망을 주는 성형외과 의사가 되겠다는 학생 시절의 순수했던 각오를 다시금 되살리는 계기다. 딸기가 쏟아져 나오는 봄철, 혹은 한겨울에 딸기를 마주치게 되면, 히포크라테스의 한 구절을 생각하고 또 의사로서의 내 삶을 돌아보게 된다. 안타깝고 슬픈 그 해 겨울, 그 모자의 기억을 함께 떠올리면서……. ■

5회 장려상을 수상한 박대환 교수는 대구가톨릭대학병원 성형외과에서 일하고 있다. 5년째 '수필집' 을 내겠다는 계획 아래 정진 중인데 '엄격한' 문학수업에 참석해서 "깨지기만 한다"고. 당선소감에 "바쁘다는 핑계로 수필집도 못 냈는데 이번 당선작을 보면 알겠지만 의사노릇도 제대로 한 것 없다"고 말하고 있지만 2006년 4월 동양인에 적합한 눈 성형수술을 개발한 공로로 장영실과학문화상 의료부문대상을 수상한 바 있다.

꽃게 | 서지영 |

"삐이, 삐이, 삐이, 삐이."

중환자실 문을 열자마자 격리실 침대 위에서 손발이 묶인 채로 기관지에 삽관된 호스를 뽑아내 버리기라도 할 듯 세차게 도리질을 하고 있는 그가 보였다. 그의 움직임을 고자질이라도 하는 양 인공호흡기는 요란하게 경고음을 울려대는 중이었다. 못 말리겠다는 듯 잔뜩 눈을 흘기고 있던 담당 간호사가 때마침 들어서는 내게 어떻게 좀 해보라는 시선을 던지며 돌아섰고 나는 달려가 그의 얼굴을 들여다보며 눈을 맞추었다. 순간 그는 못된 짓을 하다 들킨 어린아이마냥 금세 도리질을 멈추고 체념한 듯 눈을 내리깔았다. 더 이상의 말은 필요 없었다. 보나마나 그는 다시는 그런 짓을 하지 않을 것이었다. 두 번씩이나 중환자실 신세를 지는 동안 우린 그런 사이가 되어있었다. 심지어 그의 생식기에 소변 줄을 끼울 때조차 나도 그도 더 이상은 얼굴 붉힐 필요조차 없어진, 가끔은 내가 나보다 열 살이나 많은 그의 보호자가 된 듯한 착각이 들기도 하는 기형적인 관계이기도 했다. 그는 침울한 표정과 말없음과 오랜 입원 기간 등으로 인해 주변에선 어느새 주는 거 없이 미운 환자가 되어 있었다. 그러나 나한테만큼은 짜증보다는 안타까움이 앞서는 그였다. 미우나 고우나 내가 담당 주치의이고 그 또한 내 말만큼은 잘 따라 주었기에 그랬을 수도 있겠지만 몸의 병 저변에 깔린 마음의 병에 대해 노모에게서 들은 바 있었던 나는 종종 그에게 측은한 마음까지 들곤 했던 것이다.

그는 내가 수련의가 되고 얼마 되지 않아 인천의 한 병원에서 전원 됐다. 전철을 세 번이나 갈아타면서도 하루가 멀다하게 병실을 들락거리는 구부정한 노모 눈에서는 눈물이 마를 날이 없는 반면 멀건 그의 눈에서는 슬픔도, 아픔도, 하다못해 원망도 찾아볼 수 없었다. 도대체 살겠다는 건지 말겠다는 건지 모를 퀭한 눈은, 그저 뼈만 남은 그의 얼굴이, 그가 얼마나 순한 사람인지만을 표시해줄 뿐이었다.

그가 처음부터 그랬던 것은 아니었고 툭하면 노름 돈이나 집어가는 형과는 달리 노모가 하는 식당에서 닭이나 오리를 잡아주며 지내던 중 주방에 일하러 들어온 여자를 마음에 두게 되었다한다. 그러나 불행하게도 그녀는 이미 결혼을 한 몸이었고 이에 순진한 노총각은 말 한마디 못 꺼내보고 그저 술로 나날을 보내다가 어느 날 쓰러져 말기 폐결핵을 진단받게 되었으니 노모의 통한은 짐작하고도 남았다. 남 보기엔 무능력한데다가 술꾼에 불과하겠으나 애비 없이 기른 착하고 순한 막내아들이 가여워 나와 눈만 마주치면 그저 살려만 달라 소리가 먼저 나오곤 했다.

그런 노모의 바람 덕분이었는지 혼자 힘으로는 숨조차 제대로 쉬지 못하는 심각한 고비가 두어 차례 있었으나 매번 가까스로 회복이 되었고 그 때마다 기쁨을 주체하지 못하는 노모는 외래에서건 병원 복도에서건 마주치기만 하면 가방 속의 돈을 몽땅 집어주는 것이었다. 행색으로 보아 도대체 어디서 그런 돈이 나올까 의아했지만 그로 인해 내 주치의 생활이 얼마나 고달팠는지를 상기하고 이내 그에 대한 보상쯤으로 여기고 말았다.

그렇게 거짓말처럼 언제인가 그도 퇴원을 하게 되었고 나도 수련을 마치게 되었다. 내가 졸업한 줄도 모르고 그의 아들이 심한 우울증 증세를 보이니

167

어떡하면 좋으냐는 노모의 연락에 담당 과장님과 상의할 것을 일러준 것을 마지막으로 나는 그를 잊었다고 생각했다.

그런데 수년 후 불현듯 그가 생각났다. 아니 정확히 말하자면 생뚱맞게도 그가 아니라 그네에게서 받은 촌지 생각이 난 것이다. 어쩌자고 그 어려운 사람들에게서 두 번씩이나 돈을 넙죽넙죽 받았을까. 준비된 돈이 아니었기에 매번 십 단위로 딱 떨어지지도 않던 기십 만원을, 박복한 수련의 월급으로 생활하던 나는 아주 유용하게 잘 썼을 것이다. 적당히 배부르고 등 따뜻하게 생활하게 된 덕분이었을까, 아니면 근무지 특성상 경제사정이 좋지 않은 이들을 자주 접하면서 그네들을 떠올린 때문이었는지 어쨌거나 그제라도 돌려주어야겠다는 생각이 들었다. 한번 그렇게 생각하기 시작하자 나는 당장 채무자가 되기라도 한 듯 마음이 급해졌다.

그를 찾는 것은 그리 어려운 일이 아니었다. 수련 받던 병원의 외래에서 그의 이름으로 주소와 전화번호를 받아냈다. 최근 1년 사이엔 온 적이 없다는 말과 함께. 그 번호를 일주일 내내 열심히 눌러대도 통 받을 기미가 없더니 마지막이다 생각했던 전화를 받은 이는 이제 그런 사람은 살지 않는다 하였다. 해당 동의 사무소에 전화를 걸어 내 소속을 밝힘과 동시에 관리 중인 환자 문제로 그러하다는 얼버무림으로 정보를 얻길 원했지만 공문을 띄우라는 대답만이 돌아올 뿐이어서 그쯤에서 멈추고 말았다. 공문을 띄우는 일이 그리 복잡한 것은 아니었으나 내 개인적인 용무에 공문까지 띄워가면서 그를 찾아낼 만큼 나는 적극적인 사람이 못 되었다. 그러나 그날부로 빚쟁이가 된 느낌 때문인지 그의 이름이 머릿속에서 떠나질 않아 일년 후 다시 동사무소에 전화를 걸게 되었고 그 동네에 사는지만 확인해 달라는 통사정에 담당자는 결국 두 손 들었는지 조회해 볼 테니 잠시 기다리라 했다. 그리고 곧 짧은 답이 돌아왔다.

"사망하였습니다, 일 년 전에."

"그랬군요. 제가 처음 찾고자했던 그 때였군요."

당황하는 내 목소리가 안 되었던지 이00라는 팔순 노모가 아직 살아 계시다는 묻지도 않은 것까지 일러주었다. 노모를 찾는 일 또한 어렵지 않았다. 그 형편에 혹은 그 연세라면 반드시 보건소 내소 기록이 한번쯤은 있을 것이다, 싶어 관할 보건소에 협조를 구하니 예상대로 연락처를 알아낼 수 있었고 영양제를 사러 동대문 약국에 나올 일이 있다는 할머니와 내친김에 점심 약속까지 하게 되었다. 물론 5년 이상 보지 못한 나를 처음부터 알아채신 것은 아니었다. 잠시간의 설명을 할 동안에는 과장님이 웬일로 전화를 하셨느냐고 감을 잡지 못하더니 결국 나를 떠올리면서부터는 금세 눈물 섞인 음성이 되어 아들이 죽기 전까지 그들 모자가 나를 얼마나 그리워했었는지를 몇 번씩이나 되뇌곤 했다. 수년간 서울 병원을 다녀가는 날 외엔 하루 종일을 술로 보냈으며 제발 죽 한사발만이라도 들이켜 보라는 애원에도 불구하고 아무것도 할 수 없는 자신을 원망하며 말없이 술만 마셔댔다 한다. 죽기 전에 한번 만이라도 그는 나를 보고 싶다고 했었고, 그렇게 살면서 기껏 살려준 내 얼굴을 미안해서 어찌 볼 것이냐며 얼렀었다는 말에는 내 음성 또한 젖어들었다.

그렇게 할머니와 나는 작년 12월 어느 추운 날 동대문 시장 근처에서 만나게 되었고 급한 마음에 근처 허름한 식당에 얼른 자리를 잡고 마주하게 되었다. 처음부터 식사는 안중에도 없던 할머니는 내가 한 숟가락을 채 뜨자마자 급하게 주인에게 다가가더니 밥값부터 치르겠다, 하였다. 고쟁이 깊숙한 데서 뽑아 든 게 하필 수표라 주인도 당황하는 눈치였고 절대 점심 값을 내지 않고 얻어먹을 것을 약속드리고서야 할머니를 자리에 앉힐 수 있었다. 수표는 병원비 한번을 미루지 않던 그 깔끔한 성격에 내가 가져오겠다고 한 영양제값을 치러주려 미리 준비해 온 것임에 분명했다.

반갑잖은 오랜 병 생활 끝에 떠난 그를 누구하곤들 함께 추억이라도 할

169

수 있었을까. 내 입에서 그의 이름이 나올 때마다 할머니의 가슴 또한 저렁저렁 울리는지 웃음기 없는 눈동자가 매번 심하게 흔들리면서 눈꺼풀 아래서 쏘아 올리는 듯한 눈물이 그렁그렁 맺혔다. 살아있을 때도 이미 그를 죽은 사람 취급하던 그의 형은 이혼 후 최근에야 재혼하여 아주 어린 손자들이 있었고 항구에서 허드렛일을 하면서 근근이 살아가고 있다고 하였다. 가끔 물고기나 꽃게라도 잡으면 내다 팔기도 하지만 요새는 북쪽 배들이 싹쓸이해 가는 통에 그마저도 수월치 않다했다. 생활이 그러하다 보니 아들, 며느리 사이도 원만하지 못한 것 같고 함께 사는 자신도 그리 편치 못하다 하였다.

그의 입원으로 인해 문 닫다시피 한 식당 살림으로 병원비 대기도 빠듯했을 할머니에게서 너무도 많은 수고비를 받았던 것 같아 이젠 돌려드리고 싶으니 영양제는 그냥 가져가시라 했으나 예의 그 수표를 몇 번씩이나 내미셨다. 결국 봄이 되어 꽃게가 많이 잡히면 가져다 줄 테니 꼭 나와 달라는 신신당부를 하시고서야 전철역으로 들어서셨다.

그날 이후로 간혹 눈에 띄는 꽃게를 볼 때마다 할머니의 큰아들이 부디 넘치게 잡아 넉넉히 팔고도 나까지 얻어먹을 수 있게 되기를 은근히 기대하였다. 하지만 겨울이 가고 꽃게가 제철인 계절이 돌아왔건만 할머니는 연락이 없었다. 그 성격에 약값에 대한 보답으로라도 어떻게든 꽃게를 들고 나오시고도 남을 분인데 그 해조차 그의 큰아들은 잡이가 시원치 않았던 모양이다. 아들 죽은 후로는 아무리 어려워도 영양제라도 한번씩 맞아야 그나마 살 것 같다고 하셨지만 그 와중에 아들 며느리 눈치 보며 주사 꽂고 누웠을라치면 어디 그게 피가 되고 살이 되었을까 싶다. 이번 겨울이 가고 내년 봄이 돌아오면 "꽃게가 풍년이니 나와 보라"는 할머니의 부름이 있길 또 한번 기다려본다. ■

5회 장려상을 수상한 작품이다. 서지영 선생은 중구보건소 결핵실에 근무하고 있다. 수상 후 글의 주인공인 할머니에게 상금으로 영양제라도 사드리고 싶어 연락했는데 할머니는 대절한 택시에 꽃게 한 박스를 싣고 큰 아들과 함께 나타났다고 한다. 하루 벌이였을 꽃게를 덥석 안겨주는 바람에 고맙고, 미안한 마음이었다고. 서 선생은 "더 절실한 사연이 많았는데도 이 할머니가 유독 기억에 남는 것을 보면 어지간히 정이 들었던 모양"이라며 "상까지 받게 됐으니 이제 평생 잊을 수 없겠다"는 수상소감을 남긴 바 있다.

소리 없는 요들송 | 정만진 |

"요르레히 요르레히 요르레히히히, 요르레히 요르레히 요르레히히."

이것은 가수 김홍철이 부른 경쾌한 노래 '계곡의 무지개' 도입부 요들 (Yodel)이다.

오늘 혀를 앞으로 내밀고 굴리지만 소리를 내지 않는 요들을 보았다. 그것은 혀의 안녕을 묻는 소리요, 생명을 절규하는 무언의 소리였다.

초등과 고등학교를 같이 다닌 친구의 전화를 받았다. 중소기업에 다니는 그 친구는 질병에 관해서는 내게 자문을 구하고 있으니, 나는 그 집안의 주치의라 해도 과언이 아니다. 그래서 나는 그의 부인이 희귀하고 치명적인 루게릭 병으로 고생하고 있다는 사실을 잘 알고 있다. 우리는 대화 중에 병에 대한 이야기는 피하려고 했으나, 의사라는 직업 때문인지 저절로 화제(話題)가 그 쪽으로 넘어가 버렸다. 그는 "우습지만 최근에 점쟁이 권유에 따라 서쪽에서 동쪽으로 이사까지 했다"며 "이제는 보행도 힘들고 밥맛이 없다며 먹지 않는 아내를 위해 무엇을 어떻게 했으면 좋을지 모르겠다"고 장탄식(長歎息)을 하였다. 그러다가 갑자기 오늘 자기 집에 와서 아내의 병을 봐줄 수 없느냐는 부탁을 하는 것이었다.

사려 깊은 그가 내 입장을 모를 리 없고, 내 전공이 루게릭 병과는 거리가 먼 소아과라는 사실 또한 잊을 리 없다. 그러면서도 이런 돌발적인 요청을 하는 것을 보니 그의 마음이 얼마나 답답하고 애타는지 느낄 수 있었다. 나는 오늘 저녁 약속을 떠올리고 약간 당황했지만 어떤 이유로도 거절해서는 안 될 것 같았다.

사실 의사들은 환자나 환자 가족과 식사하거나 다른 사람 병문안 가는 것을 좋아하지 않는다. 가운(gown)을 벗고 병원 밖에서 만났더라도 의사와 환자가 만나면 병에 대한 이야기밖에 할 것이 없고, 병이란 수학 공식처럼 분명한 답이 없기에 속 시원히 말해 줄 수가 없다. 더욱이 친구 아내가 앓고 있는 루게릭 병(Lou Gehrig, 근위축성 측삭경화증)은 정신은 멀쩡하나 근육에 힘이 점점 없어져 몇 년 내에 호흡 곤란으로 죽음에 이르는 고약한 진행성 신경질환으로, 세계적인 천문학자 스티븐 호킹 박사 때문에 유명세를 타게 된 병이 아닌가.

나는 퇴근 후 따끈따끈한 찐빵과 음료수를 사들고 친구의 아파트로 갔다. 그러나 발걸음이 무겁다. 그의 아내는 침대에 모로 누워 있었다. 친구가 아내 손을 잡고 바로 눕히며 "당신 이 친구 알제? 소아과 하는"하고 말하자, 커다란 눈망울에 어렵게 미소를 지으며 "알고 말고예, 지난해 따님이 사법고시 합격했다 카지예, 축하합니더"라고 답하는 것이 아닌가? 이런 순간 '사법고시 합격'을 들먹이다니, 이외의 반응이었다. 얼굴은 괜찮아 보였고, 인사말 하는 것을 보니 정신적으로는 전혀 문제가 없는 것 같았다. 나는 멋대가리 없는 경상도 사나이의 어색한 품으로 "좀 어떠십니까?"라며 특색 없는 인사말을 건네고 그녀의 맥박을 짚어 보았다.

우리는 그녀를 일으켜 세워 안방에서 거실로 옮겨 주고 이런 저런 이야기를 나누었다. "스티븐 호킹 박사도 이 병에 걸렸지만 어느 순간 진행이 멈춰서 지금 잘 지내고 있지 않느냐"라며 위로의 말을 하였지만 허허로운 표정을 지으며 "내가 저 사람 돈 벌어온 것 다 써버렸어예"라며 엉뚱하게 생활을 걱정하는 말을 하였다. 근육에 힘이 없어 목이 자꾸 앞으로 숙여지고, 손에 힘을 줄 수 없기에 무엇을 잡기도 힘든 상황이었다. 팔다리는 심하게 떨리고 있었다. 조금 앉아 있다가는 힘이 드는지 다시 침대에 누워 나와 남편이 하는 이야기를 듣고만 있었다. 그러나 눈은 거실 벽에 걸린 커다란 가족사진에 고정되어 있었다. 거기에는 공병 장교로 근무하는 지적인 큰 아들과, 대학 4학년인 잘 생긴 둘째, 로맨스그레이가 보기 좋은 남편과 후덕한 모습의 아내, 모두가 행복한 미소를 짓고 있었다.

그의 아내는 이따금씩 혀를 앞으로 내밀어 그것을 자기 눈으로 확인하는 이상한 동작을 반복했다. 마치 어린아이가 남을 놀릴 때 "메롱"하며 혀를 내밀었다가 다시 쏙 넣어버리는 것 같이 혀를 날름거리는 것이었다. 그것은 손발 떨림과는 전혀 다른 의식적인 행동이었다. 이런 특이한 행동에 대하여 친구에게 물어보자, "우리는 저 행동을 '소리 없는 요들송'이라고 부른다네. 자기 혀가 말려들어 갔는지 확인하는 것이네. 아무리 그러지 말라고 해도 하루에 몇 번씩 습관적으로 저러고 있다네" 하면서 표정이 심각해지더니 병의 내력을 소상하게 이야기 해 주었다.

2년여 전 여름, 손에 힘이 없어 개인 의원을 찾아갔더니 좀 더 전문적인 검사가 필요한 것 같다며 K대학 병원 신경과로 보내주었다. 큰 아들과 함께 가벼운 기분으로 갔는데 젊은 의사가 진찰을 하고 근전도(筋電圖) 검사를 포함한 몇 가지 검사를 한 후에 "당신은 근육이 위축되는 루게릭 병에 걸렸습니다. 앞으로 서서히 근육에 힘이 없어지고, 혀가 뒤로 말려들어가 1년 내지 1년 반 후에 죽습니다"라는 사망선고 같은 말을 하였다. 이 말을 듣고 나니 정말 사지가 떨리고 눈앞이 캄캄했다고 한다. 의사는 그런 무시무시한 진단을 내리면서도 환자의 기분은 전혀 개의치 않고 너무나 솔직하고(?) 직설적인 표현을 썼다. 이날 이후로 시간만 나면 혓바닥의 안녕을 확인하기 위하여 소리 없는 요들송을 부르기 시작하였다.

K대학병원 신경과에서 죽음의 진단을 받은 후 이런 병에 정통하다는 지방 C대학병원, 서울 J병원, 유명하다는 한의원은 물론 수녀의 기도와 무당의 굿판, 그리고 지압에서 점쟁이까지, 할 수 있는 방법과 치료를 모두 해보았으나 병의 진행을 멈출 수 없었고, 혀가 말려들어가 죽는다는 그 충격적인 말을 머릿속에서 지워 줄 수도 없었다.

이미 고인이 되신 대학 은사님 한 분은 주례사를 할 때마다 "총알로 생긴 상처는 치유될 수 있으나 말로 생긴 상처는 치유되지 않습니다. 그러므로 부부사이라도 말을 조심하여야 합니다"라며 유난히 말조심을 강조하셨다. 우리 의사들은 매일 수술을 하기도 하고, 죽음과 연관되는 진단을 내리기도 한다. 이런 것은 우리의 일상사다. 그러나 환자의 입장에서 보면 평생에 한번 있는 중대사이다. 그러므로 말 한 마디, 행동 하나도 신중하여야만 한다.

의사로서 돌이켜 생각해 보건 데, 처음 진단을 내린 K대학병원 젊은 의사가 전문의였는지 레지던트였는지 모르겠지만 거의 정상인 사람을 앞에 두고 "혀가 말려들어 가서 1년 내지 1년 반 후에 죽는다"라는 직설적인 표현을 썼다고 믿고 싶지 않다. 그러나 그가 어떻게 설명했던 간에 환자와 환자 가족은 그런 표현으로, 또는 그런 뜻으로 받아들였다. 그리고 "혀가 말려들어 가서 죽는다"는 말은 진짜 총알보다 더 깊이 그녀의 가슴에 박혔고, 지금도 하루에도 몇 번씩 습관처럼 '소리 없는 요들송'을 부르고 있다.

의학적으로 특별한 말이나 무서운 장면을 보고 심한 정신적인 충격을 받는 것을 사이킥 트라우마(psychic trauma, 정신적 상처)라고 한다. 이런 정신적 충격에 강한 사람도 있고 약한 사람도 있다. 친구 부인은 대단히 예민한 성격이라 사이킥 트라우마에 매우 약한 사람으로 볼 수 있다. 그래서 초진(初診)한 의사의 경솔한 말을 원망하며 2년이 지난 현재까지 소리 없는 요들송을 부른다. 1년 반 이내에 혀가 말려 들어가 죽는다는 말을 듣고 냉정할 수 있는 사람이 얼마나 되겠는가?

어느 신부님이 암 선고를 받고도 너무나 태연한 모습으로 치료를 잘 받았다고 한다. "역시 종교인이라 다르구나" 하면서 모두들 존경해 마지않았다. 결국 치료에 실패하여 죽음에 이르기 전에 의사 선생님이 "신부님은 죽음을 앞에 두고도 어찌 그렇게 초연할 수 있습니까? 혹시 저희들에게 하실 말씀이라도 있습니까?"라고 물었더니, 신부님께서는 "부디 다른 환자에게는 자신이 암에 걸렸다고 말하지 마십시오"라고 했다는 일화가 있다. 그만큼 죽음이란 겁나고 인간은 나약한 존재이다.

증상은 얄밉게도 초진한 젊은 의사의 예상대로 진행되고 있다. 비록 그 기간은 약간 길어졌을지라도.

정신이 멀쩡하니, 하루 종일 별별 생각에 사로잡히리라. 교직에 있는 친한 친구가 오면 "모든 것이 싫다. 남편과 아이들에게 미안하다. 이렇게 살아서 뭐하겠노, 차라리 콱 죽어버렸으면 좋겠다"고 한단다. 그러나 이제는 혼자서 죽을 힘조차 없어져 버렸다. 내가 만일 저런 입장이라도 마지막 출구(Final Exit)를 생각할 수밖에 없을 것이다. 하루 종일 누워서 과거와 현재와 미래를 유영하는 상상의 나래를 펴며 울고 웃을 것이다. 생(生)이 곧 사(死)요, 사가 곧 생이라는 생각이 들지 않겠는가?

나는 오늘 친구로서 그리고 의사로서 여러 가지 이야기를 듣고 보았다. 그러나 특별히 해줄 일이 없었다. 그래서 두 사람에게 "혹시 내가 도와줄 일이 없냐"고 물었더니 의외로 영양제 주사를 한 번 맞았으면 좋겠다는 것이었다. 음식을 잘 먹지 못하고 있으니 우선 기운을 차리는 데는 도움될 수도 있겠다 싶고, 더욱이 내가 해줄 수 있는 일을 찾았다는 것이 다행스러웠다. 그래서 그 친구의 아파트에서 가장 가깝고 최근에 개원한 정형외과를 기억해 내고 전화하였다. 의사라는 신분을 밝히고 원장을 바꿔 달라고 하였더니, 운 좋게도 내 이름을 아는 후배였다.

우리는 환자를 양쪽에서 부축하여 승용차에 태우고 병원으로 갔다. 젊은 원장은 예의 바르게 앞으로 필요한 것이 있으면 무엇이든 도와주겠다고 약속하였다. 그리고 신속하게 영양제 주사를 준비해 주었다. 나는 아미노산 제제 주사액이 환자의 연약한 근육 위 파란 정맥 속으로 흘러 들어가는 것을 한참이나 지켜보고 있다가 병원 문을 나섰다. 벌써 저녁 9시가 지났으나 배고픈 생각이 들지 않았다. 멀쩡한 정신으로 죽음을 기다려야 하는 환자의 심정이 오죽하겠는가? 지금도 처음 진단한 의사가 무심코 내뱉은 말 한 마디 때문에 소리 없는 요들송을 부르고 있을 것을 생각하니 참으로 가엾고 슬픈 생각이 든다.

부디 기적같이 일어나 알프스 골짜기에 경쾌한 요들송의 메아리가 퍼지게 하소서!

"요르레히 요르레히 요르레히히, 요르레히 요르레히 요르레히히." ■

3회 장려상을 수상한 작품이다. 정만진 원장은 입상 얼마 후, 울릉군 보건의료원장 자리가 6개월째 궐석이라는 소식을 듣고 인생의 2막을 울릉도에서 열기로 결심, 2004년 6월부터 지금까지 울릉군보건의료원을 지키고 있다. "일체유심조(一切唯心造), 생각에 따라 천국도 유배지도 될 수 있는 곳"이라고 울릉도를 소개하는 정 의료원장은 그동안 성인봉을 15회 오르고, 11시간이나 걸리는 울릉도 도보일주를 두 번이나 하면서 인생 3막을 준비하고 있다. 수상소감을 통해 "친구부부가, 이 글이 생각 없는 의사들에게 복수(?)의 카운터펀치를 대신 날려준 것에 대해 통쾌해할지, 다시 쓰라린 상처를 안겨주는 것으로 생각할지 모르겠다"며 걱정하기도 했다.

또 하나의 생명을 바라며 | 안은희 |

광화문 옆 은행나무에서 노란 잎이 떨어진다. 하나, 둘, 우수수, 하나, 둘, 우수수.

몇 년째 다닌 길인데 이제야 떨어지는 잎이 눈에 들어오는 것을 보니 여유가 생겼나보다. 의사라는 일을 하다보면 가끔 날씨의 변화에 민감해질 때가 있다. 어느 과든지 계절을 타는 질환이 한두 개 쯤은 있게 마련인데 우리 산부인과에서는 그 계절 질환이 바로 임신 중독증이다. 쌉쌀하니 매운 늦가을 바람에 우수수 떨어지는 노란 잎은 임신 중독증을 부르는 초대장인가? 밤새 내린 서리가 아침 햇빛에 '반짝' 하고 날을 세우는 늦가을에서 초겨울엔 임신 중독증 산모가 유난히 많아진다.

노란 은행잎 대신 희고 고운 벚꽃 잎이 바람을 타고 초음파실 창문을 두드리던 어느 봄날, 무한한 용기와 생명력으로 보는 이들을 감동시켰던 미나(가명)씨를 다시 만나게 되었다.

"김미나 씨, 들어오세요."

짧은 머리를 동글동글하게 말은 깜찍하고 귀여운 환자가 어색한 듯 들어왔다.

'김미나? 낯익은 이름인데? 혹시 예전 그 환자 아닌가? 얼굴은 기억이 없는

데 이상하네.'

검사를 하는 동안 궁금증을 이기지 못하고 물었다. 혹시 1999년에 아기를 낳은 적이 있느냐고.

"네, 맞아요. 어떻게 아세요?"

"수술했었지요? 고생도 많이 했고."

"맞아요, 엄청난 중환자여서 선생님들이 고생하셨대요. 저 꽤 유명한 환자였어요."

"이전에 제가 담당했던 환자와 이름이 같아서 혹시나 하고 물어 본 거예요. 환자가 완전히 회복되기 전에 담당이 바뀌어서 항상 궁금했어요. 잘 지내는지."

"죄송해요. 저는 선생님을 잘 모르겠어요. 산부인과 모든 선생님들이 저를 기억하는데 정작 저는 어느 정도 회복된 후의 선생님들 밖에 기억나지 않아요."

"힘들었죠? 고생 많이 했어요. 무사히 퇴원했다고 들었는데 건강한 모습을 보니 기뻐요."

"저는 그렇게 아프고 힘들었을 때의 기억이 잘 나지 않아요. 분만실에 입원하고, 수술실에 들어간 후 깨어보니 거의 한 달이 지나 있었어요. 옆에서 엄마는 죽다 살아났다고 통곡하시고, 끔찍했던 고통의 기억은 어렴풋이 아른거리기만 해요."

5년 전 만난 김미나 씨는 병아리 의사의 티를 벗고 중닭으로 자라가는 초입에 있었던 내가 만난 최고의 중환자였다. 하루 일을 정리하고 당직준비를 하던 중 혈압이 230/120mmHg인 산모가 입원했음을 알게 되었다.

"웬 일이야? 아직 가을도 안 됐는데?"

온몸이 퉁퉁 부어 입원한 산모의 혈압은 끔찍하게도 230mmHg이 넘었고, 계속해서 투여되는 혈압 강하제에도 꼼짝하지 않았다. 중증 환자에게서 보이는 명치 끝의 통증과 구역질까지 동반하고 있어 곧이어 발생할 응급상황이 눈에 보이는 것 같았다. 혈압을 조절하고, 태아 상태를 확인하고, 소변양을 확인하고, 응급세트를 준비하며 바쁘게 움직일 때, 1년차의 다급한 고함이 들렸다.

"어, 선생님, 환자 경련해요. 경련!"

'최악이군. 최악이야.'

"기도를 확보해."

"산소 연결하고, 라인(환자에게 공급되는 수액 통로) 확인하고, 빨리."

"진경제 주세요."

"태아 심음 확인해 봐."

"김미나 씨, 눈 떠 보세요."

"보호자는 어디 있나."

"다들 내려오라고 해."

순식간에 분만실은 전투장으로 변했고 잠시 후 환자가 의식을 회복함과 동시에 규칙적으로 뛰던 태아의 심음이 뚝뚝 떨어지기 시작했다.

뛰다시피 급하게 환자를 수술실로 옮겼고, 개복하자마자 분수처럼 솟구치는 대량의 복수, 곧이어 조그맣지만 강한, 빨간 생명이 울음을 터뜨렸다. 아기와 함께 복수와 양수, 태반이 빠져나갔고 산처럼 부풀었던 복부의 압박에서 풀려난 산모는 그만큼 더 측은해보였다.

'일단 분만했으니 하루, 이틀 지나면 좋아질 거야.'

수술실 밖에는 떨리는 손으로 수술동의서를 작성하고, 바작바작 타는 가슴으로 사인을 한 산모의 남편이 벽에 기대 서 있었다. 다리가 심하게 흔들리고 있었다. 미숙아로 작게 태어나 신생아 집중치료실로 향하는 아기의 뒤를 따르지도 못한 마음이 후들거리는 다리 사이에서 보였다.

중환자실로 옮겨진 산모를 기다리고 있던 것은 견디기 힘든 고통과 인내였다. 호흡이 안정되고, 의식이 회복되어 인공호흡기에서 자유로워지는 것도 잠시, 다시 그르렁거리는 거친 숨소리와 호흡 곤란으로 어쩔 수 없이 기관 삽관을 해야만 했다.

빠르게 차오르는 복수, 그칠 때도 되었건만 계속 흘러 바닥을 적시는 피. 살아있는, 생명을 가진 인간의 것이라고 믿기 어려운 검사 수치들. 적혈구와 혈장과 혈소판을 물 붓듯 들이부어도 가뭄에 바짝 말라 밑바닥을 드러낸 저수지처럼 혈색소와 혈소판 수치는 제자리였다. 저녁이면 좀 좋아지겠지. 내일 아침이면 이보다는 낫겠지. 기대를 비웃듯 간수치가 1000을 넘은 것이 벌써 며칠째. 계속되는 폐부종에 엎친 데 덮친 격으로 폐렴까지. 이보다 더 심한 '하나님 도와주세요 증후군'도 없을 것이다.(심한 임신중독증 환자의 합병증 중에 HELLP syndrome 이라는 의학 용어가 있다. 발음이 '헬프' 이기 때문에 도와주세요 증후군으로 부르기도 한다.)

회복할 수 있을 것이라는 기대는 사라진 지 오래고, 도대체 언제까지 환자가 견딜 수 있을까 의심스러웠다. 지금까지 버틴 산모가 대견스럽기까지 하였다. 임신중독증의 경우 일단 분만을 하면 차차 소변 양이 증가하면서 혈압도 떨어지고, 몸의 부기도 빠지면서 대부분 증세가 호전되기 마련인데 우리 산모는 소변이 잘 나오지 않으면서 몸 안의 노폐물이 쌓이다가 결국은 급성신부전으로 혈액 투석까지 하게 되었다.

온 몸에 주렁주렁 수액 줄과 기계 장치를 달고 경련까지 하는 환자, 모든 기계장치를 유지하면서 몇 사람이 달려들어 겨우 겨우 CT 촬영을 하고 숨 돌리던 날. 한 고비 넘기면 또 다른 고비가 파도처럼 밀려왔다. 급성신부전에서 회복되는 기미가 보이자마자 열이 오르면서 패혈증이 의심되었고 강력한 항생제는 병균을 통제함과 동시에 피부염이라는 반갑지 않은 선물을 주었다. 얼굴과 피부는 까맣게 죽어갔고 머리카락은 윤기 하나 없이 거칠어졌으며 수술 부위마저 제대로 아물지 않아 2차 봉합을 해야 했다. 교과서에 나오는 모든 합병증이 한 사람의 몸을 공격했다. 병이 나을 거라고, 툭툭 털고 일어나 옛날처럼 웃을 거라고 말할 수 없었고, 하루 병세를 예측하는 것만도 버거웠다.

몽롱한 눈을 가끔씩 뜨는 환자를 볼 때마다 '의사가 사람을 살리는 것이 아니구나. 사람에게 치유능력이 없다면 의사가 무슨 소용인가. 생명을 좌우하는 능력이 의사에겐 없구나. 단지 환자가 더 잘 치유되고 회복될 수 있도록 중요한 순간에 도와주는 것이구나' 하고 느끼게 되었다.

"선생님 어떻게, 오후엔 좀 괜찮아질까요?"

"글쎄요. 두고 봐야지요."

주치의도 전공의도 말을 잃었고, 오전, 오후에 보호자를 만나는 것이 큰 걱정이었다. 두 손을 모으고 애절한 눈으로 쳐다보는 어머니의 간절한 소망에 침묵으로 답하는 것이 왜 그리 어려웠던지.

면회 시간에 산모의 거친 손을 조심스레 붙잡고 부르튼 입술을 소중한 듯 어루만지던 남편의 등을 보며 위로의 말조차 건네기 힘들었던 답답했던 시간들. 한밤중에 인공호흡기가 보내주는 산소를 마시며 잠든 산모를 보고 오는 길에 마주치는 보호자의 모습. 편치 않은 의자에 지친 몸을 기대고 지그시 감은 눈엔 낮 동안의 풀리지 않은 피로가 대롱대롱 매달려 있다. 걱정과 근심의 무거운 짐이 어깨에 쌓이는 것이 보인다. 조용히 오가는 목례. 쳐다보는 시선 속에 흐르는 똑같은 마음과 무한한 이해와 공감. 동질감이란 이런 것일까? 한밤의 고요함 속에서 배운 연민과 아쉬움과 애틋함 그리고 어쩔 수 없는 인간의 약함. 시간이 흐른들 어찌 잊을 수 있을까.

하루하루 산모는 꿋꿋이 견디었고 쇠심줄보다 질기다는 게 어떤 것인지 느낌이 올 무렵 담당이 바뀌었다. 후임자에게 산모를 부탁하고 새로운 환자를 보게 되었지만 마음 한 구석엔 아픈 산모가 누워 있었다.

"그 산모 좋아졌나?"

‘그 산모’라면 누구를 말하는지 모두들 알았고, 점점 호전된다는 말에 안심이 되었다. 어느 날 드디어 일반 병실로 이동한다고 알려왔다.

　“살았구나.”

　안도하고 있을 때 옆을 지나시던 노교수님이 빙그레 웃으시며 말씀하셨다.

　“이제부터가 진짜야. 사람이란 게 묘해서 죽겠구나 하고 포기할 땐 끈질기게 모질게도 살아나다가, 이젠 되었구나 하고 한시름 놓을 땐 속절없이 스러지거든.”

　속절없이 스러진다는 말이 마음을 울렸다. 다행히 산모는 일반 병실로 옮긴 후 무사히 회복되어 퇴원했고, 이전의 모습은 찾아볼 수 없이 아름다운 모습으로 다시 나타나 지금 내 앞에 서 있다.

　“왜, 어디가 불편해요?”

　“어디 아픈 데는 없어요. 실은 아기를 하나 더 낳고 싶어요.”

　쿵!

　“놀라셨죠. 선생님. 아기 하나 더 낳겠다고 하면 모두가 황당한 표정이에요.”

　의외라는 표정을 지우기 위해 심호흡을 하고 담담하고 침착하게 물어보았다.

　“음, 뭐라고 할까? 조금 겁나지 않으세요? 물론 임신 중독증이 꼭 재발한다고 할 순 없지만…….”

　“왜 겁나지 않겠어요. 조금이 아녜요. 저도 많이 두려워요. 무섭지 않아서 또 하나를 더 바라는 게 아녜요. 그렇지만 그래도 한 번 더 노력해보고 싶어요. 지난번 퇴원할 때 산후 출혈도 심해서 두 번째가 가능할지 미지수라고 하셨어요. 될지 안 될지 모르지만 그래도 무조건 포기하고 싶지는 않아요.”

또 하나의 생명을 바란다고 하지 않았다면, 두렵지만 노력하겠다고 하지 않았다면 미나 씨는 위중한 병에서 무사히 회복된 환자로만 기억되었을 것이다. 비록 그 고통의 기억이 어렴풋하다 해도 다시 한 번 생을 담보로 할 수도 있는 시도를 감히 그 누가 할 수 있단 말인가.

"대단해요. 미나 씨는 참 용기 있고 솔직해요. 아이가 누굴 닮았어요?"

"미운 다섯 살인데 저 닮았어요."

미나 씨가 미소로 답한다. 아기를 키운다는 것, 항상 기쁘고 사랑스럽고 행복한 일만 있지는 않을 것이다. 새로운 생명에 삶을 불어 넣으면서 얻는 기쁨만큼, 아니 그보다 더한 고통과 마음 아픔이 있을 것이다. 때로는 살을 저미는 듯한 쓰라림도 있지만 그 모든 것을 충분히 덮고도 남는 삶의 충만함이 있음을 미나 씨의 눈은 말하고 있다.

"겁이 나지 않아서 그러는 게 아녜요. 저도 많이 무서워요."

잠시 동안 미나 씨의 눈을 촉촉하게 만들며 두 눈 가에 맺혔던 작은 눈물방울이 미처 볼 위로 굴러 떨어지지도 못하고 꼭 다문 어금니 사이로 사라졌다.

살아가는 모든 일에 쉬운 것이 있으랴. 새로운 날을 향해 한 발을 내미는 것도 두려운 일인 것을. 앞으로 나아가는 길에 위험이 도사리고 있다고 해서 제자리만 걷고 있을 순 없지.

"미나 씨가 또 아기를 갖게 되면 저도 최선을 다해 도와드리지요."

두려움과 공포를 극복할 만큼 가치 있는 것들로 우리의 삶이 가득 차기를 소망해본다. 태산 같은 무서움이 몰려와도 주먹 쥐고 당당히 마주 서서 결국은 이겨내기를 바란다. 그리고 그 뿌듯한 경험을 옆에 있는 사람과 나눌 수 있다면 얼마나 좋을까. 우리 모두는 결국 같은 길을 가는 동지인 것을.

"겁이 나지 않아서 그러는 게 아녜요. 저도 많이 무서워요."

어려운 일에 부딪칠 때, 넘어야만 하는 거대한 장벽을 만날 때마다 귓가에 울리는 미나 씨의 그리운 목소리를 듣게 될 것 같다. ■

3회 장려상을 수상한 작품이다. 안은희 교수는 분당차병원 산부인과에서 일하고 있다. 소감에서 "치료자로, 위로자로, 관찰자로, 드물게는 방관자의 위치에서 보지 않으려고 해도 저절로 드러나는 감정들을 맞닥뜨리면서 갖가지 농도의 '희로애락'을 자연스럽게 체득했고, 결국 콧등이 뜨끈해지는 감동과 연민을 배우게 되었다"며 "외래에서, 원무과 앞 대기실에서, 은행 옆 자동출금기 앞에서 마주치는 환자들의 눈길에서 힘들고 고통스런 시간을 함께 한 이에게 보내는 아낌없는 사랑과 신뢰를 느낀다"고 밝혔다.

이별 |박성근|

내가 그를 처음 만난 곳은 응급실이었다.

아직 응급실 근무를 시작한 지 사흘 밖에 지나지 않아 모든 것이 익숙하지 않을 무렵.

모든 것이 서툴러서인지 환자 개개인의 사연과 고통보다는 밀려오는 업무에 대한 부담감으로 그저 사무적인 입장으로 환자들을 대해야만 하는 시간이었다.

자신의 고통을 최대한 길게 설명하고 싶어 하는 환자와 최대한 짧게 상황을 끝내고 싶어 하는 응급실 의사의 비애 속에서 하루는 점점 지쳐갔고 그 와중에서 업무 피로를 가중시키는 몇몇 사람 때문에 더더욱 환자에 대한 애정이 식이갈 무렵이었다.

그 날은 참으로 환자가 많았다.

교통사고로 팔다리가 다 부러진 사람, 칼에 찔려온 조직 폭력배, 심근경색으로 인한 통증을 참지 못해 마구 뒹굴어대는 할아버지, 게다가 열나는 어린애와 배 아픈 어른은 왜 그리 많았는지…….

나 역시 단 일분도 못 쉬고, 정말 날아다닌다는 표현이 맞게 뛰어다녀야만 했다.

그렇게 자정이 되어갈 무렵, 한 환자가 침대에 실린 채 들어왔다. 상태를 보니 시립 병원 쪽에서 실려 오는 것 같았다. 병원 사이의 전원이었다. 그러나 우리 쪽에는 어떠한 연락도 취하지 않은 막무가내 단독 전원이었다. 난감했다. 이런 식의 방문을 우리는 응급실 습격사건이라 했다. 모든 의사들을 우울하게 만드는 말이다. 하지만 나에게는 의사의 기본 의무라는 것이 있었고 싫더라도 그를 돌봐야했다.

"할아버지, 어디 아프세요?"

"……."

그의 외모는 그가 살아온 인생을 말해주고 있었다.

이런 말을 하는 것이 옳은 것인지는 잘 모르겠지만 병원에서 여러 환자를 대하다 보면 살아온 인생이 조금씩은 보이는 것 같았다. 그 삶의 나태나 방종, 탐닉 등에 대해서 말이다. 그의 피부는 완전히 검게 물들어 있었고 두 눈은 핏빛으로 충혈 되어 있었다. 그의 입에서 나는 술 냄새와 악취, 주름진 전신과 핏빛 충혈 사이에 노란 황달기가 섞인 눈. 나는 다시 한번 그에게 물어보았다.

"할아버지, 어디가 아프세요?"

"나, 할아버지 아냐, 새꺄."

"……."

내가 기대했던 답과는 정반대였다. 순간 분노가 치밀어 오르기도 했지만 최대한의 자제심을 발휘하고 싶었다.

"알았어요. 환자분은 어디가 아프세요?"

"다 아퍼."

"……."

점점 인내심에 한계가 왔다. 이런 식으로 해서는 어떤 과에 연락해도 환자를 봐줄 리가 만무했다.

"자, 다시 물어볼게요. 가장 아프고 힘드신 곳이 어디예요?"

"그걸 의사인 니가 알지, 내가 아냐?"

나는 더 이상 그를 환자로 대할 수 없었다. 그를 데리고 온 시립행려병원 직원에게 그에 대해 물어보았다. 직원의 말로는 연고자 없는 행려병자인데 어디서 시작됐는지도 모르는 암 덩어리가 전신에 퍼져있는 상태였다. 더 이상 치료할 수가 없어서 우리 병원 사회복지과에 연락하고 데리고 온 거라고 했다. 난감했다. 이런 상황에서는 마음씨 좋은 내과 선생님을 불러서 내과 쪽으로 잽싸게 돌리는 것이 상책이라는 생각이 들었다. 내과에 연락을 하는 동안에도 그는 끊임없이 소란을 피워대고 있었다. 지나가는 간호사에게 욕을 해 대고 몇 번 아가씨라고 불러대다가 제지 당하고 하다가 제 풀에 지치면 응급실이 떠나가라 노래를 불러댔다. 나는 어서 환자가 병실로 올라가서 응급실이 조용해지기를 바랄 뿐이었다. 그렇게 세 시간이 지나서야 그는 겨우 병실로 올라갈 수 있었다.

짧은 시간이었지만 참으로 강렬한 인상으로 다가온 환자였다. 그리고 힘든 응급실 생활에 익숙해지면서 조금씩 그를 잊어가기 시작했다. 한 달여간의 응급실 근무가 끝나면서 나는 속이 후련해짐을 느꼈다. 다음이 중환자실이어서 만만찮은 업무가 기다리고 있었지만, 환자를 직접 상대해서 일차 처치를 해야 하는 응급실보다 모든 환자가 누워 지내는 중환자실이 그나마 낫다고 생각했기 때문이었다.

중환자실 근무 첫 날, 내가 할 일은 환자 상처를 소독하는 일이었다. 대개 중환자실 환자들은 오랜 투병 생활과 침상에서의 기거 때문에 전신에 욕창 한두 개씩은 있기 마련이었다. 악취를 맡으며 몸에 고름이 튀어가며 열심히 소독을 하던 중, 어떤 환자 앞에서 나는 깜짝 놀라고 말았다. 엉덩이, 꼬리뼈 튀어나온 쪽, 등판과 발목 쪽에 뼈가 보일만큼 큰 욕창이 있는, 상처 부위에서 고름이 줄줄 흘러 아마도 일을 배로 늘려줄 그 환자는 바로 응급실에서 나를 그렇게도 힘들게 했던 행려환자였다. 그는 하필이면 나와 종씨이기도 했다. 별로 종씨라는 것을 밝히고 싶지도 않았지만 말이다. 나는 매일 그 환자 때문에 새벽에 일어나 손에 고름을 묻히는 일이 괴로웠다. 가끔 L-튜브가 빠지기라도 하면(무의식중에 스스로 빼는 경우가 더욱 많았다) 한번 집어넣는 데 보통 한 시간씩 씨름을 해야 했다. 입을 굳게 다물고 침을 질질 흘리며 끝까지 튜브를 삼키지 않으려고 용을 쓰는 그를 달래고 때로는 화도 내다보면 가끔은 이런 생각이 들기도 했다.

'과연 이 사람에게도 다시 돌아가고 싶은 시간이 있을까? 아니, 정말로 놓치고 싶지 않던 열망이나 삶에 대한 열정, 혹은 치열함이 있었을까?'

지금 생각하면 참으로 어리석은 생각이었지만…….

어느 날 새벽이었다. 그에 대한 처치를 마치고 중환자실 문을 열고 나오는 순간, 내 앞에 어떤 중년 여인이 서 있었다.

"저, 선생님……."

그녀는 예기치 않게 나를 부르고 있었다. 내가 쳐다보자 그녀는 나를 항상 괴롭히는 내 종씨에 대해 물었다.

"ㅇㅇㅇ라는 분이 이 곳에 계시나요?"

나는 처음에 내 귀를 의심했다. 자식이나 부모도 들어오고 싶어 하는 곳이 아닌데 신앙심 깊은 전도사처럼 생긴 아주머니가 그런 사람을 찾아올 리 없다고 생각했기 때문이었다.

"예, 여기 계신데요. 왜 그러시죠?"

"좀 뵐 수 없을까요? 저는 그의 아내 되는 사람입니다."

"그 분은 가족이 없는 무의탁 노인인데요?"

"20년 전에 말입니다."

나는 아찔했다. 내가 그에 대해서 가졌던 모든 편견이 무너진다는 두려움에 그렇게 놀랐는지도 몰랐다. 그러면서 나는 생각했다.

'이 여자는 왜 그를 찾아온 것일까?'

혹시 젊은 날의 열정이었고 한 때의 고통이기도 했던 그의 마지막을 바라보며 자신의 삶을 정리하려는 것일까. 아니면 자신을 버린 사람의 마지막을 보면서 인생의 한 시기를 잊기 위해 찾아온 것은 아닐까. 그러나 그에게 안내했을 때 그녀가 보여준 행동은 내가 상상했던 모든 것은 이유가 아님을 가르쳐주었다. 그녀는 그를 부둥켜안고는 서럽게 울면서 왜 이제야 돌아왔냐고 통곡하기 시작했다. 나는 손가락 하나도 대기 싫었던 그의 얼굴을 마구 쓰다듬으면서 말이다. 그리고 그 얼굴에는 회한이나 후회가 아닌 슬픔 그 자체만이 가득 했다. 나는 솔직히 무섭기까지 했다. 그리고 의아했다. 그것은 인간만이 가진 무언가에 대한 경외감이었던 것 같다. 그 날 이후 그녀는 자청해서 병 수발을 시작했다.

딸과 교대로 새벽부터 그 다음날 아침까지 모든 고름을 닦아내고 자세를 바꿔주고 L-튜브로 음식을 넣어주고 또 쉬는 시간에는 끊임없이 성경책을 읽어주며 기도를 했다. 그 모습에 모든 중환자실 사람들은 알게 모르게 마음이 움직이는 것을 느꼈다.

대개 중환자실에 있는 의료진들은 감정을 숨기며 살아간다. 보이는 것보다 숨기는 것이 이롭기에, 또 볼 수 있는 처참함은 다 보았기 때문에 어떤 상황에서도 흔들림 없는 것이 이 곳 사람들의 특징일지도 몰랐다. 그러나 그 부부(?)가 보여주는 것은 처참함이라기보다 인간이 보여줄 수 있는 가장 고귀한 모습인 것 같았다.

그리고 나의 모습……. 지금도 그 때를 생각해보면 일상에 익숙해졌던, 어찌 보면 익기도 전에 퍼져버린 내 모습이 가장 싫었던 것 같다. 게다가 그녀가 간간이 들려주는 살아온 이야기는 나 자신을 더욱 싫어지게 만들었다.

그는 25년 전 그녀에게 열렬히 구애한 끝에 결혼했고 첫 아이를 얻어 행복했으며, 둘째 아이를 가졌을 때 가족을 버리고 새 살림을 차린 후 그저 그런 인생을 살아간 사람이었다. 그녀는 25년 전 그가 보여준 사랑을 잊지 못해 평생 아이들에게 아비의 소중함과 따뜻했던 모습만을 얘기하며 살아온 사람이었다.

세상은 언제나 합리적이고 이유가 있으며 자신이 뿌린 것만큼만 허락된다고 했다. 많은 사람이 그러했고 나 또한 그렇게 배우며, 어떨 때는 강요당하며 살아왔다. 그러나 그들은 그렇지 않았다. 과거의 사랑 앞에 겸손할 줄 알고 사람이 준 아픔보다는 그가 주었던 추억 앞에 감사하던 사람들이었다.

그날 이후 나는 우리가 당연시 했던 것들이 어쩌면 완전히 옳은 것은 아닐지도 모른다는, 합리나 이성이란 단어 속에 묻혀버린 더욱 소중한 가치를 잃어가고 있을지도 모른다는 생각을 하게 되었다. 합리와 이성의 잣대를 가진 내 눈에는 보잘 것 없이 보였던 사람에게 가장 소중하고 고귀한 사랑을 바치며 마지막을 함께 하는 그녀의 모습을 보면서 그러한 생각은 더욱 절실했다. 그러나 그러한 사랑도 지켜낼 수 없었던 운명이 다가온 것은 어느 가을 늦은 밤이었다.

"선생님, 17번 환자 어레스트 떴어요."

다급하게 들리는 간호사의 외침에 나와 몇몇 선생이 그 앞에 다가섰다. 기다리던 순간이 온 것이었다.

"야, 인턴 선생, 바이탈 체크하고 심장 마사지 준비해!"

"몇 줄로 할까요?"

"250!"

허사였다. 몇 차례 시도했지만 그의 문제는 심장이 아니라 허파였다. 그의 호흡은 거의 없었고 인공호흡기를 의존한 채 삶의 자락을 잡고 있을 뿐이었다. 모든 가능성을 점검했지만 이미 그의 소생 가능성은 없었다. 독사라고 불리는 중환자실 과장이 두 모녀에게 더 이상 가망 없음을, 이 사람을 위해 해줄 수 있는 것은 인공호흡기를 떼고 편안한 끝을 만들어주는 것 외에 없다고 설명해주었다. 불쌍한 모녀는 설명을 들으며 끊임없이 흐느끼고 있었다.

그리고 내가 본 것이 잘못된 것이었을까, 주위의 여러 사람의 눈도 붉어지고 있는 것이 눈에 비쳤다. 설명을 끝낸 후 인공호흡기를 떼어내려고 하자 그녀는 내 손을 움켜잡으며 외쳤다.

"선생님! 잠깐만요! 아직 현상이가 안 왔어요. 군인인데 지금 휴가를 받아서 오고 있어요. 그 때까지만 기다려주실 수 없을까요?"

내가 처음 신의 모습을 인간의 눈에서 발견했던 순간이 그 때였던 같다. 그 순간, 어떤 사람의 마음이 흔들리지 않을 수 있겠는가. 독사 과장도, 그에 못지않을 전공의 선생도 눈을 붉히며 중지하라는 신호를 보내주었다. 그리고 한 시간쯤 지나 아들이 도착했다. 군복도 갈아입지 못하고 달려온 아들은 아버지의 몸을 부둥켜안고는 흐느끼기 시작했고, 그들은 자신의 아비이자 남편인 그를 둘러싸고 서로 손을 잡았다. 그리고 기도를 시작했다.

"하나님, 이 사람을 저에게 허락하여 주서서 정말로 감사합니다. 이 사람이 저에게 주었던 사랑과 이 사람으로 인해 가질 수 있었던 소중한 아이들 덕분에 저는 행복할 수 있었습니다. 다시 태어난다 해도 당신만을 사랑할 것이고 당신을 어디서든 다시 만나겠습니다. 이제 당신을 떠나보내야 하지만 언제나 당신을 사랑했다고, 그리고 감사했다는 말 전해드리고 싶습니다."

그녀의 기도가 끝날 때쯤 눈물을 흘리지 않는 사람이 없었다. 과장도 손수건을 꺼내들고 밖으로 나갔고 나 역시 흐르는 눈물을 멈출 수 없었다. 그날 밤 그는 산소 호흡기를 떼고 세상으로부터 멀어졌다. 그리고 한 줌 가벼운 육신은 그의 가족에게 맡겨진 채 총총히 병원을 떠나갔다. 그 날만은 끊었던 담배가 너무 그리웠다. 그리고 싶었고 또 그래야할 것 같았다. 어디선가 담배 한 대를 빌려서 병원 문 앞에 나오니 해가 막 떠오르고 있었다. 누군가 나에게 담뱃불을 붙여주었다. 같이 밤을 샌 전공의였다.

"어떠냐, 기분이?"

"별로인데요."

"뭐가?"

"의사라는 직업이요. 환자를 치료할 수 있다는 점은 좋지만 이런 아픈 이별을 감당해야 한다는 사실요."

"…하지만 누군가는 있어야 하지 않을까? 비록 의사가 욕을 먹고 또 지쳐간다고 하지만 가슴 아픈 이별을 해야만 하는 사람들의 손을 잡아주어야 하지 않을까?"

"……."

나는 지금도 그들을 생각한다. 그리고 지인들에게 그 마지막 모습을 전한다. 그러면 많은 사람들이 색안경을 끼던가, 변해가는 세상에서 그들의 행동이 맞지 않다는 논리를 펴기도 했다. 어쩌면 그들의 말이 맞는지도 모르겠다. 세상은 순수한 영혼보다 영악한 지혜를 더 선호하며 흥부의 따뜻함보다 놀부의 냉정함이 가치를 발하고 있으니 말이다. 나는 그 때마다 말해주고 싶었다. 아무리 세상이 그렇더라도 이런 사람들이 있기에 조금 더 살아볼 만한 것 아니냐고 말이다. ■

3회 우수상을 수상한 박성근 선생은 강북삼성병원에서 내과 전공의로 근무하고 있다. 전문의 시험을 앞두고 공부하는 것 외에는 내시경도 보고 환자를 보는 등 "2년 전과 똑같다"는 것이 박 선생이 전하는 요즘 근황. 수상소감을 통해 "앞으로도 글을 써나가겠다"고 공언했던 박 선생은 그 약속대로 여전히 글을 쓰고 있고, 한미수필문학상 수상 이후로 본격적으로 소설과 동화를 쓰기에 착수했다. 그중 '기차'는 암환자와 보호자의 입장에서 연명치료의 의미를 짚어보는 소설로 조만간 완성을 볼 예정이라고.

달팽이의 꿈 | 김경원 |

느린 희망으로 하늘을 본다.
산 어귀에 붙여 놓은 무지개 찾아
느린 희망, 느린 걸음으로
걸어도 걸어도 제자리이고
가도 가도 뒷걸음질쳐 가는
느린 희망 하나로 걸음을 옮긴다.

- 시 '달팽이의 꿈' 중에서.

그는 달팽이와 매우 닮았다. 어릴 적 소아마비를 앓은 후 양측 팔다리를 잘 사용하지 못하여 걷고 입고 먹는 등의 모든 행동이 매우 느리다. 또 말도 매우 느리고 몇 가지 발음을 낼 수 없어 어눌하게 들린다. 그러나 그는 달팽이처럼 느릴지언정 느린 희망을 향해 걷고 또 걷는 이이며 동시에 그를 알고 있는 모든 사람들에게 애잔한 향기를 맡을 수 있게 한다.

내가 그를 처음 만난 것은 공중보건의사로 보건지소에 근무한지 3일째 되던 날이었다. 당시 나는 임상 경험이 거의 없어 환자를 본다는 것 자체가 부담스러웠다. 그 날도 지소에 내원하는 환자들의 차트를 검토하며 어떤 환자들이 오고 어떤 약을 쓰는지 정리하느라 정신이 없었다. 그런데 갑자기 문이 쿵쿵 하고 울렸다. 나는 문밖에서 아이들이 장난치다 주먹으로 문을 치는 걸로 생각하고 그냥 내 할 일을 하고 있었다. 약 1분여가 지나자 다시 누군가가 주먹으로 쿵쿵 하고 문을 두드렸다. 난 속으로 어떤 놈이 장난치나 하면서 문을 벌컥 열었다.

문 밖에는 한 중년 남자가 남루한 옷차림을 하고 구부정한 자세로 한 손에 차트를 들고 서 있었다. 언뜻 봐도 좌측 반신 마비에 입도 돌아가서 침을 흘리고 있어 중증장애인임을 알 수 있었다. 나는 불편한 마음이 가라앉지 않은 상태에서 그의 장애상태를 보자마자 내가 감당하기 어려운 환자로 지레 짐작하여 인근 의원으로 보내려고 마음먹었다. 그러나 그는 나를 본 후 약간 뜸을 들이더니 허리를 깊이 숙이며 "새, 새, 새로 오신 선, 선, 선생님이시군요. 잘 부, 부탁합니다" 라고 공손히 인사하는 것이 아닌가.

몸이 불편한데도 그렇게 공손하게 인사하는 것을 보고 나는 적잖이 당황해서 황급히 얼굴을 고치며 그를 의자에 앉도록 도와주었다.

병력에 대해 질문하고 혈압을 측정한 후에 보름치 혈압약을 처방하면서 인근 의원으로 다니시는 게 어떻겠냐고 말했다. 그러나 그는 선생님이 바뀌실 때마다 의원 또는 큰 병원을 권유했으나 의원은 2층에 위치해서 층계를 올라갈 수가 없고 큰 병원은 도저히 갈 엄두를 못 낸다고 하였다. 그는 다시 한번 머리를 약간 숙이며 "제, 제가 장애인이지만 다른 사람들하고 똑같이 혈, 혈압약과 가끔 감, 감기약만 주시면 됩니다" 라고 말했다. 그렇게 그와의 정기적인 만남이 시작되었다.

그가 한 달마다 혈압약을 타러 내원하는 동안 나는 그에 대해 조금씩 알아갔다. 그는 단칸방에 혼자 살지만 옆방에 사는 이웃의 도움을 받아 근근이 밥을 먹으며 살아가고 있었다. 정부 보조금을 받지만 턱없이 부족해서 빈 병이

나 폐지를 모아서 내다판 돈으로 버티고 있었다. 그런데도 그는 내원할 때마다 밝은 표정이었고, 옷은 매우 낡았지만 깨끗한 편이었다. 무엇보다도 그에게서는 내가 어릴 적 많이 썼던 노란 비누를 연상케 하는 냄새와 베이비파우더 향이 어우러진 독특한 향기가 풍겨져 나왔다. 그 향은 외할머니 댁에서 자라던 내 어린 시절을 떠올리게 하는 것이어서 그가 올 때마다 나는 깊이 숨을 들이마시곤 한다.

작년 무더운 여름, 평소처럼 그가 지소를 찾아왔는데 손에 차트 이외에 못 보던 가방이 들려있었다. 왜 가방을 무겁게 들고 다니시냐고 여쭤봤더니 시집을 팔러 다니신다는 것이었다. 그러면서 약간 수줍은 듯이 "제, 제가 이번에 시, 시, 시집 냈어요"라고 말씀하시는 것이 아닌가? 순간 난 입을 멍하니 벌린 채 아무 말도 못하고 그의 얼굴을 쳐다볼 수밖에 없었다. 그는 활짝 웃고 있었지만, 한쪽 눈가에는 눈물이 살짝 고여 있었다. 그의 함박웃음과 눈물 속에는 자긍심, 희열, 기쁨뿐 아니라 그간 겪었던 설움, 슬픔 등 말로 표현할 수 없는 온갖 감정들이 깃들여 있음을 약간이나마 느낄 수 있었다.

난 그의 시집 〈달팽이의 꿈〉에 대해 얽힌 얘기를 한참 듣고 나서야 내가 아직 축하한다는 말을 안했다는 것을 깨달았다. 그도 그것을 느끼고 있었음이 분명했다. 내가 한참이 지나서야 "진심으로 축하드립니다"라고 했을 때, 그는 내 손을 힘 있게 쥐며 또 한번 소리 내어 활짝 웃었다.

그의 해맑은 웃음은 가슴 밑바닥에서부터 차 올라와 애써 참으려고 해도 저절로 입 밖으로 터져 나오는 충만하고 아름다운 그런 웃음이었다. 마치 모진 산고를 겪고 어렵게 낳은 아이를 바라보는 어머니의 웃음처럼……

그에게 약을 들려 보낸 후 그가 남긴 여운을 음미하며 잠시 짧은 생각에 잠겼다. 글씨조차 쓰기 힘든 중증장애인으로 궁핍한 환경 속에서도 순수한 마음을 간직하면서 시까지 쓰려고 노력한 것만 해도 대단한 것이라고 생각하고, 시 자체에 대해서는 별로 기대하지 않았다.

오히려 초등학교도 제대로 다니지 못한 장애인이라 그저 학생들 학예회 수준의 시를 썼으려니 하고 평가절하하기도 했었다. 그런데 그의 시집을 읽기 시작하면서 이제까지 내가 그를 얼마나 모르고 있었는지 나의 편견이 얼마나 심했는지를 깊이 반성해야만 했다.

오늘 하루만이라도 참되게 살고 싶은
가련한 시인입니다.
차가운 바람이 대지를 수놓고 사라질 때
꿈을 잃은 허전한 들판에는 낙엽만이
뒹굴 따름입니다.
하늘을 우러러 부끄럼 없이
곱게 자라고 싶었던 어릴 때의 생각은
차가운 현실 앞에 여지없이
깨지고 말았습니다.

- 시 '코스모스' 중에서.

길가에 핀 한 송이 코스모스를 보고도 눈물을 흘려야 했던 그이고 물가에 앉아 징검다리와 교감을 나누어야 했던 그이다. 그가 한 평생 감내해야 했던 그 차가운 현실을 내가 어찌 알 수 있을까마는 찢기고 멍든 가슴을 달래주고 터놓고 이야기 할 수 있는 유일한 벗이 시라는 것은 느낄 수 있었다. 그의 시들을 읽으며 가슴 깊숙이 아리는 듯한 느낌이 밀려왔다.

그 동안 그가 올 때마다 어눌한 말투로 계속 얘기하고 싶어 하는 것을 대충 얼버무리고 퉁명스럽게 돌려보냈던 것들이 왜 이리 미안하지 얼굴이 화끈거렸다.

나는 그의 삶에 대해 좀더 알고 싶다는 호기심이 점점 강하게 들어 고민한 끝에 시집을 더 산다는 핑계로 그의 집을 찾아가 보았다. 지소에서 10분 정도 거리에 있는, 지붕이 매우 낮은 오두막에 살고 있었다.

그는 문밖에 앉아서 나를 기다리고 있었다. 집에 손님이 온다는 것에 신이 났는지 특유의 함박웃음을 지으며 내 손을 잡아 이끌며 그의 단칸방으로 데려갔다. 깜짝 놀란 것은 방안이 혼자 사는 남자 방으로 믿기지 않을 만큼 깔끔하게 정리되어 있었다. 벽에는 성경 문구가 쓰인 액자가 걸려있었고 책장에는 돌아가신 어머니와 찍은 사진들과 함께 조그마한 장식품들이 나란히 놓여있었다. 그런데 그 순간 그가 하는 말이 나를 놀라게 했다.

"책, 책장에 있는 액, 액자랑 인, 인형이랑 거의 전부다 제, 제가 만든 거예요."

왼팔의 근육은 마비 및 경직되어 거의 사용하지 못하고 오른손으로는 글씨도 아주 천천히 간신히 쓰는 그가 도대체 어떤 방법으로 저런 정교한 소품들을 만들 수 있었단 말인가. 그는 젊을 땐 그림도 그렸지만 지금은 몸이 더 안 좋아져서 그림은 못 그린다고 말했다. 그의 연타석 펀치에 정신을 못 차리고 그가 만들었다는 액자와 공예품들이며 그가 그린 그림을 멍하게 관찰하면서 이게 한손만으로 가능한지 열심히 궁리하던 나에게 그가 카운터펀치를 날렸다.

"선, 선생님. 세, 세상은 살게 돼있어요."

세상은 어떻게든 살아가게 돼있다는 그 말을, 나는 1년이 지난 지금까지도 두고두고 되새김질하고 있다.

천형을 안고 사는 그가 이 세상은 살만하다는데 내가 어떻게 살기 힘들다는 말을 하랴. 공중보건의 생활을 2년 가까이 하다 보니 욕구 불만이 많이 쌓인다. 시골에 갇혀서 개인적인 발전도 더디고 경제적으로도 어렵다는 등의 불만이 쌓이면서 뭔가를 빨리 성취해야겠다는 조바심이 나를 억누를 때마다 한 달에 한 번씩 그가 혈압약을 타러 오면서 내 소소한 불만들을 떠안고 간다. 그리고 그를 만난 후 얼마간은 마음이 다소 여유로워지며 환자들에게 성심성의껏 대하고 고충도 나누려고 노력하다가 어느덧 또 흐지부지 되는 나를 발견하고는 씁쓸한 웃음을 짓곤 한다.

그는 지금도 '달팽이처럼 느린 희망을 향해 걸어도걸어도 제자리이고 가도 가도 뒷걸음질 쳐가는 느린 희망 하나로' 꿈을 향해 걸음을 옮기고 있는 중이다.

세상을 힘겨워하는 이들에게 그의 시 중 일부를 들려주고 싶다.

세상의 화려함에
힘겨워하는 당신
무채색 투명함으로
자신을 찾게 하는
휴식 같은 친구 얼굴
오늘도 한 번 바라본다.

- 시 '밤하늘' 중에서. ■

3회 장려상을 수상한 김경원 선생은 서울대병원 진단방사선과 전공의로 근무 중이다. 김 선생은 공보의 생활을 하면서 "어떤 환자에게는 질병을 완치하는 것보다 이해하기 위해 노력하고 대화하는 것이 더 필요하다는 것을 느꼈다"고 수상소감에서 밝혔다. 요즘은 글을 통 못 쓰고 있는데 환자를 직접 볼 일이 없는 과라 그런 것 같다며 대신 정신과 의사인 아내에게 한미수필문학상 공모에 글을 내보라고 '압력'을 넣고 있단다. 공보의 기간 3년 중 파주보건지소에서 근무했던 2년간 글의 주인공인 시인과 가까이 지냈다.

뱃속의 아이에게 | 정혜원 |

"아가야, 엄마는 이 세상에 네가 태어날 거라는 것이 얼마나 축복인지 모른단다. 그러나 아직도 이 세상에는 엄마, 아빠의 사랑을 필요로 하고 있는 친구들이 많단다."

혼잡한 퇴근 길, 교통 방송을 듣기 위해 우연히 튼 라디오에서 입양을 권장하는 공익방송이 흘러나왔다. 작고 부드러운 음성이었지만 밖의 자동차 소음을 다 흡수해 버릴 정도로 강렬하게 내 귓속을 파고들어 왔다.

미혼모, 입양, 그리고 낙태.

한때 떠들썩하게 사회를 흔들어 놓았던 이슈였건만, 지금도 여전히 심각한 사회 문제고, 어쩌면 더 심각해지고 있는 상태다.

하지만 언제부터인가 무관심 속에 묻혀 종교에서조차 무시당하고 있는 우리 사회의 그늘. 과연 지금 우리 중에 누가 이 문제에 대해 여전히 심각하게 고민하고 괴로워하고 있는가?

요즘 드라마를 보면 너무 쉽게 아이를 가지고 버린다. 너무 쉽게 산부인과를 찾아가 너무도 쉽게 낙태를 하고 나온다. 그래서 우리가 이 문제에 대해 이토록 무덤덤한 것일까?

실제로도 쉽게 뱃속의 아이를 포기한다. 미혼모이기 때문에, 이혼을 하니까, 자신의 꿈을 위해, 아직은 아이를 가질 때가 아니니까, 그리고 아들이 아니니까 등 이유도 각양각색이다. 나름대로는 심각하고 또 이해할 만하다. 때로는 기형아 가능성이 높기 때문에 낙태를 결심하기도 하고 산모가 위험하기 때문에 아이를 포기하기도 한다. 방법도 예전에 비해 쉬워져 산모의 동의와 어느 정도의 타당성만 있으면 어느 산부인과에서도 시행 받을 수 있다. 바꿔 말하면 엄마의 마음가짐 하나에 달려 있는 것이다.

하지만 아직 이 문제는 옳고 그름에 논란의 여지가 많다. 의사 입장에 볼 때는 무조건 낙태를 반대하는 것은 옳지 않을 수 있다. 특히 산모의 생명을 위협하는 상황에서는 어느 것이 올바른 결정인지 판단하기 어렵다. 결국은 결과론적으로 판단되기 일쑤고 대개는 낙태를 하는 것이 옳다고 생각한다. 기형아가 예상되는 상황에서도 마찬가지이다. 나도 아직은 어느 것이 옳은지 혹은 그른지 단정 짓기 어렵다. 나름대로 각자의 타당성 있는 양심과 이유를 가지고 판단했을 테니까.

문득 7년 전 아이와 자신의 생명과 맞바꾼 어린 산모가 생각났다. 그녀와의 첫 만남은 찌는 듯한 무더위가 시작되는 8월 초 어느 아침이었다. 그날은 새벽부터 사람을 지치게 하는 날이었다. 걸을 때마다 이마의 땀방울은 한 방울씩 목을 타고 내려와 가슴 사이를 흘러 지나갔다. 시원한 바다 바람과 휴가 밖에는 생각나지 않는 그런 날 이었다. 병동 회진을 돌고 있는데 응급실에서 호출이 왔다. 내려가 보니 객혈 환자가 와 있었다. 왜 하필 휴가를 이틀 남겨 놓고 객혈환자란 말인가? 그것도 겨울도 아닌 한여름에. 하지만, 응급실에 내려가 환자를 대면하는 순간 짜증스러움은 간데없이 사라져 버렸다. 예상과는 달리 환자는 너무도 앳된 18세 여자아이였기 때문이었다. 이렇게 어린 나이에 무슨 객혈? 혹시 결핵인가? 하지만 임상 증상도 없었고, X-ray도 특별한 것이 없었다. 특별한 과거력도 없었다. 객혈양이 생각보다 많아 일단 응급처치를 하고 필요한 검사를 나갔다. 하지만 시간이 지남에 따라 급속도로 악화되는 양상을 보였다. 객혈은 점점 많아지고 산소 포화도는 기하급수적으로 떨어졌다. 중환자실로 옮겨 기도 내 삽관을 하는 수밖에 없었다.

그런데 중환자실로 옮기는 과정에 뜻밖의 사실이 밝혀졌다. 소녀가 현재 임신 중이라는 것이었다. 부모도 모르고 있던 사실이었다. 더 놀라운 사실은 이미 임신 8개월이 넘은 상태라는 것이다. 상태가 별로 좋지가 않아 환자 당사자에게는 많은 것을 물어 보지 못했지만 부모와의 면담 끝에 추측되는 바로는 집안끼리 가깝게 지내던 한 살 위의 남자아이가 있는데 이 아이와 관련되는 것 같았다.

생활에 찌들다 보니 부모는 아이의 임신 사실을 눈치 채지 못했고, 이 여자아이는 너무 소극적이라 자신에게 벌어진 이 엄청난 일을 부모에게조차 의논할 용기가 나질 않아 8개월 동안 임신을 복대 속에 꼭꼭 숨기고 있었던 것이다. 그러던 것이 아마 8개월이 넘어선 상태에서 지방색전증(fat embolism)이 발생해 이처럼 조절 되지 않는 객혈이 유발된 것이다.

마음이 착잡했다. 어린 나이에 임신한 것도 감당하기 힘들 텐데 이런 합병증까지 발생해 사경을 헤매다니. 여성으로 가질 수 있는 최대의 축복인 임신이, 이 아이에게는 오히려 삶을 송두리째 위협하는 최악의 독이 되어 버린 것이다.

이 순간, 우리는 확실하고 신속한 판단을 해야만 했다. 비록 뱃속의 아이도 하나의 생명이지만 그래도 18년 인생을 살아온 소녀의 생명과 맞바꿀 수는 없는 법, 어찌 됐든 소녀의 목숨을 살리기 위해서는 태어나 보지도 못한 생명을 포기할 수밖에 없었다.

이는 나를 포함해, 소녀와 관련된 의료진들의 공통적인 의견이었다. 하지만 그것도 쉽지 않았다. 낙태시키면 분명 상태가 호전될 것으로 예상되지만 임신 8개월이 훌쩍 지나버린 상황에서 낙태는 오히려 산모의 생명을 역으로 위협할 수 있다. 더구나 출혈량이 너무도 많아 혈압조차 유지되지 않은 상황에서.

출산 유도조차 기대하기 힘들었다. 임신 8개월이라 아이에게 치명적일 수 있다는 사실은 둘째로 치더라도 혈압이 불안정한 상황에서 출산을 유도하는 것은 소녀의 목숨을 담보로 하는 모험일 수밖에 없다. 하는 수 없이 닥친 상황을 임기응변하듯이 최선을 다해 생명을 유지시키면서 상태 호전을 기대하는 수밖에 없었다.

기도 내 삽관을 한지 2일째, 하지만 인공호흡기를 단 상태에서도 산소 포화도는 90%를 넘지 못했다. 평균 85% 정도의 산소 포화도만 유지할 뿐이었다. 쇼크 상태가 몇 번이나 반복되었는지 모른다. 낮은 산소 포화도, 천문학적인 수치로 투여된 약물들. 뱃속의 아이는 이미 기대할 수 없는 상황이었고, 산모의 생명이라도 살리기 위해 최선을 다하는 수밖에 없었다. 하지만 시간이 가도 회복의 기미는 찾아보기 힘들었다. 오히려 악화될 뿐이었다. 갈수록 소녀의 의식과 심장이 걱정되기 시작했다. 그래도 젊은 나이 덕택에 버티는 것이지, 고령의 노인이었다면 이미 사망했을 상황. 더 걱정되는 것은 다시 회생해도 뇌 상태가 정상이 되기 힘들어 평생 식물인간 상태로 보내게 될 수 있는 사실이다. 18세에 식물인간. 생각할수록 끔찍한 상황이었다. 어찌 되었던 우리는 최선을 다하는 수밖에 없었다.

그러던 어느 날이었다. 기도 삽관을 한 지 5일 째, 상황이 계속 내리막으로 치닫는 중 뜻하지 않는 일이 발생했다. 어린 산모는 그날따라 유난히 몸을 뒤척였고, 그럴 때마다 호흡기와 마찰을 보여 산소 포화도는 예측 불가능한 상태까지 떨어졌다. 할 수 없이 약을 투여하여 재우려 했으나 산모는 이에 반응하지 않았다. 무의식이지만 소녀의 얼굴은 고통으로 일그러졌다. 무엇이 이렇게 이 아이를 고통스럽게 하는가? 이러다 정말 넘어서는 안 되는 강을 넘는 것이 아닌가? 끝없이 초조해지기 시작했다. 하지만 아무리 찾아봐도 원인이 될 만한 단서를 발견할 수 없었다. 그렇다고 의식이 회복되고 있는 상황도 아니었다.

그러던 어느 순간 내 머리를 번개처럼 스쳐가는 생각이 있었다. '진통!' 그렇다. 어쩌면 진통이 오고 있는지도 모른다. 비록 8개월 밖에는 안 되었지만 며칠간의 엄청난 스트레스와 투여된 약물이 진통을 유발시켰을 수도 있다. 그렇다면…….

산부인과에 연락을 했다. 어찌됐건 진통이 왔다면 위험을 감수하고 분만을 유도하는 것이 순리인 듯 했다. 이번이 기회가 돼 어린 산모의 상황이 급변, 회복의 가능성을 기대해 볼 수 있을지도 모른다.

그 날 오후, 항시 죽음의 그림자로 덮여 있는 우울한 분위기인 중환자실 안에서 맑고 건강한 아기의 울음소리가 흘러 나왔다. 말로 표현 할 수 없는 희열이었다. 생명이 주는 신비로움이었다. 생사의 기로에 서있는 한 생명의 몸에서 건강한 새 생명체가 탄생한 것이었다. 예상 외로 아기는 매우 건강했다. 그 엄청난 스트레스와 치명적인 약물의 숱한 공격이 있었건만 아기는 건강하게, 그리고 사랑스럽게 태어나 생명의 빛을 환하게 내비추고 있었다. 뭐라 표현할 수 없는 감격이었고, 축복이었다. 이 사랑스러운 아이를 생명으로 인정하지 않고 마치 산모의 목숨을 위협하는 암종 취급을 했던 우리의 태도가 새삼 후회스러워졌다. 잘못된 판단으로 인해 이 사랑스러운 생명이 눈조차 뜨지 못하고 세상과 작별했을 수도 있다는 생각이 들자 죄책감을 넘어서 두려움까지 들었다.

우리가 무시했던 이 어린 생명은 불안과 좌절에서 허우적거리던 소녀의 가족을 포함해, 의료진들과 생사의 갈림길에 있었던 중환자실 환자들에게 잠시나마 희망과 기쁨을 안겨 주었다. 놀랍게도 그 사건 이후 어린 산모의 상태는 급속도로 호전됐다. 물론 의학적으로 충분히 예상한 상황이었지만 5일 남짓 사경을 헤매던 환자였다고 보기 힘들 정도로 정상에 가까울 정도로 회복돼 갔다. 분만 1일째 의식이 들었고, 다음날부터는 호흡기를 뗄 수 있을 정도로 산소 포화도가 좋아졌다. 분만 3일 째는 메모지를 통한 의사소통이 어느 정도 가능해졌다. 우리는 그녀에게 건강한 아이가 태어났음을 알려 주었다. 그리고 출생 직후의 아이 사진을 침대 앞에 붙여 주었다. 아직은 어린 소녀였지만, 자신의 생명을 위협하는 존재였던 아기를 바라보는 시선은 여느 어머니와 다름이 없었다. 따뜻하고 사랑 넘치는 눈빛으로 사진을 바라보았다. 그리고 아이에 대해 책임감이라도 느끼는 듯 강렬하게 삶에 대한 의지를 보였다. 그런 의지는 상태를 더욱 바람직한 방향으로 이끌고 있었다.

모든 일이 잘 풀려나가는 것 같았다. 하지만, 운명은 우리가 예상한 대로, 우리가 원하는 대로만 이끌리진 않았다. 의식을 회복한 지 7일 째 되던 날, 호흡기를 떼어 볼 수 있을 정도로 폐는 회복했지만 소변이 나오질 않기 시작했다. 염려했던 대로 너무도 오랜 허혈 상태가 결국 문제를 일으킨 것이다. 혈중 요소 수치는 급속도로 오르기 시작했고 심전도까지 이상을 보이기 시작했다. 투석을 하는 수밖에 없었다. 소녀가 너무도 측은했다. 어린 나이에 건장한 성인 남자도 견디기 힘든 상황을 이토록 비켜감 하나 없이 가혹하게 겪고 있다니……. 그녀의 운명이 너무도 잔인하게 느껴졌다.

투석은 이뤄졌다. 한 동안은 회복세를 보였고 안정을 찾는 듯 했다. 중환자실을 나서면 소녀의 어머니가 새로 태어난 영아를 사랑스럽게 안고 있는 모습이 종종 보였다. 마치 아기를, 사경을 헤매는 딸의 분신으로 생각하는 듯 했다. 그런 모습을 보고 있노라니 오히려 내 마음이 찢어질 듯 아려왔다. 그녀를 만난 지 3주가 넘어가고 있고, 이미 휴가는 포기한 상태였다. 며칠 밤을 새 몸이 천근만근이었지만 이런 모습을 보고 있노라니 도저히 환자 옆을 떠나 편안히 등을 침대에 대고 잠을 청할 수가 없었다. 환자 옆에서 엎드려 자거나 때로는 중환자실에 딸린 의사실 소파에 잠시 몸을 맡기고 눈을 붙일 뿐이었다. 이렇게 해서라도 그녀를 살릴 수 있다면 살리고 싶었다. 포기했던 아이도 건강하게 살았는데 산모를 잃을 수는 없지 않은가? 이대로 산모를 잃어버린다면 너무 아깝고 억울할 것 같았다.

하지만 사람의 생명은, 운명은 한낱 인간인 내 의지로서는 어찌할 수 없는 것이었나 보다. 지금까지는 교만하게도 내가 사람을 살릴 수 있는 능력이 있다는 자부심으로 살아왔는데 그녀의 존재는 그것이 착각이었음을 절실히 느끼게 해 주었다. 투석을 시작한 지 3일 만에, 갑작스럽게 발생한 심실 빈맥으로 너무도 허무하게, 그녀는 짧은 삶을 마감했다. 아마도 장기간의 허혈이 심장에 큰 부담을 주었던 것이고, 그것이 투석을 시작하며 혈압이 불안정해지자 더욱 악화되어 심장에 돌이킬 수 없는 타격을 됐던 것 같다. 도저히 포기할 수 없었던 나는 이미 의미 없는 줄 알면서도 세 시간이 넘도록 심폐소생술을 실시했다. 내 의사 생활을 걸고 싶을 정도로 절실하게 그녀의 회생을 원했다. 그러나 하늘은 허락하지 않았다. 심폐 소생술을 시작한지 4시간 30분이 넘어서야 그녀의 부모가 나를 만류했다.

"선생님, 이제 그만 그 아이를 편하게 놔 주세요. 그 아이도 그걸 원할 거예요. 이미 그 아이는 이렇게 다시 우리 곁에 와 있잖아요? 아이는 아마도 자신의 운명을 알았기에 우리에게 이렇게 소중한 선물을, 자신의 분신을 이렇게 남기고 떠났을 거예요."

"처음에는 하늘을 원망했지만 지금은 그렇지 않아요. 이렇게 다시 우리에게 새 생명을 안겨준 걸요. 이것만으로도 너무도 감사해요"

그녀의 죽음을 인정하고 싶지 않았던 나는 다시금 그 아이의 존재가 원망스러웠다. 아이가 태어났을 때의 희열과 감격은 다 잊은 채 다시금 낙태를 서두르지 않은 것이 후회스러웠다. 아기의 탄생을 그녀의 목숨과 맞바꾸었다는 생각에 너무도 안타까웠다. 그러나 환자 어머니의 태도는 날 혼란에 빠뜨렸다. 자식의 죽음을 지켜보는 것은 죽는 고통보다 더 할 텐데, 그녀의 어머니는 오히려 담담히 이를 받아들였다. 그 큰 슬픔을, 어린 아이를 보며 삼켜 버린 듯 했다. 아무리 손자라도 자식의 목숨을 희생해 얻은 생명인데 그래서 원망스럽거나 증오스러운 마음이 들만도 한데, 마치 그 마음을 이 아이를 위해 누르려는 듯 했다. 그저 자식의 죽음을 운명으로, 오히려 이 아이는 하늘이 주신 선물로 받아들이려는 듯 했다. 그때까지 아직 자식을 가져 보지 못한 나로서는 그런 태도를 받아들이기가 힘들었다. 하지만 건강하게 꿈틀대는 어린 핏덩이의 강인한 생명력은 그녀의 죽음을 만회할 수 있을 정도로 가치를 지니고 있음을 어렴풋이 느낄 수 있었다. 그렇게 무더웠던 8월은 지나갔다.

그로부터 7년이 지났다. 흘러나오는 라디오 방송에 나도 모르게 눈물이 흘렀다. 나도 모르게 배에 손을 가져다 댔다. 건강한 생명력으로 꿈틀대는 뱃속의 내 아이. 문득 7년 전 그 일이 생각나며 뱃속의 아이를 없애려고 했던 것이 새삼 후회스러웠다. 비록 세상으로 나오지는 않았지만, 이미 이토록 사랑스럽고 소중한 존재인데, 이렇게 뜨거운 생명력이 느껴지는데, 어떻게 그토록 쉽게 아이를 없앨 생각을 했을까? 소녀 어머니의 마음을 이제야 새삼 이해할 수 있었다.

의사라는 타이틀을 걸고 있는 사람이라면 누구나 한번쯤은 이런 문제를 경험했거나 아니면 고민해 보았을 것이다. 결국 낙태 찬성이냐, 반대냐의 최종 결정은 자기 가치관에 따라 다르겠지만, 나름대로는 의사로서의 양심을 가지고 판단했을 것이다. 하지만 분명한 것은 한 생명을 없애려는 데는 타당한 이유가 있어야 하고 절대 얕은 경험과 판단으로 쉽게 결정을 내려서는 안된다는 사실이다. 마지막 순간까지도 갈등하고 어떻게 하든 한 생명 앞에 양심적으로 충실해야 한다는 것이다. 비록 세상에 나오지는 않았지만 이미 너무도 신비롭고 소중한 한 생명이기 때문이다.

생명이 경시되는 요즘, 아이를 자신의 얕은 이기심에 쉽게 죽이고 쉽게 버리는 시대. 지금을 살아가고 있는 우리들은 한번쯤은 어린 생명체의 존귀함과 소중함을 진지하게 돌아보았으면 좋겠다. 그 생명이, 7년 전 한 소녀의 열여덟 해 삶과 맞바꿀 수 있었을 만큼 소중한 가치를 지니고 있음을 깨달았으면 좋겠다. ■

4회 장려상을 수상한 작품으로 글을 쓴 정혜원 교수는 용인세브란스 병원 내과 전임강사다. 당선 소식을 듣고 글을 다시 읽어보니 자신의 아이에게 감사한 마음이 들었다는 정 교수는 "뱃속의 아이가 꿈틀거리기 시작하면서 엄마가 된다는 사실을 실감하면서 잊었던 기억 속에서 어린 아기 엄마에 대한 안타까움이 더욱 밀려오더라"며 "이번 일을 계기로 기억 속의 환자들을 떠올리고 좋은 의사가 되겠다고 다시 다짐하게 됐다"고 밝혔다.

3장
의사, 사람,
그리고 사회

내 아버지의 약속 | 박종두 |

새벽 2시를 넘긴 강변북로를 달렸다. 한꺼번에 두세 대씩 추월하자, 엔진에서 굉음이 났다. 뒤처진 차들이 상향등을 번쩍거렸다. 열린 차창으로 바람이 차가웠다. 동작대교가 보이면서 무인속도감지기가 번쩍거렸다. 나는 급브레이크를 밟았다. 반사적인 동작이었다.

'이게 내 한계다.'

아버지와의 약속을 지키지 못한 게 벌써 5일째였다. 약속을 어기고 있다는 죄책감은 없었다. 그것은 죽음의 약속이었다. 의사로서 나는 무기력했다. 피붙이, 그것도 내 아버지가 죽는다는데 아무 것도 해줄 것이 없었다.

악성흑색종(malignant melanoma)이었다. 작년 4월에 광범위절제술(wide excision)을 시행했다. 그리고 올해 7월에 2차 중복(second primary) 흑색종이 인두(pharynx)에서 발견됐다. 8월에 수술을 계획하고, PET-CT 촬영을 했다. 우측 폐와 장간막, 그리고 뇌의 시상하부에까지 암세포가 전이되어 있었다. 모든 일정이 취소됐다.

협진을 했던 종양내과의 은사가 나를 불렀다. 냉방이 잘되어 연구실은 서늘했다. 얼마 남지 않았으니 편하게 해드리라고, 딱 두 마디였다. 나는 한참 동안 교수 연구실의 방바닥을 보고 있었다. 콘크리트 바닥에 검은 돌이 유달리 눈에 밟혔다.

8월 말부터 원자력의료원에서 방사선 치료를 받았다. 아무런 차도가 없었다. 9월 중순부터 아버지는 밭은기침을 했다. 9월 말에 추석이랍시고 나라가 통째로 들썩거렸다. 우리 가족은 충청도의 종친들을 피했다. 고향을 등진 뒤 중추 명절을 건수하지 못한 게 처음이라고, 아버지가 가래를 뱉으며 읊조렸다. 피가 섞여 나왔다.

"죽지도 않는다. 숨 쉬는 것이 안 쉬는 것만큼 힘들어."

아버지는 10월 말부터 내가 근무하는 병원에 모셨다. 내과 선배에게 터미널 케어(terminal care)를 부탁했다. 아버지의 오른쪽 폐로 악성 흉수액이 계속 차올랐다. 숨쉬기가 힘들면 입원했다. 고농도 산소로도 호흡곤란은 여전했다. 흉막 천자를 하면 하루 정도 편했다. 그러다 병원이 지겨우면 퇴원했다. 누구도, 무슨 말도 하지 않았다.

병원 2층인 내 진료실과 3층 아버지의 입원실과는 직선거리로 10미터였다. 입원 중에 나는 어머니와 교대로 아버지를 돌봤다. 하루에 두세 시간을 잤다. 혓바늘이 섰다. 입술이 헤졌다. 나는 그러나, 평소보다 더 열심히 진료했다. 목이 잠길 정도로 많이 설명했다. 미소를 지으려 노력했다. 탄생의 기쁨을 설법(說法)하는 산과 의사로서 나를 믿고 찾아오는 산모들의 기대를 저버릴 수 없었다. 나는 어두운 마음으로 기쁘게 환자를 보았다. 그래도 가끔은 힘들었다. 깐깐하게 구는 환자들이 야속했다. 하지만, 환자들이 내 사정을 어떻게 안단 말인가. 나는 저들의 의사일 뿐, 다만 의사일 뿐……. 오후 5시 반이 넘어 진료가 끝나면 공허했다. 마음속으로 썰물이 빠져나간 듯했다.

11월이 되자 아버지는 누워서 대소변을 보셨다. 암세포는 아버지의 뱃속에서도 자랐다. 아버지의 배가 개구리 배처럼 팅팅 부었다. 복압이 상승하면서 하루에도 10번 이상 대변이 나왔다. 어쩔 수 없이 1회용 성인기저귀를 채

웠다. 아버지는 아무 말씀도 안 하셨다. 가슴팍까지 붉게 물들어 가쁜 숨을 몰아쉬었다. 오히려 어머니의 눈시울이 젖어들었다. 어머니를 돕던 내 손길이 아버지의 샅을 스치자 아버지가 고개를 모로 틀었다. 그 몸짓에 절망이 가득했다. 갑자기 내 눈가로 더운 기운이 쏠렸다. 나는 당황했다. 아직은 울 때가 아닌 것 같았다. 창문을 통해 하늘을 보았다. 다른 생각을 했다. 하늘엔 몇 조각 새털구름……. 눈물은 나오지 않았다.

빠아앙…….

요란한 경적을 울리며 트럭 한 대가 지나쳤다. 차가 심하게 흔들렸다. 생각에 골몰해 차선을 벗어났던 모양이다. 갑자기 피곤이 몰려왔다. 나는 운전대를 고쳐 잡았다. 머리를 흔들어 정신을 차리려 했다. 아버지가 생각났다.

이틀 전부터 아버지가 혼미(stupor)상태였다. 아버지의 곁에서 밤을 새우고, 다음날 하루 종일 진료 보는 일은 힘에 부쳤다. 육체적으로도 그랬지만, 환자들을 대하는 것 자체가 고통스러웠다. 난 의사로서 내가 하는 일에 처음으로 회의를 느꼈다. 죽어 가는 아버지를 바라보며 환자들에게 삶의 용기와 희망을 말한다는 것이 위선(僞善)같이 느껴졌다. 게다가 지난번 아버지를 입원시키면서 아버지와 했던 약속 때문에 나는 아버지를 대면하는 것이 두려웠다.

"내 말 잘 들어라. 이번에 입원하고, 하루만 지난 다음, 나를 죽게 해다오. 꼭, 꼭이다. 약속해다오."

약속하지 않으면 입원하지 않겠다는 아버지. 가시는 길 편히 가시게 하겠다는 나. 애초에 승부는 나 있었다. 그런데 일단 약속을 받아들이자 아버지는 나에게 약속의 이행을 요구했다.

"약속을 지켜줘."

낮고 음산한, 그러나 단호한 목소리였다. 암세포가 전신에 퍼져 단말마의 고통으로 혼미한 정신 속에서도 아버지는 그렇게 속삭였다. 죽여줘, 죽여줘, 죽여줘, 제발.

어머니는 아버지가 그런 말을 하면 먼저 울기부터 하셨다. 나중에는 버럭 화를 내고 자리를 박찼다. 아버지는 그런 어머니 앞에서 함구했다. 하지만, 어머니가 잠시라도 자리를 비우면 아버지는 내 귓가로 속삭였다. 그것은 죽음의 속삭임이었다. 나는 아버지가 무서웠다. 나는 아버지가 미웠다. 그리고 난 아버지를 살해하는 판타지에 시달렸다. 염화칼륨, 모르핀, 바륨을 정맥주사 하거나, 심지어는 손을 뻗어 목을 조르는, 그런 악몽에서 깨어나면 나는 죄책감에 몸을 떨었다.

환자를, 그것도 내 혈육, 내 아버지를……. 환자의 고통을 자신의 일부로 받아들이고, 영혼의 평안까지 책임지겠다던 내 안의 젊은 의사(醫師)는 아버지가 배설해 놓은 검붉은 피똥처럼 수거용 쓰레기봉투 안으로 기어들었다. 이런 내가 의사랍시고……. 하지만 나는 울 수 없었다. 나는 욕먹고 싶었다. 눈물이 흘러 그것이 혹시라도 내 흉악한 진실을 희석시킨다면 나는 죽지도 못하리라. 내 오욕(汚辱)은 끝이 없었다.

그렇게 강변북로에서 동부간선도로로 접어들 때였다. 느닷없이 핸드폰이 울렸다. 11월 28일 새벽 2시 반이었다. 난 예감을 믿지 않는다. 그러나 휴대전화 멜로디의 첫 소절이 끝나기도 전에 난 아버지의 죽음을 직감했다.

막내 숙부(叔父)가 아버지의 마지막을 지켰다. 주무시듯 편안하게 임종하셨다고, 곤하게 주무시는 줄 알았다고 숙부가 말씀하셨다.

새벽을 달려온 어머니가 호곡(號哭)했다. 지난 몇 달 동안 하루도 빠지지 않고 아버지를 수발했던 어머니였다. 그런데 임종의 순간에 손잡아 드리지 못했다고, 이럴 수가 있느냐고, 어머니는 당신의 가슴을 쳤다. 아버지의 얼굴을 어루만지는 어머니의 손끝이 부들부들 떨렸다. 회한(悔恨)이 새벽을 갈랐다. 뒤이어 누나와 여동생들이 크게 소리내 울자 숙부가 제지했다.

아버지는 과연 편안해 보였다. 지난 10월 이후 그런 모습은 처음이었다. 마음이 놓였다. 다행이다 싶었다. 수시(收屍)를 많이 해본 숙부는 계속해서 아버지를 쓰다듬었다. 아버지를 영안실로 안치하는 동안에도 숙부의 손놀림은 진지하고, 노련했다. 영안실에서 아버지의 얼굴로 모포를 뒤집어씌울 때 어머니가 비틀거렸다. 급하게 부축하자, 어머니가 나를 끌어안고 울었다. 어머니의 떨림이 가슴으로 전해졌지만 나는 울지 않았다.

그렇게 새벽이 지났다. 향탁에 만수향을 피웠고, 영정을 모셨다. 어느 틈에 근조화환이 몇 개 들어왔다. 산부인과 의국 동문회와 동생 회사 명의였다. 이제 완연한 상가였다. 오전 10시쯤 나는 친지들과 친구들, 병원 선생님들께 부고를 보냈다. 전화를 하면서 문득 내가 눈물 흘리지 않음을 알았다. 짧은 순간 나는 고민했다. 역시 내가 불효자구나. 아픈 각성이 서럽게 가슴을 후볐다. 그래도 눈물은 여간해서 나오지 않았다. 문상객들을 맞아 수백 번을 절했다. 그렇게 장례 첫날이 지났다.

다음날은 월요일이었다. 기독교식 입관의식이 목사님의 일정 때문에 오전 11시로 연기되었다. 8시가 조금 지나자 출근을 하던 병원 분들이 분향실을 찾았다. 수련의 최 선생이 오전 9시에 제왕절개 수술이 있다고 알렸다. 내가 상중이니, 수석과장님께 수술을 부탁드린다고, 최 선생은 알았다고 고갯짓을 했다. 그러자 옆에 계시던 숙부가 말했다.

"상주는 가서 수술하고 오시게."

나는 내가 무엇을 잘못했냐고 반문했다. 괜한 자격지심이 불끈거렸다. 아무리 내가 그렇다지만 상주가 빈소를 지켜야 하지 않느냐고……. 나는 화냈다.

숙부가 반듯이 나를 바라보았다. 아직 입관의식이 남아있고, 염습(殮襲) 후에 성복(成服)하는 게 집안 법도이니 예전(禮前)에 그런 일은 가능하다 말했다. 또한, 그것이 나를 믿고 몸을 맡긴 산모에 대한 예의라고, 망자도 당신 자손이 제 할 일을 다 하는 모습을 보고 싶을 것이라고. 일리가 있었다. 처음의 황당했던 마음이 누그러졌다. 말씀대로 하겠다고 빈소를 나왔다. 그러나 사실 내 마음은 그게 아니었다. 수술실이든 진료실이든 어디든 가서 쉬고 싶었다. 나는 70시간 이상을 누워보지 못했다. 다리가 휘청거렸고, 머리가 터질 듯 아팠다.

수술실로 들어오니 수련의 선생님들이 놀랐다. 나도 어색했다. 나는 바로 전날 상을 당한 죄인이었다. 부끄러움으로 얼굴이 수술복 안으로 한없이 빨려 들어가는 기분이었다.

"어머, 선생님. 말씀 들었는데요, 감사합니다."

산모가 인사했다. 전치태반 때문에 제왕절개를 하는 산모였다. 태반이 자궁경부를 완전히 덮고 있어서 수술은 위험했다. 피를 다섯 파인트나 준비했다. 출혈이 멈추지 않으면 자궁을 들어낼 수도 있다는 특별수술승낙서를 쓴 상태였다.

수술대에 누워 산모가 웃었다. 그 미소는 광배(光背)처럼 산모의 온 얼굴로 퍼졌다. 그것은 안도의 빛이었다. 산모는 나를 만났다는 이유 하나만으로 저렇게 기뻐하는 것이다. 무영등 불빛만 잔인하게 빛나는 절해고도 같은 수술실에서 산모와 나만 남은 것 같았다. 나는 수술을 다른 사람에게 맡기고 쉬려던 계획을 포기했다. 문득 운명이라는 단어가 떠올랐다.

아기가 울고 있었다.

조산사의 손에 옮겨져 아기는 악을 썼다. 북소리처럼 큰 울음이었다. 그 소리는 아름드리 느티나무에 가득 붙은 매미 떼가 한꺼번에 울어대는 듯 힘찼다. 그 힘찬 울음소리의 강물 위에서 나는 수술을 했다. 그것은 마치 오래된 데자 부(deja vu)처럼 내게 익숙한 풍광이었다. 거기에는 암세포가 없었다. 숨이 막혀, 죽여 달라는 죽음의 속삭임도 없었다. 어머니의 회한과 오열, 살부(殺父)의 악연을 피하려는 내 빛바랜 염원도 모두 없었다. 갑자기 수술 시야가 뿌옇게 흐려졌다. 나는 그렇게 울고 있었다. ■

4회 대상을 수상한 박종두 과장은 아버지를 잃고 나서 그 힘든 기간을 이겨내기 위해 일과 글쓰기에 몰두했다면서 "아버지 살아생전에 제대로 한번도 못해본 쑥스러운 말을 하고 싶다"며 "아버지, 죄송합니다. 그리고 , 사랑해요"라는 절절한 수상 소감을 보내왔다.

시간이 굽이치는 길목에 서서 | 김우석 |

차가운 겨울아씨의 치마 속에서 아직 늦가을의 향기가 느껴지는 때. 하늘은 시리도록 푸르고 거리에는 노란 은행잎들이 바람에 따라 나부낀다.

내가 있는 병원 앞에는 은행나무가 많아, 길을 걸으면 가을바람과 함께 떨어지는 은행잎들이 겨울아씨가 파란 도화지에 노란 물감을 흩뿌리는 듯하다. 이럴 때는 따뜻한 차 한 잔과 함께 스스로를 돌아보는 것도 좋을 것 같다. 지나간 추억들, 생을 논하고 철학을 얘기했던 친구들, 술 한 잔 기울이며 밤새워 얘기 나누던 선배와 후배들.

추억의 돌담을 더듬다보면 그 담 한 모퉁이에 또렷이 새겨진 후배가 있다.

K는 내 대학후배이자 동아리 후배였다. 키가 크고 잘 생기기도 했지만 사교성이 좋아 선후배들에게 모두 인기 있었다. 운동을 좋아해서 나와 같은 농구동아리에 있었지만 산악부에 들어가 산을 타는 것도 즐겼다. 운동을 한 후 샤워장에서 장난을 하며, 학교 뒤편에서 김치를 안주 삼아 술을 마시며, 취기가 오르면 함께 목청 높여 노래하면서 우리는 하나가 되었다. 누구에게나 즐거운 시절은 바람처럼 빨리 지난다. 그렇게 우리의 학창시절도 지나갔다.

시간은 흘러 나는 외과전공의가 되었다. 누구나 그렇듯 잠이 모자랄 정도로 바쁜 외과전공의 생활로 과거 동아리활동이나 후배와의 관계는 잠시 접어둔 채 4년을 보내게 된다. 그렇듯 망각의 어둠 속에 잠시 묻어둔 K의 모습을 전혀 뜻밖의 장소에서 마주치게 되었다.

당시에 나는 이식수술파트에 있었다. 이식수술은 장기 기능이 완전히 떨어져 다른 치료가 불가능할 때 행해지는 치료다. 또한 정상 장기를 이식하는 수술이기에 장기를 주는 사람이나 받을 환자 모두에게 위험이 따르는 수술이기도 하다. 신장은 사람마다 2개가 있으므로 가족들에게나 타인에게 이식을 받는 것이 가능하지만 간이나 심장의 경우는 하나밖에 없는 장기이므로 장기를 이식하는 순간 장기를 주는 사람은 생명을 잃을 수밖에 없다. 지금은 생체간이식수술이 보편화되어 있지만 당시에는 간이식이나 심장이식수술을 위해서는 뇌사자에게서 장기를 받아야했기 때문에 장기를 기증할 사람이 부족한 실정이었다. 또한 장기 기증의사가 있다하더라도 이식할 장기가 건강해야 하며, 뇌사상태에서 시간을 끈다면 장기의 상태가 나빠질 수 있기 때문에 시간을 아끼는 것이 매우 중요했다. 그래서 만일의 경우를 대비해 항시 대기상태로 있어야 했고, 간을 이식해 줄 환자(뇌사상태의 환자)가 있다면 즉시 수술준비에 들어가야 했다.

어느 날 사고로 추락한 뇌출혈 환자의 보호자가 환자의 간을 이식할 의향이 있다는 전화를 받고, 신경외과 중환자실로 부리나케 달려갔다. 그날따라 유난히 중환자실의 심전도 기계소리가 신경 거슬리게 울리고 있었고 한쪽구석에는 한 젊은 환자가 인공호흡기를 단 채 조용히 눈을 감고 있었다. 대학외과의사라는 특성상 혼수상태 환자는 자주 볼 수 있지만 이식을 할 환자의 모습은 또 다른 느낌으로 다가온다.

뇌사는 비록 뇌가 소생할 수 있는 가능성이 없고 인공호흡기에 생명을 의지할 수밖에 없다고 하더라도 죽음의 상태는 아니다. 하지만 이식수술이 결정되고 수술이 시작되면 환자는 완전한 죽음을 맞게 된다. 삶에서 죽음으로 들어가는 중간단계의 모습. 이러한 모습을 가장 가까이서 지켜본다는 사실은 항상 미묘한 감정과 죽음에 대한 의문을 나에게 던지곤 한다.

사실 이런 경우는 항상 안타까운 마음으로 환자를 보게 되는데 그 환자를 보는 순간 약간의 충격을 느낄 정도로 놀랐다.

K! 참으로 오랜만에 보는 후배였다. 항상 웃음 짓던 입가를 인공호흡기가 가리고 있었고, 정겨운 목소리 대신 심전도 기계음이 내 귀를 울렸다.

암벽등반을 하다가 추락한 것이다. 뇌출혈로 수술을 하게 됐고 수술 전부터 뇌손상과 출혈이 심하여 수술 후 의식이 돌아오지 않은 것이다. K의 아버님은 의사였는데 자식 중에서 유일하게 가업을 이을 수 있게 의대에 들어간 아이가 K였다. 슬픔이 크셨을 것이다. 그렇더라도 왜 아들의 장기를 이식할 결심을 하셨을까? 아마 아버님으로서는, 어차피 떠날 목숨이라면 의학도답게 조금 더 가치 있는 죽음을 맞게 하고 싶으셨는지도 모르겠다. 하여간 아버님은 장기기증 의향을 밝히셨고 우리 팀에 연락이 온 것이다.

이식은 장기를 제공하는 환자가 죽음을 맞게 된다는 점에서 뇌사의 판정이 엄격하다. 일정시간 동안 뇌파의 움직임이 없어야하는 외에도 수십 가지의 조건을 만족해야만 하며 담당전문의 외에 전문의 두 명이 모두 뇌사 판정에 동의해야한다. 하지만 이러한 결정에 필요한 시간의 흐름은 이식할 장기가 손상될 수 있는 근거가 된다.

검사가 진행될 동안 환자의 장기에 손상이 일어나지 않도록 상태를 적절하게 유지하는 일은 쉬운 일이 아니다. 더구나 예기치 않게 판정이 지연될 경우는 더욱 그러하다. 따라서 정확한 판정도 중요하지만 동시에 가능한 한 빠른 시간 내에 판정을 내리는 것도 중요하다. 판정이 지연되면 이식할 장기의 손상 가능성이 커지고, 손상이 일어나면 이식수술을 못하게 되어 아픔을 감수한 보호자의 결정은 덧없이 되어 버릴 수 있기 때문이다. 또한 이런 일로 이식수술을 못하게 되었을 때 이식수술을 위해 대기하고 있던 환자의 실망감도 말로 못할 만큼 커진다.

신경외과 중환자실은 평소의 모습과는 달리 조용했다. 간호사들이 환자를 돌보는 모습도 스크린 속 영화처럼 조용하게 흐르고 있었다. 아니 평소와는 똑같은 모습이 내게만 그렇게 비춰졌는지도 모르겠다. K의 어머님은 떠나보낼 아들의 모습을 보기 힘드셨는지 보이지 않았다. 아버님만이 담담하게 이식수술을 담당하실 과장님과 이야기를 나누고 계셨다.

수술동의서. 단지 검은 잉크에 물들여진 한 장의 종이에 불과한 것이지만 사인을 하시는 아버님의 손은 미미하게 떨리고 있었다.

환자의 상태가 좋지 않은 경우, 이식할 장기도 시간이 흐를수록 상태가 나빠지므로 시간을 아끼는 것은 매우 중요하다. 따라서 수술준비는 환자보호자의 승낙과 함께 바로 시작된다.

K의 뇌사판정이 시작되고 동시에 수술준비도 시작되었다. 수술부와 마취과, 그리고 외과가 하나가 되어 바쁘게 움직였다. 기본적인 혈액검사와 이식할 장기 상태를 파악하고, 여러 반사반응과 뇌파검사가 시행되었다. 이식수술을 받기 위한 환자도 병원에 도착했고 수술을 위한 준비가 진행되었다. 간이식을 받을 환자가 먼저 병원에 도착하고 뒤이어 신장이식을 받을 두 명의 환자도 도착했다. 각자의 담당주치의들은 수술준비를 시작했고, 중환자실에서도 수술 후 간호하게 될 이식환자를 위해 바쁘게 준비하고 있었다. 수술을 위한 카운트다운이 시작된 것이다.

K가 뇌사상태라는 사실은 그 시간까지 당연시되었다. 다만 완전한 판정을 위해 정규적인 검사가 시행되고 있을 뿐이었다. 그 때 잠시, 아주 짧게 뇌파의 반응이 보였다. 그리고 다시 반응이 없었다.

판정을 위한 각 과의 과장님들이 다시 모였다.

뇌사상태판정 유보, 수술취소.

갈등이 있을 수도, 있어서도 안 되지만 이럴 때 미묘한 감정의 변화가 인다. 이것으로 이식을 못하고 그냥 후배가 죽을 수 있는 것이다. 죽음을 앞둔 아들 앞에서 조그마한 가치나마 살리고 싶은 아버님의 뜻도 힘없이 꺾이는 것이다. 두 번 죽이는 일이 아닐까하는 생각이 들기도 한다. 이식을 받으면 살 수 있다는 기대감에 차 있던 환자는 더욱 큰 실망감에 휩싸인다. 이런 경우 겨우 견디고 있는 병마와의 싸움에서 힘을 잃는 경우도 있다. 이럴 때면 차라리 이식결정을 하지 말았더라면 하는 생각도 든다.

아주 짧디 짧은 뇌파의 움직임……. 이런 경우라면 뇌사라고 인정해도 되지 않을까? 당시 사실 나는 그런 생각을 했다. 인공호흡기에 의지한 채 의미 없는 삶을 사느니보다 차라리 가치 있는 죽음이 낫지 않을까? K가 지금 말을 할 수 있다면 그렇게 이야기하지 않을까? 과연 내가 저기에 누워 있다면, 그리고 내 의지대로 결정할 수 있다면 나는 어떻게 했을까?

결국 그 날 수술은 취소되었다. K는 인공호흡기에 의지한 채 아무런 움직임이 없었고 다시 시간은 흘렀다. 이식파트에서의 내 시간은 끝나고 다른 파트에서의 바쁜 시간이 시작됐다. 그렇게 다시 K의 기억은 잊혀져 갔다.

그러던 어느 날 K가 눈을 떴다는 소식을 들었다. 한달음에 달려간 중환자실에서 본 그의 눈은 분명 나를 보고 있었다. 비록 말을 할 수 없었고, 사람도 알아보지 못했지만 K는 분명 눈을 뜨고 있었다. K의 주치의였던 동료가 옆에서 중얼거렸다.

"정말 살아날 줄은 몰랐어."

생명의 신비로운 힘은 어디까지일까? 생각지도 못했던 환자가 갑자기 심정지가 와서 숨을 거둔 경우도 있었다. 소생 가능성이 없다고 생각했던 환자가 마침내 완쾌되어 웃음을 짓는 모습도 보았다. 톨스토이의 작품에서 보듯 삶과 죽음의 시간을 안다는 것은 아직 우리에게는 허용되지 않은 지혜의 공간에 있는 것인지도 모른다.

K의 경우는 이식수술을 바로 앞두고 수술이 취소되었다. 그리고 마침내 눈을 떴다. 예측하는 사람은 없었지만 혹시 모르는 일말의 가능성이 그에게 일어난 것이다.

그 때 그냥 이식수술을 했더라면······. 생각조차 하기 싫은 일이지만 살아날 수 있는 생명의 끈은 완전히 끊어져 버렸을 것이고 그 사실은 어느 누구도 몰랐을 것이다. 하나의 생명을 구하기 위해 다른 또 하나의 생명이 희생되어서는 안 된다. 하지만 어차피 사그라질 생의 촛불이라면 다른 생명을 구하기 위해 남은 심지를 잘라 줄 수는 있을 것이다. 하지만 곧 꺼질 듯한 생의 촛불이라도 완전히 사그라질지 다시 피어날지를 판단하는 것은 참으로 힘들다.

시간은 흘러 K가 퇴원했다는 소식이 들렸고 바쁜 전공의 생활에 빠져 그에 대한 일도 다시 기억 저편에 잠겨들었다.

전문의가 되고 추억어린 군의관 생활.

군 생활이 끝나고 나는 대구 근교 중소병원에 취직해 외과과장으로 근무하게 되었다. 출근 첫날, "똑똑" 노크소리와 함께 "형, 오랜만이네요"하고 들어온 사람은 바로 K였다.

"1년 전에 의사시험에 합격했어요. 하지만 인턴생활을 하기에는 조금 겁도 나고 해서 아버님 병원에서 실습하고 있어요. 형! 많이 가르쳐 주세요"

조금 살이 붙은 그의 모습은 건강해 보였다.

신임과장을 환영하기 위한 회식 날.

K와 가까운 분에게 이후의 이야기를 들을 수 있었다. 오랜 병원생활이 끝나고 퇴원은 하였지만 당시 K는 걸음도 제대로 걷기도 힘든 상태였다. 매일 산에 올라가 걷기 연습부터 시작한 모양이었다. 걷다가 넘어지고, 다시 걷다가 넘어지고······.

신은 인간이 이길 만한 고난을 주신다고 했던가? K는, 조금씩 걸음을 딛게 되고 어느 정도 걸어 다닐 수 있을 즈음 다시 의대에 복학했다. 하지만 기억력에 장애가 있어 학과공부에 한계가 있었지만 그만큼 더 열심히 공부한 모양이었다.

의사국가고시! 다들 불가능하다고 생각했던 그 시험에 보란 듯 합격했지만 인턴생활을 하기에는 K도 힘들어했고 병원도 난색을 표했다. 그 무렵 의사이셨던 아버님이 병원을 세웠고 K는 병원실습을 겸해 아버님의 병원에서 일을 돕고 있었다.

오랜만에 보는 K의 모습은 건강해 보였다. 하지만 아직까지 기억에 장애가 있고 미세한 손의 움직임이 잘 되지 않는다고 하였다. 사실 처음에는 잘 몰랐지만 말을 할 때도 약간의 어색함이 있었다.

K는 자신의 모자람을 채우기 위해 열심히 노력했다. 손가락의 움직임을 위해 클래식기타를 배우고 여기저기 쫓아다니며 환자와 이야기도 하고, 내가 회진을 돌 때는 나를 따라다니며 궁금한 것을 묻기도 하였다. 수술을 할 때도 수술하는 나의 옆에 서서 열심히 지켜보곤 했다.

환자에게는 실력이 있는 의사보다 따뜻한 마음을 가진 의사를 필요로 할 때가 더욱 많다.

비록 K가 지금 있는 장애를 완전히 극복할 수 없을지도 모르고, 훌륭한 실력을 가진 의사가 못 될지는 모르지만 마음이 따뜻한 의사는 될 것이다. 죽음의 문턱에 서 본 사람만이 진실로 생의 기쁨을 느낀다고 했던가?

그러나 의사이지만 의사의 일을 못하는 자신의 모습에서, 알게 모르게 느껴지는 간호사들의 미묘한 시선들 속에서 갈등이 심한 모양이었다. 처음에 모든 일에 열심이었던 모습과는 달리 멍하니 앉아 있기도 했고 주위사람들에게 신경질도 심해지고 엉뚱한 일도 벌이곤 했다.

햇살이 따사롭던 5월이었던 것 같다.

아침에 환자를 회진하고 있는 중이었는데 뒤에서 느린 걸음으로 따라오는 K를 보았다.

"힘들지? 아직까지 몸도 마음 같지 않고, 조그마한 봉합술도 마음먹은 대로 잘 안되고……하지만 네가 겪었던 일은 너 외에는 아직까지 겪어본 사람이 없다. 수많은 환자를 보고 수많은 수술을 경험한 의사도 네가 겪었던 경험은 해 본적이 없어. 그만큼 너는 환자의 마음이 어떤지, 생명이 있는 하루하루의 삶이 얼마나 고맙고 아름다운지 느낄 수 있을 거야. 그것이 앞으로 살아갈 너에게 얼마나 도움이 될지는 너에게 달려있다. 네가 그 경험을 기억하고 키울수록 너는 분명 멋진 의사가 될 수 있을 거다."

회진이 끝나고 병실 앞 의자에 앉아 K에게 건네준 말이다. 풀이 죽은 듯 그의 모습이 안쓰러워 해주었던 그 말이 다소 위안이 되었는지 K의 얼굴에 미소가 번졌고, 그 모습은 나에게 봄날의 사진처럼 따스하게 기억에 남아있다.

다음 해에 K는 어느 병원에서 인턴생활을 시작했다. 그 무렵 나도 그 병원을 그만두게 되었고 다시 K와의 연락은 끊어졌다.

4년이 지난 후 공항에서 K를 만났다. 서울학회에서 돌아오는 길이었는데 K도 학회에 참여했다가 오는 길이라고 했다. 지금은 산업의학과 전공의로 근무한다고 했다. 직접 환자를 보는 것에는 스스로 한계가 있다고 생각했던 것일까? 나로서도 올바른 판단이었다고 생각된다. 결혼은 했다고 했다. 아이는 둘이 있다고 했던가? 기억이 잘 나지 않지만 행복한 결혼생활을 하는 것 같았다.

글을 쓰는 동안 창 밖의 은행잎이 바람에 실려 책상머리에 앉았다. 햇살은 노란 잎에 살짝 앉았다가 다시 나뭇가지 사이로 올랐다.

살아가는 동안 잊어버리고 사는 것이 많은 것 같다. 눈을 들어 하늘을 보고 다시 내려 주위를 둘러보면 평소에 보이지 않던 모습들이 보인다. 아파하는 사람들, 죽어가는 사람들. 그리고 그런 사람들 주위에서 내게는 그런 일이 일어나지 않을 듯 정신없이 앞만 보고 뛰는 사람들. 아픈 이들을 가장 가까이서 보는 우리도 그들과 우리를 다른 선상에 놓고 본다. 그들이 아프듯 나도 아플 수 있고 그들이 세상을 떠나듯 나도 언제든지 떠날 수 있다. 작은 지식의 상자를 가지고 우쭐거리지 말고 큰 지혜 앞에 겸손할 줄 알아야겠다. 우리 주위에는 아름답고 소중한 것들이 참으로 많다. K를 생각하면 주어진 시간에 더욱 열심히 살고 싶어진다. ■

 4회 장려상 수상작품이다. 김우석 원장은 포항태항외과를 개원하고 있으며, 글의 주인공인 김태완 선생은 한 종합병원에 산업의학과장으로 일하며 두 아이의 아버지이자 의사로 생활하고 있다. 김우석 원장은 직업은 경제적인 면도 있지만 자기 가치관을 실행하는 한 수단이라고 믿으며 자부심을 갖고 환자를 보고 있다.

어머니, 아들입니다 |조수근|

어머니, 아들입니다.

방금 시골집으로 잘 들어가셨다는 전화 받고 걱정을 덜었습니다. 대구에서 일찍 출발하셨다는데 아버지 말씀으로는 아직 들어오지 않았다고 하셔서 걱정하던 중이었습니다. 할머니 제사 지낼 장을 봐오시느라고 늦었다는 어머니 말을 직접 듣고 나니 안심이 됩니다. 그럴 리는 없겠지만 혹시나 또 쓰러지신 건 아닌지 걱정을 했더랬습니다.

올 여름에 어머니께서 쓰러지셨다는 형님의 전화를 받고 얼마나 놀랐는지 모릅니다. 새벽에 걸려오는 전화라 왠지 불안한 마음으로 받았는데 그게 어머니께서 쓰러지셨다는 내용이어서 더더욱 당황스러웠습니다. 얼마나 당황을 했던지 시골집으로 전화를 한다는 것이 다른 곳에 전화를 넣는 실수를 다 하지 않았습니까? 엉뚱한 사람이 잠결에 전화 받는 걸 이상하게 생각해 아버지마저 잘못 되신 걸로 착각을 하고는 동네 이장님 댁까지 제가 전화를 넣어온 동네를 들쑤셔 놓았으니 말입니다.

'벌써 이런 일이 내게 생기다니…….'

언젠가는 생길 수밖에 없는 일이지만 생각하기도 싫은 일이 벌어지는 건 아닌지 얼마나 마음 졸였는지 모릅니다. 다행히 MRI 검사에서도 별다른 징

227

후가 없고 저혈당으로 원인이 밝혀지긴 했지만 처음 전화를 받았을 때에는 얼마나 가슴을 쥐어뜯으며 원통해 했는지 모릅니다. 저는 어머니, 아버지와 이제 겨우 30년을 같이 살아왔을 뿐입니다. 아직 제 자리를 못 잡았다는 핑계로 효도 한번 제대로 못했는데…….

쓰러지시기 전날 어머니께서 속이 불편하다고 저녁식사를 거르시고는 당뇨 약만 드셨다는 말에, 그래서 저혈당으로 쓰러지셨다는 말에 또 얼마나 제 자신을 원망했던지요. 10년이 넘게 조절해오시던 당뇨라 식이 조절과 약 복용법에 대해서는 잘 아시리라 믿고 주의를 환기시켜 드리지 못한 제 탓에 어머니가 저혈당으로 쓰러지신 걸 생각하면 저를 찾아오는 환자들 볼 면목이 없을 지경입니다. 또 한편으로는 10년을 넘게 다니신 의원에서 왜 어머니께 당뇨 약에 대한 일반적인 주의사항을 설명해 주지 않았을까 원망이 되기도 했습니다. 그러다가 혹시 저는 제 환자들을 얼마나 세심히 보살폈던가, 반성도 해보았습니다. 좀 어지럽고 기운이 없는 것 같다고 호소하는 환자들의 이야기를 흘려듣지는 않았는지 약을 잘 챙겨 먹지 않는 환자에게 잔소리나 늘어놓았지 그 속사정을 살펴 본 적이 있는지, 지금의 제 모습이 학교를 다니며 머리 속에서 그려오던 그런 의사의 모습인지…….

어머니, 의사면허를 받고 인턴으로 첫 근무를 시작할 때 멋진 의사의 모습을 꿈꾸며 부풀어 있던 제 기대를 꺾어 놓았던 건 잠 못 자고 허드렛일로 날밤 새우는 인턴의 고단한 일상이 아니었습니다. 사상 초유의 의료계 총파업으로 전공의들마저 병원을 박차고 나갔을 때 시민들과 여론이 보여주었던 차가운 시선이었습니다. 지하철 안에서, 서울역 광장에서 유인물을 돌리던 저에게 병원으로 돌아가라고 소리치는 사람들의 화난 목소리에서는 퇴원하던 날 별로 잘한 일도 없는 인턴에게 고맙다며 양말 세트를 사주시던 한 아주머니 환자의 다정함은 찾아 볼 수 없었습니다. 그리고 연일 계속되는 비판 여론과 일부 악의에 찬 기사들은 거리로 뛰쳐나간 어린 의사에게는 감당하기

벅찬 화살이었습니다. 세상의 모든 사람들이 저의 말을 귀 기울여 들으려 하지 않았습니다.

파업이 끝나고 일상으로 돌아왔을 때 세상은 변해있었습니다. 아니 변한 것이 아니라 이전에도 그랬던 것이 그때서야 드러난 것인지도 모르겠습니다. 의사 집단 전체가 부도덕하고 제 이기심에 눈먼 집단처럼 묘사되면서 의사라는 직업이 병원 밖에 나가 밝히기 어려운 직업이 되어버린 듯 했습니다. 병동 주치의에게 침을 뱉는 보호자를 보거나, 심폐소생술을 하는 급박한 상황에서 잘못되면 증거를 남겨야 한다며 플래시를 터뜨려가며 사진을 찍는 보호자들을 볼 때에는 비록 아주 드물고 극단적인 경우라는 생각이 들면서도 세상살이가 녹록치는 않구나 하는 생각을 하기도 했습니다. 술을 먹고 싸우다가 머리가 깨져 응급실로 와서는 봉합술을 하는 저에게 아프다고 욕을 해대는 환자를 보면서 이런 사람들까지 제가 정성을 들여 치료해야만 하는 걸까, 어차피 이러나저러나 욕을 먹기는 마찬가지인데, 하는 자괴감이 들기도 했습니다.

어머니께서도 보셔서 아시겠지만 태민이, 재용이, 호영이라고 부르는 제 동료들 그리고 제 선배님들, 저를 가르쳐 주신 선생님들 어느 누구도 그렇게 비난을 받을 사람은 없습니다. 주말에는 외국인 노동자 진료소에서 봉사활동도 하고 방학 때에는 무의촌 진료도 나가던 그들이 왜 그런 비난을 받아야하는지 알 수가 없었습니다. 어느 집단에나 선량한 구성원이 있으면 악한 구성원도 있기 마련이고 의사 집단도 그러하리라고 생각합니다. 사람의 병을 다루며 삶과 죽음의 갈림길에 선 환자를 보면서 수련을 받은 사람들이 어떻게 인생에 대해 초연해지지 않을 수 있겠습니까? 늘 마주치는 죽음에 익숙한 척 하려고 해서 다소 감정이 메말라 보이고 냉철한 판단을 위해 감정을 자제하는 모습이 어느 정도 차가워 보이기도 하겠지만 말입니다. 어느 집단과 마찬가지로 부도덕한 의사가 있을 수 있고, 또 의사들이 의사 집단 전체에 걸려 있는 높은 기대치를 충족시켜주지 못했다고 하더라도 쏟아지는 비난의 화살은 감내하기 힘든 것이었습니다. 제가 의사라는 테두리 안에서 보는 의사의 모습과 밖에서 보는 의사의 모습에 그렇게 큰 차이가 있는 줄은 미처 몰랐습니다.

어머니, 어제 형님이 어머니를 모시고 병원에 다녀온 후 전화를 주셨습니다. 어머니 약을 몇 가지 바꾸는 문제를 상의하려고 저와 한참 이야기를 나누었는데, 형님도 당뇨에 대해서 반은 의사가 다 된 듯 했습니다. 아는 병이 늘어간다는 좋은 것만은 아닌데 하는 생각이 들었습니다. 어머니와 아버지 연세가 예순을 넘어가면서 형제들도 조금씩 이런 저런 병들에 대해 알아 가는 게 안타깝습니다. 요즘 형님은 신문 건강 면에 어머니의 당뇨 이야기나 아버지의 만성폐쇄성폐질환 이야기가 나오면 일일이 스크랩을 하더군요. 어머니의 굽은 허리만큼이나 아버지의 기침도 저희 자식 놈들이 만들어 드린 일이라 시골집에서 아버지 곁에 누워 잘 때면 저는 밤새 아버지 기침소리에 뒤척이곤 합니다.

제가 수련 받던 병원에 아버지를 처음 모시고 왔던 때가 생각납니다. 인턴 수련을 마치고 공중보건의사 발령을 기다리던 중에 처음으로 제가 실습하고 수련 받던 병원에 외부인으로서 가게 된 거죠. 가운을 입고 병원을 휘젓고 다닐 때와는 달리 왜 그렇게 어색하고 모든 게 낯설던지요. 폐기능 검사실에서 "보호자는 밖에서 기다리세요" 하는 말이 어쩌면 그렇게 야속하게 들리던지요. 그리고 검사실 안에서 무슨 일이 벌어지는 줄 알고 있으면서도 기다리는 내내 왜 그렇게 걱정이 되던지요. 심초음파를 할 때에는 혹여 이상이 있으면 어쩌나 불안하게 서성이다 결과를 묻는 저에게 위아래를 한번 훑어보다 대답해주는 검사실 직원의 시선이 어찌 그리 사납던지요.

올 여름에 어머니께서 저혈당으로 쓰러지신 후 혈당이 널뛰기를 하며 조절이 안 되어 약을 바꾸고 병원을 바꾸고 하면서 그 때와 똑 같은 기분을 느꼈습니다. 의사들은 잘 모릅니다. 환자나 보호자의 불안하고 답답한 심정을.

자신이나 자신의 가족이 아플 때도 직접 진료를 하거나 잘 아는 동료 의사에게 의뢰를 하기 때문에 환자와 관련된 제반 정보를 쉽게 얻을 수 있고 또 환자의 상태를 적은 각종 기록도 익숙한 용어들과 친숙한 데이터로 되어있어 쉽게 이해할 수 있기 때문입니다. 아마 이번 경우에도 제가 직접 어머니를 모시고 제가 잘 아는 선배의 병원에 다녔으면 그러지 않았을 것입니다. 아버지께서 영천에서 대구로, 대구에서 다시 서울로 다니시며 진료를 받으시던 게 너무 힘들어 보여 어머니는 다니시기 좋은 대구 형님댁 근처 병원으로 의뢰를 했는데 그게 그렇게 마음이 쓰이더군요. 저는 아직 전문의도 아니고 그저 인턴을 갓 마친 초보 의사인데도 내과 전문의 선생님이 하시는 일이 왜 그렇게 미덥지가 않던지요. 제가 알고 있는 질병에 대한 야트막한 지식들은 오히려 저를 더욱 조바심 나게 했습니다.

"조금만 더 기다려 보세요. 어머니를 십 년이 넘게 봐오신 분이잖아요. 몇 달만 더 두고 봅시다. 곧 좋아지겠죠."

약을 바꾸거나 병원을 바꿔야하는 것 아니냐는 형님을 이렇게 설득하면서도 저 또한 답답하고 불안했습니다. 저러다 또 저혈당으로 쓰러지시면 어쩌나하고 말입니다. 어머니 당뇨에 대해 의학 서적도 뒤적이고 다른 선배에게 물어 보기도 하면서 '이런 약을 쓰면 좋을 텐데, 저런 약은 이런데 좋다는데……' 하며 혼자 고민하기도 했습니다. 그러던 중에 하루는 제가 근무하는 지소에 전화가 한 통 걸려 왔습니다.

"선생님, 우리 영감이 혈압약을 드시는데 이번에는 약이 하나 더 들어 있어 약국에 무슨 약이냐고 물어 봤더니 이뇨제라고 합디다. 멀쩡하게 소변 잘 보시는 양반에게 왜 이뇨제를 처방했어요? 그 바람에 화장실도 더 자주 가는 것 같고 얼마나 불편해 하는데요."

"할머니, 제가 어련히 알아서 다 처방한 겁니다. 그냥 드세요. 그리고 그렇게 소변이 많이 나오는 약이 아닙니다. 다른 분들도 아무렇지 않게 잘 드시는 약입니다."

'어련히 알아서' 라는 게 뭔가, 수화기를 놓고 '어련히' 라는 말 대신에 '그 약은 이뇨제이면서도 혈압약입니다. 가장 오래 동안 부작용 없이 쓰인 약이고 전 세계적으로 가장 널리 상용되는 약이면서 할아버지께서 처음부터 드시던 약의 부작용도 줄여 드릴 수 있고 또 혈압을 적정 수준으로 유지하기에 지금의 단계에서 가장 좋은 약이라 제가 처방을 했습니다.' 라고 할 걸 후회를 했습니다. 저 할머니, 할아버지에게도 서울에 올라가 있는 아들, 딸들이 있을 테고 그분들이 집에 내려왔을 때 할머니의 불평을 듣는다면 저를 어떻게 생각할지 눈앞에 환하게 그려졌습니다. 그건 바로 어머니의 당뇨약을 두고 투덜거리던 제 모습이니까요.

의사들에 대한 비난이 오해와 편견에서 비롯된 탓도 있겠고 또 일부의 과오가 전체의 과오로 부풀려진 면도 있겠지만 의사들의 자업자득인 것도 사실입니다. 불안하고 아프고 괴로운 사람은 결국 환자이고 그들을 안고 가야하는 사람도 결국 의사일 수밖에 없습니다. 의사를 바라보는 환자와 보호자들의 기대와 불안 또한 의사만이 보듬어 갈 수 있겠지요. 진료 환경이 열악해지고 의료 소송이 늘어나고 의사에 대한 사회의 시선이 차가워져도 의사는 환자의 고름을 닦고 상처를 봉합할 수밖에 없습니다. 그것만이 행복한 의사가 될 수 있는 방법입니다. 그것이 우리 의사에게 주어진 사명이니까요. 진료실에서 먼저 환자의 마음을 얻어야 합니다. 늘 위압적이고 무뚝뚝해서 진료실에서조차 환자를 감싸지 못하는 의사의 말과 행동은 아무런 치유를 하지 못하겠지요. 나를 둘러싼 사람들이 나에게 원하는 것을 알지 못하면서 내 주장만 소리치는 것은 공허한 외침일 뿐일 테니까요. 주위를 둘러보고 외부의 시선으로 스스로를 돌아본 후 진실함으로 환자를 묵묵히 치료해 나갈 때 흰 가운을 처음 입었을 적 꿈꾸던 의사의 모습에 더 가까이 다가갈 수 있을 것입니다.

오늘 진료실 문을 열었을 때 할머니 한 분이 잘 다듬은 단호박을 가져다 주셨습니다. 병원에 가시면서 집에서 거둔 사과를 봉지에 담아 간호사에게 건네던 어머니 생각이 났습니다. 관절이 쑤신다며 보여주시는 거친 손 마디마디가 어찌 어머니랑 그렇게 닮아있던지요. 서울 있다는 할머니의 아들, 딸들도 뼈 마디마디가 힘들게 살아오신 세월에 닳고 닳아 부풀대로 부풀어 오른 할머니의 손을 보면서 속상해 하겠지요. 하루가 다르게 말라가는 할머니의 종아리를 보면서 가슴 아파하고 구부정해져만 가는 서러운 뒷모습에 더러 눈물도 훔치겠지요.

지난주에 시골에 다녀오면서 어머니께 받아 온 과일들 위에 호박을 나란히 올려놓았습니다. 동구 밖을 돌아 나가는 아들놈의 차를 조금이라도 더 보시려고 마을 어귀 다리 위로 힘든 걸음을 하시던 아버지, 어머니의 모습이 다시 떠올랐습니다. 오늘 제가 그랬듯이 두 분 또한 영천에서 양평에 이르는 긴 시간 동안 아들의 가는 길을 걱정하시다가 무사히 도착했다는 제 전화를 받으시고서야 골목 멀리 밝혀 두었던 외등을 끄시고는 자리에 드셨겠지요.

어머니, 제 진료실에서는 어머니보다 연세가 적으신 분들은 다 아주머니라고 부릅니다. 아직 할머니라고 부르기에는 두 분이 저희들과 함께 계셔야 할 날이 아주 많이 남았기 때문입니다.

어머니 아버지, 늘 행복하십시오. 그리고 오래오래 건강하셔야 합니다.

아들 수근 올림.

3회 장려상을 수상한 작품이다. 조수근 선생은 공보의 근무를 마치고 아산병원 안과 전공의로 근무하고 있다. 어머니의 병환은 매일 진료실에서 만나는 환자들에게도 자신처럼 안타까워하고 불안해하는 가족이 있다는 걸 되새기는 기회가 됐다고. 한미수필문학상 수상 후 이듬해 봄 아기를 얻었다는 그는 "부모님이 저에게 주셨던 사랑으로 키우려고 한다"며 아이에게 부끄럽지 않은 의사로 살아가고 싶다는 다짐을 전했다.

점멸(點滅) | 박태원 |

　이렇게 편지까지 보내게 되어 당신을 너무 놀라게 하는 것은 아닌지 모르겠습니다. 자정을 넘기며 눈발이 흩날리기 시작했습니다. 당신도 알고 있었나요? 지금 수많은 눈송이들이 15층 이곳을 지나 당신이 있는 1층으로 떨어지고 있군요. 3월에 내리는 지금의 눈처럼 정말이지 당신에게 편지를 쓰게 될 줄은 꿈에도 생각하지 못했습니다.

　동준이가 처음 제게 진료를 받으러 오던 날, 저는 진료기록지에 적혀있는 당신의 주소가 제가 살고 있는 아파트 바로 뒷동이란 것을 알고는 깜짝 놀랐지요. 이렇게 부엌창문을 통해 당신의 안방과 거실 창이 보이는 위치말입니다. 제가 있는 곳은 15층이라서 당신이 살고 있는 1층을 내려다볼 때는 가벼운 현기증마저 느껴집니다. 그러나 오해는 하지 않으셨으면 합니다. 저는 단지 당신의 방에 불이 켜져 있는지 궁금해서 가끔 내려다볼 뿐입니다.

　아, 생각해보니 제가 놀랐던 것이 하나 더 있군요. 당신과 동준이가 처음으로 오던 바로 그날 당신은 진료실 문을 열기 전에 손기척을 보냈죠? 그것도 똑똑똑 세 번씩이나. 가끔 꼬마들이 장난으로 진료실 문을 마구 두드리는 경우가 있긴 했지만 당신처럼 일정한 속도로 침착하게 문을 두드린 적은 거의 없었습니다. 당신으로서는 정신과에 들어오는 것이 그만큼 망설여지고 긴장되는 것이었겠지요. 게다가 당신의 분신이나 다름이 없는 동준이의 손을 잡고 왔으니 더욱 그러했겠지요. 당신이 오기 전에 이미 많은 상담으로 지쳐버린 저는 당신의 손기척을 들으며 솔직히 짜증이 나기도 했습니다. 당신이 손기척을 보내올 때 들어오라고 대답할 기력조차 없었으니까요. 당신이 의자에 앉을 때까지, 동준이가 장난감이 놓여 있는 진열대 앞에 가만히 서서 제 눈치를 볼 때까지 무뚝뚝하게 대했던 점을 사과합니다. 정신과 의사는 친절이 생명인데 그렇지 못했습니다.

당신은 세심한 분이었습니다. 정중한 당신의 손기척도 그랬지만 당신이 동준이를 가만히 쓰다듬으면서, '상담할 동안 밖에서 기다리라'고 소곤거리던 모습이 제 마음을 흔들더군요. 진료실에 들어온 많은 부모들이 옆에 아이가 듣고 있는데도 큰소리로 아이의 문제점을 낱낱이 들춰내곤 해서 당황한 제가 황급히 아이를 밖으로 내 보냈던 적이 한 두 번이 아니었으니까요. 그런 부모들은 자기 자신을 검사(檢事)로 착각하고는 아이를 죄인처럼 다루곤 하지요. 당신은 아이를 존중할 줄 아는 어머니입니다. 결국 당신 자신을 아낄 줄 아는 분이기도 한 셈이지요.

당신은 차분하게 동준이의 증상을 말했습니다. 당신이 또박또박 말을 이어나갈 때는 마치 제가 동준이가 된 듯한 착각이 들 정도였으니까요. 그렇게 이야기를 이어가던 당신은 아이가 밤마다 소변을 지리고 불안해하며 엄마에게서 떨어지지 않으려 한다면서 눈물을 흘렸습니다. 처음에는 당신처럼 차분한 분이 왜 갑자기 눈물을 흘리나 하고 생각했지요. 무엇이 당신을 그토록 울게 만들었나요? 제가 정신과 의사이긴 하지만 어디까지나 당신에게는 당신 남편과 비슷한 나이의 낯선 남자일 뿐일 텐데 말입니다.

당신이 눈물을 닦은 다음, "아이를 위해서라면 다 이야기해야겠지요. 선생님?"이라며 결연한 표정으로 이야기를 꺼냈을 때 조금은 두렵기도 했고 조금은 흥미롭기도 했습니다. 흥미롭다고 표현해서 미안합니다. 하지만 오늘은 저도 솔직해져야겠지요?

　당신은 남편의 생일날, 출장지에서 혼자 쓸쓸히 생일을 보내고 있을 남편을 깜짝 놀라게 해주려다가 다른 여자와 누워있는 남편의 모습을 아이와 함께 우연히 보게 되었다고 말했지요. 미안합니다. 꺼내지 말아야할 이야기를 제가 다시 되새기고 있군요. 당신은 그런 광경을 목격한 동준이가 너무나 걱정된다며 앞으로 아이가 괜찮을지를 제게 몇 번이나 물었습니다. 일단 저는 일반적인 경우를 빗대어 적당히 대답을 해주었지만 사실 제가 하고 싶었던 말은 따로 있었지요. 당신이 가장 걱정스럽다고. 동준이는 쑥쑥 자라면서 그러한 기억들을 지워낼 수 있지만 더 이상 자라지 못하는 당신은 평생 그 기억을 가슴에 품고 살아가야 하니까요. 당신처럼 세심하고 차분한 분이라면 아픈 기억도 오래도록 당신 마음속에 머물겠지요.

　또다시 당신이 눈물을 흘리는 것을 보며 저는 당신과 남편이 이혼을 했거나 이혼을 목전에 두고 있겠구나 하고 생각했습니다. 항상 최악의 결과를 대비하며 환자들에게 무슨 말을 해줄까 고민하는 것이 제 직업이니까 이해해 주셨으면 합니다. 당신은 이러한 저의 추측을 확인시켜 주었습니다. 저는 그러한 예상을 하면서도 제 예측이 맞지 않기를 고대했습니다.

　이혼한 것이 모두 자신의 책임이라고 말하던 당신을 저는 손사래까지 쳐가면서 절대 아니라고 말했습니다. 남편이 벌레처럼 느껴져서 함께 있을 수가 없었다, 그 일이 있은 후 내색하지 않고 아이와 열심히 놀아주던 남편이 안쓰럽기도 했지만 용서할 수가 없었다, 이 모든 것이 나의 결벽증 때문이다, 라고 당신이 한숨을 내쉬며 이야기했을 때 제 가슴속에서는 불덩이가 솟구치더군요. 하마터면 저는 나도 이혼했다, 이혼이 뭐가 대수냐 하고 당신의 어깨를 두드릴 뻔했지요. 다시 말해 당신이 잘못한 것은 없습니다. 당신은 결벽증도 아니지요. 남편이 가고 당신 혼자 남아있기에, 남편을 닮은 동준이를 보면서 순간적으로 혼동을 일으켰을 뿐입니다. 홀로 남아있는 사람이 경험하는 일시적인 적응장애라고나 할까요? 단순히 이론적으로 말하는 것이 아니라 실제로 경험한 사람으로서 하는 이야기입니다.

당신은 지금 어떤 꿈을 꾸고 있을까요? 사람들은 하룻밤 사이에 수많은 꿈을 꾸게 되지만 잠에서 깨어나면 거의 기억해내지 못한다고 합니다. 충분히 즐겁거나 충분히 괴로운 꿈만이 살아남겠지요. 당신이나 제게는 가족에 관한 꿈이 그렇지 않을까 합니다. 특히 오순도순 살던 기억이라면 충분히 즐겁고 충분히 괴롭겠지요? 동준이와 치료를 시작한 지 얼마 안 되어 당신은 커다란 새가 뾰족한 부리로 당신을 마구 쪼아대는 꿈을 꾼다고 말했지요? 그 새가 누구일까요, 라고 제가 물어본 것을 기억하나요? 꿈은 신중하게 다뤄야 한다는 말을 선배 정신과 의사로부터 누누이 들어왔던 제가 정말 성급하고 어리석은 질문을 해버렸더군요. 당신은 턱을 괴고 깊은 생각에 잠겼습니다. 정작 그런 엉뚱한 질문을 받은 당신은 침착했는데 저는 몹시 당황하고 있었습니다. 저는 급하게 말을 이어갔지요. 그 새는 남편일 수도 있고 제가 될 수도 있다고 말했습니다. 잘 이해가 되었는지 모르겠군요. 제가 그런 부연설명을 하던가요? 새는 당신을 괴롭히던 남편이나 당신으로 하여금 잊고 싶은 일들을 되새기도록 강요하는 저를 가리킬 수도 있다고. 그러고 보니 15층 이곳이 맹금류가 살고 있는 둥지인 셈이군요. 지금도 꿈을 꾸고 있나요? 여전히 그 큰 부리로 당신의 온몸을 쪼아대고 있나요?

지금 새벽 두시의 허기진 어둠이 한껏 눈을 빨아들이고 있습니다. 검은 색과 흰색으로 이루어진 세상은 이제 잿빛으로 다시 태어나고 있는 듯 합니다. 외래를 다니며 동준이는 점점 표정이 밝아졌고 소변을 지리는 횟수가 줄었지만 시간이 흐를수록 당신의 얼굴에는 짙은 그늘이 드리워졌습니다. 몇 마디 이론적인 말이나 위로는 그늘을 걷어낼 수 없다는 사실이 저를 약하고 불안하게 만들었지요. 처음에는 호기심으로 내려다보던 당신의 방을 이제는 가슴 졸이며 내려다보기까지 합니다. 하지만 저는 부엌 창문을 통해서 한 번도 당신을 보지 못했습니다. 그 흔한 쓰레기도 당신은 버리지 않는 듯 했거든요. 제가 없을 때 당신이 밖으로 나왔다가 들어갔을 수도 있겠지만, 어쩌면 간단한 쓰레기조차 만들어내지 못할 정도로 당신이 기력을 잃은 것은 아닌가 하고 걱정이 되었습니다. 동준이와 함께 당신이 외래를 방문할 때면 자꾸 물어보게 됩니다. 제가 생각해도 집요할 정도로, 동준이에 대한 이야기는 뒷전으로 하고 성급하게 당신에 대해 물어보곤 합니다. 요즘 뭘 하며 지내고 있는지, 동준이가 학교에 가버리고 나면 도대체 어떻게 시간을 보내는지.

당신이 동준이의 행동에 대해서 불안해할 때마다 그런 감정들이 아이에게 전염될 수 있다고, 아이는 그런 엄마를 보면서 점점 더 매사에 자신이 없어질 것이라고 제가 말한 적이 있습니다. 분명 맞는 말이었지만 한편 동준이에 대한 집착이 그나마 당신을 지켜주는 것은 아닐까 하고도 생각했습니다. 막상 상담이 시작되면 그런 말은 하지 못했습니다. 제게는 당신을 더 강하게 만들어야 한다는 강박관념이 생겼습니다. 지금껏 견뎌왔던 것보다 훨씬 더 많은 일을 앞으로 견뎌내야 하고, 동준이에 대한 집착만으로는 남은 인생을 버텨내기 힘들 테니까요.

오늘은, 아니 어제는 제게 많은 일이 있었습니다. 이혼한 아내와 아이가 탄 비행기가 미국으로 떠나갔습니다. 지금쯤이면 태평양 어느 상공을 날고 있겠지요. 어제 저녁에는 처음으로 병원이 아닌 곳에서 당신과 마주쳤지요. 지금껏 아파트 주변에서는 당신을 피해왔습니다. 이웃에 제가 살고 있다는 것을 당신이 알게 된다면 너무나 신중한 당신은 다시는 제게 오지 않을지도 모른다고 생각했습니다. 예전에 은사님으로부터 정신과 의사는 매춘부와 같다는 말을 들은 적이 있습니다. 감추고 싶은 이야기를 마치고 집으로 돌아가는 손님들을 가급적 길거리에서 만나지 않도록, 만나도 먼저 아는 체를 하지 않도록 해야 한다고 농담처럼 배웠습니다. 다시 손님들이 찾아오지 않는다면 매춘부로서의 일생이 끝나겠지요? 이런 표현이 실례가 아닌지 모르겠습니다. 어제 아파트와 상가를 연결하는 횡단보도 위에서 당신과 마주쳤습니다. 당신이 살짝 고개를 숙이며 인사를 했을 때 쥐구멍에라도 숨고 싶은 심정이었습니다. 횡단보도를 다 건너간 당신이 혹시 뒤돌아볼까봐 모퉁이를 향해 뛰기 시작했습니다. 추리닝 바지는 뛰기 편했는데 슬리퍼가 영 말을 듣지 않았습니다. 뛰는 동안 비디오 두 개를 담은 비닐봉지는 덜그럭거리는 소리를 내며 다리를 툭툭 쳐서 다급한 걸음을 방해했지요. 숨을 몰아쉬며 아파트 현관에 도착했습니다. 집에 와서 곰곰이 생각해보니 당신이 뒤를 돌아보지는 않았을 것 같았습니다. 모자 밑으로 드러난 당신의 얼굴이 좀 부어 있었고 하늘빛만큼 어두워 보였습니다. 분명 저를 유심히 바라볼 마음의 여유가 없었을 거라 생각했습니다. 제 추측이 맞는지는 모르겠습니다. 마치 제가 당신이 우울하기를 바라는 사람 같군요.

저는 평소에 집에서는 불을 끄고 지냅니다. 집안이 환하다는 것이 제가 혼자라는 것을 일깨우니까요. 텔레비전이나 컴퓨터에서 나오는 불빛, 베란다 불빛 정도면 제가 살아가기에 충분했습니다. 저녁때면 어김없이 불이 꺼지던 당신의 방을 내려다보면서 당신도 저와 비슷하다고 생각했습니다.

어제 저는 저녁 내내 담배를 피우며 침대 발치에 앉았다가 방안을 빙빙 도는 일을 반복했습니다. 당신에게는 더 강해져라, 떠난 사람 때문에 당신이 괴로워해서는 안 된다, 어차피 떠날 사람이었다 라고 말하던 제가 한 순간도 가만히 앉아 있질 못했습니다. 빌려온 비디오를 틀어볼 엄두도 나지 않았습니다. 11시경이었을까요? 하나 남은 담배를 피우고 나서 저는 부엌 창문을 들여다보았습니다. 늘 그 시간이면 불이 꺼져 있던 당신의 방인데도 정작 불이 꺼져 있는 것을 보고는 가슴이 덜컥 내려앉았습니다. 횡단보도에서 마주쳤던 당신의 어두운 표정이 떠올랐습니다. 그래서 당신에게 전화를 걸었던 것입니다. 제 전화를 받은 당신 정말 당황했겠지요? 당신에게 창가로 와서 위를 올려다보라고 말했을 때 제 눈가가 따뜻해지더군요. 제발 이곳을 바라보았으면 하는 간절한 바람이었습니다. 떨리는 제 목소리를 당신이 듣지 못하도록 가끔씩 전화기를 손으로 막으면서 말했습니다. 당신이 이곳을 알아볼 수 있도록 부엌 등을 깜빡거렸습니다. 분명히 봤나요?

당신이 볼 수 있도록 부엌 등을 깜빡거렸을 때 저는 등대지기가 된 듯한, 미국 어느 공항의 관제사라도 된 듯한 기분이었습니다. 아내의 비행기가 공항에 도착하는 것을 걱정스럽게 바라보고 아내가 대합실을 빠져나가는 모습을 묵묵히 바라만 보는……. 아내의 가방을 받아주고 그녀를 꼭 안아줄 누구라도 그곳에 있었으면 합니다. 문득 아내가 그렇게 멀리 떨어지고 살아가기 힘든 곳에 갈 수 있을 정도라면 다시 내게 돌아올 수도 있을 거라는 희망도 가져봅니다. 아이의 밝은 목소리도 떠올려봅니다. 비행기가 뜨고 내리듯이 제 마음 속에서도 희망과 절망이 반복되고 있습니다.

당신과 상담하며 깨우친 것이 있습니다. 저는 당신과 상담하기 전까지 아내가 우울증에 걸려 이혼을 하고 제 곁을 떠난 것을 모두 제 탓으로만 여겼습니다. 당신을 만나며 저는 생각을 달리 해 보았습니다. 이미 정해진 순서에 제가 잠시 끼어들었을 뿐이라고. 무책임하다고 생각할 수도 있지만 분명 그렇습니다. 이제 당신은 이해할 것입니다. 남편이 당신을 만나 결혼하고 다른 여자와 이불 속에서 잠을 잔 뒤 당신을 떠나버렸던 장면들에서 당신은 잠시 동안만 머물러 있었습니다. 그러니 당신은 저를 이해하겠지요. 지금껏 다른 누군가가 주연을 맡았던 영화에서 우리는 단지 조연일 뿐이었습니다. 적어도 우리가 생각한 만큼 우리의 역할이 크지 않았을 것입니다. 조연 때문에 그 영화가 빛날 수도 있겠지만 조연 때문에 영화가 실패하지는 않는 법이지요. 오늘밤은 이렇게 생각하고 넘겼으면 합니다.

옷을 챙겨 입다가 다시 몇 자 적어봅니다. 환자들의 아픈 이야기만 들어오며 살아온 제가 당신에게 이런 편지를 쓰고 있습니다. 그들이 왜 제 앞에서 눈물을 흘려가며 애써 아픈 기억을 더듬는가에 대해 곰곰이 생각했던 적이 있었습니다. 많은 이유가 있겠지만 지금 편지를 쓰면서 단 하나의 이유만 떠오르는군요. 자신의 이야기를 들어줄 사람이 아직 남아있다는 사실이 아닐까 하고 생각해봅니다. 누군가에게 지금껏 살아왔던 기억을 말할 수 있다는 것만으로도 분명 살아있다는 느낌을 가지게 됩니다. 부끄럽지만 지금 저는 그런 상태입니다. 미처 마음의 준비가 되어 있지 않은 당신에게 이런 이야기로 상처를 주는 것은 아닌지 모르겠습니다.

이제 저는 이 편지를 들고 당신이 잠들어 있는 아파트로 내려갈 것입니다. 혹시 당신의 아파트 현관문 투입구가 열려있다면 거기에 넣겠습니다. 당신이 아침에 눈을 뜨자마자 이 편지를 발견했으면 합니다. 투입구가 잠겨있다면 당신은 우편함에서 이 편지를 발견하게 되겠지요? 저 또한 우편함 속 편지가 되어 당신을 기다리고 있겠습니다. 이른 아침 당신의 건조한 눈빛을 볼 수 있게 되길 기원합니다. ■

3회 장려상 수상작이었던 이 작품은 전북대병원 정신과 박태원 교수의 글이다. 박교수는 수상소감에서 "경험에 근거한 부분도 있지만 혼자만의 생각이나 환상도 상당부분 포함되어있다"며 "상담할 때면 마음 한구석에 도사리고 있던 상처를 덧나게 하는 사연도 있어서 글을 통해 반성과 위안을 얻고 싶었다"고 밝히고 있다. 박교수는 이 글과 같은 소재로 소설을 쓰기도 했다고 전했다.

거지와 의사 |김명주|

그 날 나는 진료를 모두 마친 후 셔터를 내리기 위해 쓰레기봉투를 들고 밖으로 나갔다.

그런데 병원 문 옆 약간 안으로 들어간 자투리땅에 누군가가 커다란 천으로 덮은 쓰레기 더미와 돗자리처럼 천으로 둘둘 만 뭔가를 버리고 간 것이었다.

"쓰레기장도 아닌데 누가 여기에 쓰레기를 버리고 갔담."

볼멘소리를 하며 둘둘 말린 천 조각을 들추어 보다가 깜짝 놀랐다. 무언가 꿈틀하더니 사람이 부스스 일어나 앉는 것이었다.

"누, 누구요!"

놀라서 물었다.

"여기서 자는 거요?"

그러자 사내는 "그렇구먼유" 하면서 멋쩍게 손을 비벼댔다. 그는 땅바닥에 라면박스 조각을 깔고 누워 천 조각을 뒤집어쓴 채 웅크리고 잠을 청하고 있었던 것이었다. 덥수룩한 머리에 멋대로 자란 수염, 그리고 낡은 옷을 걸친 초췌해 보이는 40대 사내였다.

"아저씨, 집이 없어요?"

"없어유."

사내는 지친 모습이었다.

신문이나 TV에서 보던 소위 '노숙자'였고 걸인이었다. 그런 그가 이 시골 소읍 작은 우리 병원 옆에 둥지를 튼 것이었다. 옆에는 제과점이 있고 그 앞으로는 시내버스 정류장인데 사람들은 그저 흘끗흘끗 바라보며 바쁘게 지나갈 뿐이었다. 가을도 깊어 이제 초겨울 추운 날씨인데 땅바닥에서 어떻게 잔단 말인가. 내가 들어오지 않자 아내가 따라 나왔다. 자초지종을 들은 아내 역시 놀라는 눈치였다. 사내는 하루 종일 굶었다고 하였다. 나는 5천원을 주고 저녁이라도 사먹으라고 하였다. 그리고 이 앞 교회나 저쪽 S병원에 가서 자라고 하였다. 위로 조금 올라가면 준종합병원인 S병원이 있었다. 셔터를 내린 후 2층 병원으로 들어왔다.

"그거, 참."

나는 마음이 안 좋았다. 그 날 이후 사내는 그 곳에서 먹고 자고 했고 우리는 신경이 쓰였다. 집안에서 뭘 해 먹어도 밖에 있는 거지 생각이 났으며, 바람이 불고 추워지는 밤에도 거지 생각이 났다. 아내와 우리 집 아이는 오가며 거지에게 빵이나 과일을 나누어 주기도 하고 약간씩 돈을 주기도 하였으며 그것은 나도 마찬가지였다. 아내는 날씨가 너무 춥다며 오래된 이불 하나를 꺼내 주었다. 차라리 사내를 안으로 들어오라고 해 재울까, 하는 생각도 하였으나 선뜻 내키지 않았으며 아내도 반대하였다. 날씨가 추워지자 아내는 따뜻한 국물을 먹어야 한다며 컵라면을 사주고 제과점에서 따뜻한 물을 얻어 끓여먹게 하였다. 그리고 제과점에서도 가끔 남은 빵을 주었으며 병원 1층 세탁소 아저씨가 옷 한 벌을 주었다. 동네 아이들은 신기한 듯 바라보고 웃어댔으며 돌을 던지고 도망치는 아이들도 있었다. 사내는 사지는 멀쩡했지만 때로는 횡설수설하는 것이 지능이 모자라고 정신적으로도 문제가 있는 사람 같았다. 부모도, 부인도, 자식도, 아무도 없다고 하였다. 어쨌든 우리 식구들은 사내에게 신경이 쓰였고 하루, 이틀도 아니고 계속 그 곳에서 지내고 있는 것이 남 보기에도 안 좋을 것 같았다. 그래서 우리는 다시 이 앞에 있는 교회나 S병원에 가서 자라고 하였다. 하지만 사내는 두 군데서 모두 쫓겨났다고 하였다. 열성적인 신자는 못 되었지만 교회에 출석하고 있는 우리는 부끄러웠다. 그는 남들이 자신을 괴롭히는 것을 제일 싫어하는 것 같았으며 주머니에 돌멩이를 가득 넣어 가지고 다니고 열쇠꾸러미를 잔뜩 차고 있었다. 피해의식이 있는 듯 하였다. 어쨌든 우리는 이제 사내가 다른 데로 떠나 주었으면 하고 바라고 있었다.

"갈꺼유."

사내는 고물상에 취직하여 고물을 주워서 생계를 유지하겠다고 했다. 하지만 그것도 신빙성은 없어 보였다. 그는 낮에는 시장바닥을 돌아다니며 얻어먹고 거리의 사람들을 물끄러미 구경하곤 했다.

그러던 어느 추운 밤이었다. 깊은 잠에 빠져 있었는데 누가 마구 흔들어 깨우는 것이었다. 새벽 2시가 넘은 시간이었다. 아내였다.

"무슨 일이야?"

"여보, 저 소리 들어보세요."

"소리?"

"그래요, 저도 소리 때문에 잠에서 깨었어요."

"무슨 소리가 들린다고 그래, 바람소리 아니야?"

"아니에요, 저 소리요, 저 소리."

"가만……"

귀를 기울여보니 소리가 들렸다.

"아아아~ 우우우~ 으으으……."

"거지가 지르는 소리예요, 거지가……."

나는 창가로 다가가 귀를 바짝 기울여 보았다. 그 사내가 울부짖는 소리 같았다.

"왜 저러지? 지금까지 소리를 지른 적은 한번도 없었는데……."

"춥고 배고프니까 그렇겠지요."

"춥고 배고프니까?"

"그래요. 춥고, 배고프고, 외롭고, 무서우니까 그러는 거 아니겠어요. 그리고 어디가 아픈가 봐요."

"아파?"

가만히 들어보니 그것은 신음소리 같기도 하였다.

"어떻게 한담……."

난감했다. 이 추운 밤에 내려가 셔터를 열고 거지를 봐야 하는가. 내게 그럴 의무가 어디 있단 말인가? 의약분업에 불경기로 의사도 어렵기는 마찬가지였다. 지금까지 그 정도 도와주었으면 됐지, 이 각박한 시대에 나더러 무얼 어쩌란 말인가? 그대로 잠이나 자자, 누군가 다른 사람이 도와주겠지. 하지만 이불을 뒤집어써도 신음소리는 계속 이어졌고 내 마음 한 구석에서 들려오는 소리가 있었다.

'너는 명색이 의사가 아니냐, 아무리 돈 없는 거지라도 아파서 울부짖는 환자가 아니냐. 네가 의사냐, 네가 의사냐!'

"가 봐야겠어."

아내도 동의했다. 옷을 주섬주섬 걸쳐 입고 손전등을 들고 내려갔다. 아내가 살살 뒤따라왔다. 셔터를 올리고 나가보니 거지 사내는 자리에서 일어섰다, 앉았다 하며 텅 빈 거리를 향해 울부짖고 있었다. 모두 문을 굳게 닫아걸고 들어가 버린 텅 빈 거리, 차가운 바람이 휴지조각을 날리며 우우 어디론가 몰려가고 이따금 자동차 불빛만이 빠르게 스쳐가는 거리에서 사내는 마치 설원에 버려진 한 마리 상처 난 늑대처럼 울부짖고 있었다.

"왜 그래?"

나는 손전등을 비추며 다가가 물었다.

"배, 배가 아퍼유."

"배가?"

나는 사내의 이마를 만져 보았다. 열이 펄펄 끓고 있었다.

"아아아, 으으으……."

사내는 배를 움켜쥐고 몸부림쳤다. 갈퀴 같은 손으로 꼬깃꼬깃한 천 원짜리 지폐를 꼭 움켜쥐고 울부짖고 있었다. 낮에 누가 주고 갔다는 것이었다. 차가운 바람이 쉴 새 없이 불어댔으며 건너 편 어둠 속에는 커다란 교회가 침묵하고 있었다.

"어떻게 할 것인가……."

S병원은 오래 전에 응급실을 폐쇄해서 가 봐야 소용없었다. 응급실로 가려면 차로 30여분이 걸리는 N시까지 나가야 한다. 하지만 사내는 돈도 없고 보호자도 없었다. 구급차를 불러도 마찬가지일 것이었다. 그대로 둘 수가 없었다. 나는 아내의 도움을 받아 사내를 2층 병원으로 데리고 올라왔다. 우선 직접 응급 치료를 해 보는 수밖에 없었다. 불을 환하게 켜고 사내를 침대에 눕힌 후 열을 재보니 40도 가까이 올라갔다. 일단 배를 진찰해 보니 응급으로 수술을 요하는 상태는 아닌 것 같았다. 혈압도 정상 범위였다. 우선 수액(링거)을 놓고 해열제와 진통제 주사를 놓아주었다. 그리고 환자의 상태를 관찰했다. 더 심해지면 큰 병원으로 후송해야 할 것이었다. 하지만 아침이 되면서 다행히 사내의 상태는 호전됐다. 열도 내리고 복통도 없어졌다. 그 바람에 나와 아내는 잠을 자지 못했지만 회복이 되어 다행이었다. 아침에 진료가 시작되자 사내는 고맙다며 밖으로 나갔다. 그날 밤에는 소리를 지르지 않았다. 그런데 이틀 후 밖에 나갔다 온 아내 말이 사내가 가 버렸다는 것이었다.

"가버려?"

나는 밖으로 나가 보았다. 정말로 사내가 없었다. 짐도 모두 가지고 떠났으며 사내가 있던 자리는 횡하니 비워져 있었다. 그리고 어디서 구했는지 싸리비로 병원 앞을 깨끗하게 청소해 놓았다. 평소 행인들이 버린 휴지나 음료수 깡통, 담배꽁초 등으로 지저분한 병원 입구와 도로를 깨끗하게 쓸어놓고 간 것이었다. 세탁소 아저씨 말로는 그가 어제 밤과 오늘 아침에 청소를 했으며 원장님께 고맙다고 전해달라고 했다는 것이었다. 아무 것도 가진 것이 없는 그는 나를 위해 청소라도 해놓고 떠난 것이었다. 있을 때는 밉살맞기도 했는데 그동안 정이 들었는지 떠나고 나니 허전하고 서운했다. 나는 그가 어디선가 고물이라도 주우며 잘 살기를 바랐다. 그리고 생활에 쫓겨 그를 차츰 잊어버렸다.

그로부터 두 달이 지난 어느 날, 나는 1층 세탁소에 맡긴 세탁물을 찾으러 갔다가 우연히 그 사내의 얘기를 들었다.

"아 참, 원장님, 전에 여기 있던 거지 있지요?"

"그래, 그 사람, 어디서 사나?"

"그렇지 않아도 얘기해 드린다는 게 깜빡했네요. 그 거지 죽었대요."

"뭐야, 죽어? 그게 무슨 얘기야, 죽다니?"

나는 깜짝 놀라서 물었다.

"저쪽 새시장에서 며칠 전 아침에 죽어있는 걸 사람들이 발견하고 경찰에 신고했대요."

"죽어, 어떻게 죽었단 말인가?"

기가 막혔다.

"글쎄요, 소주를 마시고 자다가 얼어 죽었다는 사람도 있고 농약을 마시고 자살했다는 사람도 있고. 확실한 것은 잘 모르겠어요. 하지만 어쨌든 죽었대요."

"그 사람이 확실해?"

"그럼요, 직접은 못 보았지만 이 동네도 직접 본 사람들이 여럿 있어요. 여기 병원 옆에서 살던 거지가 틀림없대요. 주머니에 돌멩이가 가득 들어있고 열쇠꾸러미를 잔뜩 가지고 있더래요."

틀림없었다.

"그 사내가 죽었단 말인가……."

허탈했다. 소식을 들은 아내도 안타까워하며 슬퍼했다. 세탁소 아저씨 말로는 그 사내가 행정 관서를 통해 어디 의과대학에 해부용 시체로 팔려갔다는 것이었다. 그랬을 것이다. 의과대학 시절, 우리가 공부하기 위해 해부했던 시체도 대개 연고자가 없으며 객사한 사람들이었는데 행정 관서를 통해 대학으로 들어온 것이었다. 살과 내장이 갈가리 찢기고, 두개골도 톱으로 자르고, 뇌를 꺼내 해부하고, 뼈는 추려서 골학 실습용 표본으로 쓰고, 떼어낸 살과 내장은 모두 가마니에 담아 야산에 묻고 간단하게 위령제를 지내주는 것이었다. 나는 며칠 동안 마음이 무거웠다. 사내의 시린 영혼은 어디로 떠났을까. 이제 그의 육신은 포르말린 탱크에 담겨 의과대학생들의 메스 날을 기다리고 있을 것이었다. 그런 카데바(해부실습용 시체)로 공부하여 소위 의사가 되었다는 내가 카데바가 될 그를 위해 해준 게 무엇인가. 그날 밤 천 원짜리 지폐를 생명 줄처럼 손에 꼭 움켜쥐고 쪼그리고 앉아 울부짖던 사내의 모습이 떠올랐다. 그날 밤 나를 깨운 것은 하나님의 뜻이었을까. 수용시설 같은 데라도 알아보고 끝까지 도와줄 것을, 그저 체면치레로 도와준 내 자신이 옹졸하게 느껴졌다. 사회의 병든 부분까지 고친다는 대의(大醫)나 심의(心醫)는 감히 입에 올리지 못할 단어겠지만 그저 어려운 환자들에게는 인색하지 않게 인정도 베푸는 소의(小醫)는 되어야 할 것이라고 생각했다. 그리고 오랜 시간이 지난 뒤에 어느 기독교 잡지에 실린 목회자의 글을 읽다가 우연히 가슴을 찌르는 성경 구절을 보았다. 그것을 옮기며 글을 맺는다.

"또 주린 자에게 네 식물을 나눠주며 유리하는 빈민을 네 집에 들이며 벗은 자를 보면 입히며 또 네 골육을 피하여 스스로 숨지 아니하는 것 아니겠느냐/ 그리하면 네 빛이 아침같이 비칠 것이며 네 치료가 급속할 것이며 네 의가 네 앞에 행하고 여호와의 영광이 네 뒤에 호위하리니/ 네가 부를 때에는 나 여호와가 응답하겠고 네가 부르짖을 때에는 말하기를 내가 여기 있다 하리라"

— 이사야 58장 7∼9

3회 우수상을 수상한 작품이다. 김명주 원장은 가정의학과 전문의로 충남에서 정다운 의원을 개원하고 있다. 충청일보 신춘문예로 등단한 소설가로 몇 편의 소설을 발표한 바 있다. 김 원장은 "비록 성자는 되지 못할지라도 그 쪽으로 조금이라도 다가가려 노력하며 인술을 베푸는 것이 의사된 자의 팔자라면 팔자 아니겠냐"며 수상소감에서 밝힌 바 있다.

겨울나무 | 채명석 |

　겨울나무는 당당해 보인다. 잎을 다 떨어뜨리고도 바람에 맞선 가지마다 팽팽하게 긴장되어 있다. 생존을 위한 자양분과 수분을 다 토해 놓고서도 나무는 가지를 흔들며 하늘을 향해 제 길을 내고 있다. 세 개의 버팀목이 겨울나무의 둥치를 꼭 껴안고 있다. 사람들이 썰물처럼 빠져나간 거리, 버스를 기다리며 홀로 남은 느티나무와 나는 서로를 바라보고 서 있다.

　나는 요즘 지하철을 타지 않고, 주로 버스를 이용한다. 얼마 전 지하철에서 보았던 상진이 때문이다. 저녁 시간인데도 지하철은 그리 복잡하지 않았다. 아이를 업은 한 여자가 안으로 들어오는 것이 보였다. 여자는 한쪽 다리를 절고 있었다. 타자마자 작은 흰색 모금 통을 사람들에게 내밀며 구걸을 하기 시작했다. 여자는 돈을 넣어줄 때까지 아무 말도 없이 앞에 서 있었다. 아이는 무엇이 신기한지 고개를 두리번거렸다. 상진이었다. 처음에는 눈을 의심했다. 그러나 상진이가 틀림없었다. 나는 자리에서 일어나 다음 칸으로 가버렸다. 아이를 본 순간, 치밀었던 분노 때문이었다. 분명 그것은 적개심이었다고 하는 것이 옳을 것이다.

　그녀를 처음 본 것은 일년 전이었다. 그녀는 서른세 살, 4급 지체장애인이다. 월 40만 원의 보조금을 받는 생활보호대상자이다. 등에 업힌 아이는 얼마 전 첫 돌을 지낸 사내아이로 이름은 조상진이다. 성은 엄마의 것을 땄다.

노숙자 진료소에서 저녁 진료를 하고 있을 때였다. 40대 중반의 남자가 급하게 들어왔다. 같은 쪽방에 사는 여자가 곧 애를 낳으려고 한다는 거였다. 오후부터 산통이 시작되었다고 했다. 병원에 가기도 전에 아이를 낳을 수도 있었다.

나는 친구 아내가 근무하는 근처 산부인과 병원에 급히 연락했다. 다행히 그 날 친구 아내가 당직을 하고 있어, 수술을 받을 수 있었다. 수술을 선택할 수밖에 없었다. 그녀는 한쪽 다리를 저는 장애가 있기도 했지만, 그 전에 제왕절개 수술을 받은 적이 있었다.

그녀는 노숙자가 되기 전, 결혼한 적이 있었다. 부모님이 돌아가고 혼자가 되자 주위 사람들이 서둘러 결혼을 시켰다고 했다. 어디 하나 의지할 데 없는 그녀를 위해 한 일이었지만, 정작 그녀는 사내아이 하나를 낳자마자 쫓겨나고 말았다. 결국 갈 곳이 없는 그녀는 노숙자가 될 수밖에 없었다. 처음에는 서울에서 살았고, 부산에 온 지는 몇 년 되지 않았다.

아이를 낳은 며칠 후, 노숙자 쉼터에서 일하는 사람들과 병원에 갔다. 병원은 개원한 지 얼마 되지 않아 그녀가 초라해 보일 정도로 깨끗했다. 그녀의 병실은 7층에 있었다. 병원 측의 배려로 3인 병실을 혼자 쓰고 있었다. 병실에는 그녀와 아이, 그리고 그 날 저녁 진료소를 찾아왔던 사내가 있었다. 아이는 2.9Kg. 아이도 산모도 모두 건강했다.

일주일이 지나 그녀는 퇴원했다. 혹시나 필요한 것이 있지나 않을까 우리는 쪽방으로 그녀를 찾아갔다. 서면 한복관에 있는 산성 여인숙이라는 곳이었다. 그녀의 쪽방은 다른 쪽방보다도 더 좁았다. 아이를 위해 준비된 것은 병원에서 준 배내옷 두 벌과 분유 몇 통이 전부였다. 당장 필요한 것이 옷과 분유였다. 아기를 목욕시키는 것도 문제였다.

그녀는 방세로 월 16만원을 주고 있었다. 그만한 돈이면 방에서 아기 목욕을 시킬 수 있는 비교적 넓고 조용한 곳을 구할 수 있었다. 그녀에게 방을 옮기는 것이 어떠냐고 물었으나 그녀는 대답이 없었다. 아무리 설득해도 그녀는 대답하지 않았다. 어쩔 수가 없었다.

나중에 안 사실이지만 그녀가 그 곳을 떠나지 않으려고 했던 이유는 따로 있었다. 그 날 진료소에 찾아왔던 사내 때문이었다. 사내가 그 곳을 떠나지 않겠다고 한 것이었다. 처음 우리는 그 사내가 아이 아빠라고 생각했다. 그러나 사내는 자기는 애 아빠가 아니라고 했다. 누가 보아도 아이는 그 사내를 꼭 닮아 있었다. 그래도 그 사내는 끝까지 자기 아이가 아니라고 했다. 아이 아빠는 아닐지라도 그 사내는 그녀에게는 우리보다 더 필요한 사람이었다.

사내는 그녀의 울타리가 되어주고 있었다. 한 쪽 다리를 절고, 어둔(語鈍)한 채 노숙하는 그녀는 사람들의 놀림감이 되기 일쑤였다. 그것을 사내가 막아주고 있었다. 그 대가로 그녀는 사내의 방 값을 지불하고 있었다. 방 두 개에 월세로 32만원을 주었다. 월 40만원의 보조금을 받아 32만원을 세로 주는 생활은 궁핍할 수밖에 없었다.

우리는 수시로 그녀를 찾아가 필요한 것들을 마련해 주었다. 아이 돌에는 노숙자 진료소에서 잔치까지 마련해 주었다. 사진도 같이 찍고, 모자가 달린 예쁜 겨울옷과 폭신한 이불도 사주었다. 어려운 처지인 쪽방 사람들도 마음을 모아 음식을 준비해주었다. 우리는 모두 진심으로 축하해주었다. 그녀도 아이도 행복해 보였다. 노숙자 진료소 한 쪽 벽면에는 그 때 찍었던 사진이 아직도 걸려 있다. 많은 사람들이 서로 어깨를 맞대고 환하게 웃고 있다.

그렇게 진료소의 기쁨이 되었던 그녀를 지하철에서 본 것이었다. 진료소 마스코트인 상진이가 앵벌이가 되어 내 앞에 나타난 것이었다. 나는 그녀를 쳐다볼 수 없었다. 무엇이 어디서부터 잘못 되었는지 알 수 없었다. 처음에는 그녀에게 그럴 수가 있냐고 따지고도 싶었다. 그러나 그렇게 하지는 못했다.

며칠 후 그녀가 내 병원으로 왔다. 목 뒤에 생긴 혹 때문이었다. 진료소에서 보았을 때와 달라진 것이 전혀 없었다. 어눌한 말투와 약간 찡그린 듯한 얼굴 표정. 그 날 나를 보지 못한 것이 분명했다. 그녀가 나를 보았다고 하더라도 달라질 것이 아무 것도 없을 터였다. 내가 알기 전부터 그녀에겐 그게 생활이었을 수도 있었다. 내가 몰랐을 뿐. 그녀에게 부끄럽다는 감정은 사치였을 수도 있었다. 그녀의 자연스러움이 더욱 나를 혼란스럽게 했다.

목 뒤의 혹은 작은 귤만한 크기였다. 주위 조직과 유착이 심하지 않은 것으로 보아 지방종 같았다. 수술은 쉬워 보였다. 하지만 나는 그 날 수술을 하지 않았다. 예약된 수술 때문에 바쁘다는 평계를 댔다.

그녀가 병원을 빠져나간 후, 오후 내내 한 가지 생각에 사로잡혀 있었다. 내가 그녀를 지금까지 바라보았던 시선은 무엇일까. 값싼 연민이었을까? 허영 아니면 오만이었을까? 그저 허공을 헤집는 나에게 그녀는 하늘과 땅 사이를 뒤뚱거리며 걸어가는 슬픈 오리 같은 모습으로 다가왔다.

3일 후, 그녀는 병원에 와서 수술을 했다. 예상했던 대로 지방종이었다. 수술하는 동안 그 날의 일을 묻고 싶었지만 하지 못했다. 계속 앵벌이를 하는지, 왜 그렇게 사는지 묻고 싶었다. 그 뒤 치료를 받기 위해 몇 번을 더 왔지만 나는 묻지 않았다.

오늘 감기에 걸려 진료소에 온 그녀를 보았다. 지하철에서 보았던 그녀의 모습이 아직도 눈에 아른거렸다. 그녀의 표정이 밝아 보였다. 며칠 전부터 상진이가 혼자 선다는 거였다. 등에 업힌 아이의 눈빛은 초롱초롱했다. 아이를 진찰실 의자에 내려놓자 등받이를 잡고 금세 일어섰다. 덩달아 신이 난 그녀는 아이를 진찰실 바닥에 내려놓았다. 그녀가 두 손을 잡아주자, 아이는 세상을 향해 뒤뚱뒤뚱 발을 옮겼다.

지체장애인 여자의 출산을 돕고 돌잔치도 함께 축하해준 우리들에게 여자는 아이를 밥벌이의 도구로 이용하는 모습을 보여주었다. 그러나 '도와준다' 고 생각한 것은 우리의 착각인지도 모른다. 그 여자에게는 또 다른 생활이 있었고 아이를 이용해야 하는 현실이 있었던 것이다. 지하철에서 상진이를 업고 있던 여자를 본 뒤 내가 가졌던 분노는 어쩌면 부끄러움일지도 모른다.

우리는 여자의 버팀목이 되지 못했다. 그러나 '도움'을 준다고 생각했던 것이다. 겨울나무 같은 여자에게 우리 사회는 이제라도 버팀목의 역할을 해야 할 것이다. 그래서 상진이의 맑은 눈빛이 앵벌이로 이용되지 않도록.

인적이 끊어진 버스정류소, 얼굴에 다가오는 겨울바람이 더 차다. 차디찬 바람 속에 몸 하나 옹그리지 않고 당당히 서 있는 겨울나무 위로, 진료소에서 보았던 그녀의 얼굴이 보인다. 언제나처럼 약간 찡그린 듯 웃고 있는 얼굴이다. ▪

제 3회 우수상을 수상했던 작품이다. 채명석 원장은 당감제일외과의원을 개원하고 있다. 여전히 봉사활동도 하고 있지만 올해는 유난히 바빠 글쓰기가 쉽지 않았다고. 이 글의 주인공인 상진이는 그 쪽방에서 1년 더 살았다. 쪽방에서 나가고 병원에도 발을 끊으면서 1여 년 전부터 소식이 끊겼다. 유난히 빨리 추워진 올 겨울, 상진이네는 또 어느 쪽방에서 겨울을 나고 있을지…….

가족 | 홍현종 |

창 밖 하늘이 부옇게 밝아오고 있었다. 수련의 시절부터 늘 그랬듯이 우선 휴대전화를 찾아 시간을 확인하고 잠든 사이 못 받은 전화는 없나 살폈다. 6시 5분. 일어나야 할 시간이다.

늘 시간에 쫓기듯 생활했기 때문에 지각하거나 허겁지겁 뛰어다니는 상황이 되는 걸 싫어한다. 달콤한 잠자리를 포기하고 몸을 일으켰다.

서둘러 출근 준비를 하였다. 입덧 때문에 엉망이 된 얼굴로 웃음 짓는 아내의 배웅을 뒤로 한 채 출근길을 서둘렀다. 어느새 새벽하늘은 푸르게 물들었고 도로 위에는 출근을 하는 사람들이 하나 둘 씩 늘어가고 있었다. 늘 그랬던 것처럼 라디오를 들으며 창으로 들어오는 공기를 들이마셨다. 저기 멀리 도심 속 우뚝 솟은 빌딩 숲 사이에 도시의 스카이라인과 대조를 이루는 모습으로 한구석에 서 있는 병원이 보이기 시작하면 이내 몸과 마음이 팽팽해진다. 또 하루일과가 시작인 것이다.

차를 주차하고 응급실 옆의 출입문을 지나 엘리베이터에 몸을 실으면서 복도를 쓸던 청소부 아주머니와 가벼운 눈인사를 한다. 가운을 입고 넥타이를 고쳐 매며 병실 복도를 가로지른다. 아침 회진 전 전공의의 보고를 받기 위해 회의 장소인 의국으로 나섰다. 전공의 시절 마치 누구에게 쫓기듯 걷던 병실 복도를 전문의가 되고 나서는 일부러 여기저기 장날 구경 나온 시골 아저씨처럼 여유롭게 걷는다. 전공의 시절에는 일에 치여 보이지 않던 병원의 많은 모습들이 날마다 새롭다. 그동안 그 모든 것들에 의미를 두지 않고 지나쳐 왔기 때문일 것이다. 아침 채혈을 당하는 환자들의 찡그린 얼굴이나 밤새 중환자한테 시달려 이제는 태엽이 풀려버린 장난감 인형인 듯 서 있는 간호사나, 평소보다 늦은 기상 때문에 허둥대는 인턴의 당황한 걸음을 보며 걷는 것이 요즘 새로운 즐거움이 되었다. 수석전공의의 환자보고가 이어졌다. 모두들 화가 난 듯 환자 명단과 수석전공의의 얼굴을 바라보며 인상을 쓰다가 한마디씩 묻고 답한다. 보고가 끝난 후 병실 회진 전에 이틀 전 뇌출혈로 입원한 할머니의 보호자와 상담내용을 물었다.

"김 선생, 환자의 아들이나 딸이 뭐라고 하던가? 수술이 급하다고 다시 한 번 얘기는 했지?"

"그게……."

수석전공의가 말꼬리를 흐린다.

옆에 있던 일 년차 전공의가 어이가 없다는 듯이 내뱉었다.

"선생님, 보호자들이, 환자 나이가 많아서 정상으로 회복되지 않을 바엔……. 요즘에는 이런 환자가 자꾸 늘어나요."

나도 잠자코 고개만 끄덕였다. 장담은 못해도 수술이 잘 되면 환자는 삼 년이고 오 년이고 더 살 수 있다는 것을 우리는 알고 있었다. 하지만 정상생활을 지속하지 못할 정도의 장애가 남기 때문에 가족의 경제적, 정신적 부담이 매우 크다는 것도 알고 있다. 불경기여서인지 최근에는 이렇게 치료를 포기하는 경우가 점점 늘어나서 이미 여러 번 경험한 적이 있는 터였다. 하지만 그럴 때마다 화가 났다. 그런 경우가 거듭될수록 화는 점점 커져갔지만 이제는 일상처럼 되어 버렸다. 보호자들에 대한 분노는 아니지만 자꾸만 화가 나고 흥분이 되었다. 오늘도 또 그런 일이 생긴 것이다. 회진을 돌고 방으로 돌아온 나는 맥이 풀려 아무 것도 못하고 창 밖을 내다보기만 했다. 멍하니 창밖을 내다보다 마음을 추스르려 책을 꺼내들었다. 우연히 책갈피 속에서 한동안 잊어 버렸던 종이 한 장을 발견하고 기분이 좀 나아졌다. 신문에 끼워져 오는 광고 전단이었다. 전단 뒷면에는 마치 이제 글을 배우기 시작한 어린아이가 쓴 듯한, 글자마다 크기도 제 각각이고 삐뚤삐뚤 쓰여 있는 글이 있었다.

'선생님, 고쳐 주셔서 감사합니다.'

　내가 그 환자를 처음 진찰한 것은 초여름쯤이었다. 평소처럼 아침 보고를 받고 간밤에 응급실을 통해 입원한 환자를 살피러 간 길이었다. 뇌종양이 의심된다고 보고받긴 하였으나 신경학적 상태는 정확히 알지 못했다. 40대 초반으로 보이는 남자 환자는 침대에 누워 허공의 점을 바라보고 있었다.

"000씨, 여기가 어딘지 아세요? 손가락으로 하나 해 보세요."

나는 가장 기본적인 의식상태와 지각력을 알아보려 했다.

"……."

하지만 환자는 여전히 천정의 한 곳만을 응시하고 있었다. 다시 목소리를 높여 질문을 하려다가 손전등으로 동공을 살폈다. 동공은 정상 이상으로 확대되어 있었고 대광반사도 되지 않았다. 그제야 나는 병동에 있는 모니터로 가서 환자의 CT(뇌전산화 단층촬영)를 확인했다.

맙소사! 환자의 양쪽 전두엽 모두가 종양으로 채워져 있고 정상 뇌는 후방으로 심하게 눌려있었다. 뇌의 전두엽 기능을 모두 상실하여 환자는 소위 '식물인간'이라 표현되는 신경학적 증상을 가진 것과 비슷한 상태였던 것이다. 영화 '뻐꾸기 둥지 위로 날아간 새'에서 잭 니콜슨이 연기했던 등장인물처럼 그는 자신의 의지와 의사표현 능력을 상실한 바보 같은 상태였던 것이었다. 한동안 환자는 아무런 치료 없이 방치돼온 것 같았다. 빠른 시간 내에 수술이 필요했다. 하지만 환자는 보호자가 없이 길거리에서 발견되어 병원에 입원한 상태였다. 전공의들을 독촉하여 지문검사를 통해 가족을 찾고 MRI(자기공명영상)를 무료로 촬영할 수 있도록 병원 원무팀과 사회복지사에게 부탁했다. 여러 사정 끝에 이튿날 아침이 되어서야 가족과 연락이 닿았다. 부인은 오랫동안 가출상태였고 여동생 집에 얹혀사는 홀어머니와 초등학생인 딸이 있었다. 가장이기는 하지만 오래 전 경제적 지위를 상실하고 가출하여 가족과 수년째 연락이 두절된 상태였던 것 같았다. 부랴부랴 달려온 가족은 그를 발견하고 원망 반, 울음 반인 상태로 수술에 대한 설명과 위험도를 듣고 수술신청서에 날인을 하였다. 환자에게 정나미가 떨어졌다며 귀가를 재촉하는 환자의 여동생에 이끌려 가시던 어머니가 한 십 분쯤 뒤 다시 돌아와서는 나에게 면담을 요청하였다.

"선생님, 우리 아이를 잘 부탁합니다. 저희가 못 살아서 간병도 못하고 저는 내일 또 일 나가야 하거든요. 아마도 수술 끝나고 며칠 후에나 올 수 있을 거 같아요. 그때는 저 놈 딸아이도 데려올 테니 그 때까지만이라도 살려주세요."

나는 그 때 그 환자 어머니의 주름으로 가득한 얼굴을 바라보지 못하고 고개를 떨어뜨렸다. 보호자의 손을 잡으며 꼭 그렇게 될 수 있도록 노력하겠다고 약속하였다. 가슴 한구석으로부터 감당하기 힘든 무언가가 치밀어 올랐다. 몇 번이고 신신 당부를 하던 환자의 어머니는 결국 새벽까지 환자 옆을 지키다 갔다고, 그 다음날 간호사로부터 전해 들었다.

수술은 아침부터 오후 늦게까지 계속 됐다. 수술 중 지쳐서 집중이 잘 안되거나 종양 제거가 용이하지 않을 때마다 환자 어머니의 얼굴이 떠올랐다. 수술이 끝나고 밤이 되어서야 환자가 중환자실에서 마취로부터 깨어났다. 다행히 수술은 성공적이었지만 환자는 여전히 백지와 같은 상태였다. 그 후로 며칠을 중환자실에서 보낸 후 일반병동으로 옮겨진 환자는 병동에서 새로운 말썽꾸러기가 되었다. 보호자가 없는 상태에서 대소변을 전혀 가리지 못하여 하루에도 여러 번 침대보를 갈아줘야 했고 식사는 남이 도와줘야 할 수 있었다. 회진 중 많은 시간을 할애해 그 환자를 돌보고 있었지만 회복은 더디게만 진행되어 나를 초조하게 만들었다. 그 사이 환자의 어머니와 딸은 일주일에 한두 번씩 환자를 방문하곤 했다.

더위가 늦게까지 기승을 부리고 있던 8월 어느 날, 나는 회진 중 병실 입구에서 한 소녀와 마주쳤다. 그 소녀는 손에 들고 있던 종이 한 장을 나한테 내밀었다. 대수롭지 않게 종이를 받아든 나는 그 자리에 한참이나 서 있었던 것 같다. 종이는 신문 사이에 들어있는 광고 전단이었는데 그 뒤의 여백엔 크레파스로 쓴 글씨가 있었다. 그 알아보기 힘든 글씨는 내 마음에 들어앉아 한참이나 나를 당황스럽게 만들었다.

'선생님, 고쳐 주셔서 감사합니다.'

아마도 병문안 온 딸의 크레파스를 빌려 쓴 듯한 글씨가 그날 하루 종일 내 눈에 선했다.

그 후 뇌종양 환자는 스스로 생활을 영위할 수 있을 만큼 회복되어 추석을 오래간만에 가족과 보내게 됐다고 즐거워하며 딸의 손을 잡고 퇴원하였다.

나에게 "선생님은 제 생명을 구해주셨을 뿐만 아니라 가족도 되돌려주셨어요"란 말을 잊지 않았다.

*

이제는 꾸깃꾸깃해진 종이를 소중히 펴서 책 사이에 넣었다. 그리고 수화기를 들어 오늘 아침 수술을 포기했던 뇌출혈 환자의 가족을 찾아 달라고 부탁했다. 내가 다시 만나 설득을 해볼 심산이었다.

퇴근길에 부모님께 안부 전화를 했다. 돌아오는 휴일에는 오랜만에 모두 모여 식사를 하자고 말씀드렸다. 가족 중 건강이 나쁜 사람이 없는 것이 새삼 기쁘게 느껴졌다. 저 멀리 지는 저녁 해를 바라보며 아무리 현실이 어려워도 환자들을 따뜻한 가족의 품으로 돌려보낼 수 있게 최선을 다하리라 다짐했다. 희망을 가지고 함께 노력하면 언젠가는 모두가 행복해지는 날이 올 거라는 신념을 갖게 해준 뇌종양 환자의 수줍은 웃음이 여전히 눈에 선하게 남아 있다. ■

4회 장려상 수상작이다. 홍현종 선생은 서울의료원 신경외과 과장으로 일하고 있다. 홍 과장은 "정신없이 흘러가는 세월에 치어 이리저리 표류하던 나는 늘 아쉬움에 누구에게라도 내가 겪은 얘기, 내 생각들을 얘기하고 싶었다"고 말하며 "한미수필문학상 응모는 이런 기회를 풀어줄 기회였고, 수상은 평생 의사로서의 힘든 삶에 의지할 수 있는 목발이 될 것 같다"고 밝혔다.

웃음 |최창민|

6년의 병원생활을 마치고 군 입대를 앞둔 지난해 늦가을이었다. 파견병원에서 집으로 가던 차 안에서 습관적으로 라디오를 틀었다. 운전하며 무심코 듣던 중 뉴스가 흘러 나왔다.

"오랫동안 난치병을 앓아온 딸의 인공호흡기를 멈추게 해서 딸을 숨지게 한 아버지가 경찰에 붙잡혔습니다. 희귀병인 경추탈골증후군을 앓아온 20살 전모양은 생명을 이어주던 인공호흡기의 전원이 끊겨 지난 16일 숨지고 말았습니다. 치료비를 감당하기가 너무 힘이 들었다는 것이 이유였습니다."

'설마 그 환자가?'

호흡기내과 임상강사를 하던 작년겨울이었다. 대학병원에는 흔한 질환자부터 이름도 어려운 희귀질환자까지 다양한 환자가 치료를 받는다. 치료가 잘 되어 단기간에 퇴원하는 환자가 대부분이지만 드물게는 치료가 안 되거나 경제적 이유로 장기간 입원하는 환자들이 있었다. 호흡기내과는 특히 숨쉬는 기능이 저하되어 평상시에도 인공호흡기에 의존하는 환자들도 병실에 더러 있었다. 이런 환자들은 장기간 같은 병실에 있기 때문에 무슨 병인지 잘 몰라도 회진하면서 환자들의 얼굴은 잘 알기 마련이었다.

지우(가명)도 내게는 그런 환자였다. 수년전부터 경추탈골증후군이라는 질환으로 인해 소아병원에 드나들다가 어느덧 스무 살이 되어 내과로 옮겨온, 아직 앳된 예쁘장한 아가씨였다. 5년 전에 시작된 사지마비로 인해 여러 병원을 돌아다니다가 소아신경외과에서 경추 탈골로 인한 신경마비로 진단되었다. 그러나 이미 마비가 많이 진행된 상태로 약한 팔 동작 이외에는 움직일 수 없어 침대에 하루 종일 누워있었다. 내 담당환자가 아니었기 때문에 옆자리에 있는 환자를 보면서 가끔 4인실 한쪽 병상에 누워있던 지우에게 눈인사를 하던 정도였다. 그러던 어느 날 지우가 숨쉬는 것이 여느 때와는 달라졌다. 담당 주치의에 의해 환자의 상태가 확인됐고 호흡기내과로 의뢰가 들어왔다.

"선생님, 가슴이 답답해요, 가슴이 아파요"

내가 중환자실에서 지우에게 들었던 첫마디였다. 처음엔 흉부 방사선 사진도 정상이고 혈액검사결과도 큰 이상이 없었다. 일단 호흡곤란을 호전시키기 위해 중환자실로 이송한 후에 인공호흡기를 통해 숨을 쉬게 했다. 당시 상황으로는 지우는 장기간 마비상태로 누워 있었기 때문에 하지 정맥에서 생긴 혈전이 폐동맥을 막아서 생기는 폐색전증을 의심해야 하는 상황이었다. 진단을 위해 핵의학 검사인 폐관류 스캔을 실시했다. 짐작대로 지우의 한쪽 폐에서 혈액이 공급되지 않아 생긴 커다란 관류결손부위가 관찰됐다. 혈전을 녹이기 위한 약물을 쓰고 회복될 때까지 인공호흡기를 사용하게 되면서 지우와 나와의 인연은 시작됐다.

폐색전증은 약물을 사용하면서 점차 호전됐다. 하지만 장기간 누워있었기 때문에 호흡근육이 많이 위축돼 있었다. 더구나 경추 이하의 신경마비로 인해 호흡근육 중에서도 상당부분 마비가 있어 인공호흡기를 떼기가 쉽지 않았다. 중환자실에 내려오기 전에는 비록 기관절개는 돼있었지만 자발적으로 호흡이 가능하던 지우였다. 그런데 이번엔 힘들어 보였다. 조금씩 기계 의존도를 낮춰 가면, 답답함과 통증을 호소해 마지막에 실패하기를 반복하곤 했다. 중환자실에서의 기간이 길어지자 장기적인 계획수립을 위해 자연스럽게 지우 어머니와 상의를 시작했다. 처음엔 환자 상태에 대해 얘기를 나눴지만, 곧 지우의 미래에 대해서도 의견을 교환하게 됐다.

지우는 의식도 또렷하고 팔도 약간 사용할 수 있어서 휴대폰으로 문자메시지를 보내길 좋아했다. 아직 스무 살의 나이에 특별한 합병증만 없다면 평생 기계에 의존해 누워있어야 하는 상황이었다. 팔과 머리 말고는 움직일 수 없었지만 모든 걸 포기하고 누워있기에는 너무 안타까웠다. 점차 희망을 잃고 죽을 때까지 침대에 누워 지내야 하는 상황을 어떻게든 바꿀 수 있으면 하는 생각이 들었다.

대부분의 형편이 어려운 환자들처럼 지우도 '사랑의 리퀘스트' 라는 방송프로그램에 나와 후원금을 받은 상태였다. 후원금이 많이 남아있는 상태였기 때문에 병원비로 단기간 사용해버리기보다는 다른 방법을 찾아보기로 했다. 병원비도 비싸고 환자도 장기간 지속적으로 치료받아야 하므로 퇴원을 하는 게 어떤지 조심스럽게 제안했다. 인공호흡기에 의존해 숨을 쉬지만 어머니가 항상 옆에서 간호해 오셨기 때문에 굳이 병원에 있을 필요는 없다고 생각됐다. 어머니나 지우도 병원에 계속 있기보다 집에 가고 싶어 했다. 남은 건 지우가 집에서 안전하게 사용할 가정용 인공호흡기를 구입하는 순서였다. 인공호흡기 회사에 사정을 설명하고 적절한 기계를 수소문했다. 다행히 회사에서도 취지를 이해하고 좋은 기계를 구해주기로 하였다.

그런데 뜻하지 않은 문제가 발생했다. 후원금은 용도가 엄격히 제한돼 있었다. 방송에 나오기 전의 병원비로 사용해서도 안 되고 병원비 이외의 비용으로 사용해서도 안 된다는 통보를 받았다. 물론 후원금을 부적절한 용도로 사용하는 경우가 많아서 만든 조항이었다. 하지만 가장 필요한 인공호흡기를 살 수 없다는 통보를 받고는 허탈해졌다. 결국은 병원비를 다 사용할 때까지 병원에 입원해 있을 수밖에 없었다. 가슴 통증과 호흡곤란에 대한 두려움 때문인지 지우는 결국 인공호흡기를 제거하지 못하고 병실에 올라가서 기계에 의존해 지내기 시작했다. 처음엔 가슴 통증을 많이 호소했지만 점차 특별한 문제없이 병실에서 잘 지내게 되었다. 시간이 흘러가면서 조금씩 지우의 퇴원에 대해서 잊혀져 갔다. 그러던 어느 날, 지우 어머니가 후원금을 모두 사용했으니 퇴원하겠다고 하면서 인공호흡기 구입을 도와달라는 연락이 왔다. 비용은 쉽게 마련됐다. 병원전공의협의회에서 어려운 환자에게 정기적으로 후원하던 금액 중 300만원을 지원받았다. 나머지 150만원은 의과대학을 졸업할 때 친한 친구들끼리 "주치의를 하면서 어려운 환자가 생기면 도와주자"며 매달 만원씩 모아둔 돈으로 해결했다. 퇴원하기 전 일정기간 동안 인공호흡기를 시험적으로 달아보았는데 별 문제는 없었다. 혹시라도 자발호흡이 없어질 것을 대비한 기능을 가진 기계였기 때문에 좀 안심이 되기도 했다. 가끔 병실에 가면 웃으면서 맞이하는 지우의 모습을 보면서 비록 질병을 치료해주지 못했지만 의사로서 무력감에서 조금 벗어날 수 있는 듯했다.

모든 준비를 끝내고 드디어 퇴원하게 되었다. 혹시라도 집에서 문제가 생기면 연락하시라고 휴대전화번호를 적어드렸다. 자기 의사표현도 확실히 하고 휴대전화도 사용하기 때문에 큰 문제는 없을 거라 생각하면서 마지막 인사를 나눴다. 그날 저녁에 휴대전화에 문자가 찍혔다.

'선생님, 무사히 도착했어요. 또 연락드릴게요.'

이후에도 가끔씩 문자로 안부를 전해 받으며 나는 다시 병원의 바쁜 일상 속에 빠져 있었다.

뉴스를 듣고 처음에는 지우가 아니길 바랐다. 하지만 집에서 검색한 인터넷 기사들은 실낱같은 희망도 앗아가 버렸다. 인터넷에 나온 기사들에서 지우는 식물인간, 경제적인 어려움 때문에 아버지에 의해 어쩔 수 없이 선택된 딸의 죽음, 안락사로 언급되고 있었다. 머리 속이 많이 혼란해졌다. 내 환자가 아니었다면 무심코 스쳐 지나갔을 기사들이 너무나 가슴에 아프게 다가왔다. 병실에서 환하게 웃어주던 지우가 어떻게 식물인간일 수가 있단 말인가? 더구나 안락사라니. 지우가 죽고 싶어 했을 리도 없을 텐데. 며칠 후 지우가 퇴원할 때 주치의를 맡았던 선생에게서 연락이 왔다. 모 방송국 시사 프로그램에서 인터뷰를 하겠다는데 어떻게 해야 하느냐는 질문이었다. 예전 경험으로 보아 썩 내키지는 않았지만 어머니의 허락을 얻었다는 말에 한 번 더 속는 셈치고 인터뷰를 하라고 했지만 허사였다. 프로그램은 애초 기획대로 '딸을 죽일 수밖에 없었던 아버지의 어쩔 수 없는 선택'을 중심으로 진행됐고 어디에서도, 지우가 '존중 받으며 우리와 함께 살아가야 하는 존재'라는 것은 보이지 않았다. 의사가 치료를 조금이라도 소홀히 했을 때는 — 뇌사가 되거나 살 가망성이 없는 환자의 경우에도 — 살인죄로 몰아가던 방송이, 의식이 멀쩡한 젊은 환자의 죽음에 대해서는 전혀 다른 시각으로 접근한 것이다. 배신감마저 느껴졌다.

중환자실에서도 가슴이 답답하고 아프다고 그렇게 힘들어했는데 죽기 전 숨이 막히는 고통을 어떻게 참았을까? 퇴원만 시키지 않았다면 이렇게 허망하게 죽지는 않았을 텐데, 내 잘못은 아니었을까? 지우 아버지의 절박함을 내가 어찌 이해할 수 있을까?

사건은 아버지의 집행유예 소식을 마지막으로 점차 잊혀져 갔다. 그러던 어느 날 전화가 걸려왔다. 지우 어머니였다.

"연락이 늦어서 죄송해요."

"많이 힘 드셨죠."

"진작 연락드려야 하는데, 인공호흡기를 옆 병실에 있는 OO에게 주었으면 해서요."

"예, 그러세요."

OO도 골수이식 이후 생긴 폐합병증으로 인해 수년간 인공호흡기에 의존해 지내는 환자였다. 젊은 나이에 처지가 비슷해 환자들은 서로 만나기 힘들었지만 어머니들끼리는 잘 이해해주는 사이였다. 그 환자에게는 지우가 죽었다는 사실을 알려주지 않았다. 병원에 오랜 기간 있었지만 살고자 하는 욕구가 아주 강했는데 사실을 알게 되면 받을 충격이 걱정됐기 때문이었다. 하지만 OO도 일년 후 결국 합병증으로 죽고 말았다.

해가 바뀌어 나는 군의관으로 군병원에 근무하고 있다. 지금도 중환자실에서 루게릭 병, 사고로 인한 사지마비, 허혈성 뇌손상, 뇌졸중 환자 등 인공호흡기에 의존한 환자들을 보고 있다. 내가 호흡기내과 의사를 하는 동안에 아마도 지우와 같은 환자를 계속 만날 것이다.

인간으로서 온전히 살아갈 가능성이 없다고 모든 걸 포기해야 한다고는 생각하지 않는다. 지금도 퇴원 전 병실에서 보여주던 지우의 해맑은 웃음이 생각난다. 지우도 내가 다른 환자들이 밝게 웃을 수 있도록 해주길 바랄 것이다.

의사가 가장 보람을 느낄 때는 환자 얼굴에 가득한 웃음을 볼 때다. 지금 내 앞에는 사지마비로 얼굴 이외에는 움직일 수 없는 젊은 환자가 있다. 폐렴이나 욕창 같은 합병증이 생기면 치료해주는 수동적인 의사로 남기에는 아직 나는 젊다. 비록 지우는 죽었지만 자신의 의지대로 살고 싶어 했을 거라고 난 여전히 믿고 싶다. 이 환자도, 처음엔 어려울 것 같았지만 몇 개월에 걸친 노력으로 24시간 내내 의존하던 인공호흡기 없이 낮에는 자발적으로 숨쉬는 것이 가능해졌다. 연습할 때 힘들어하던 환자가 하루 종일 스스로 숨을 쉰 후 밝게 웃어 주었다. 내년 따뜻한 봄날, 휠체어를 탄 환자와 병원 주변을 같이

산책할 날을 꿈꿔본다. ■

4회 장려상 수상작품이다. 군의관으로 복무 중인 최창민 선생은 곧 제대해 서울아
산병원 호흡기내과 임상강사로 일할 예정이다. 그는 소상소감을 통해 "충분히 살아
갈 수 있는 시간이 남았음에도 불구하고 사회적, 경제적 여건이 마련되지 않아 결
국 이 세상을 떠날 수밖에 없었던 소녀가 있었다는 사실이 기억되기를 원했다"며
"비록 실망스럽고 아픈 결과를 초래했지만 결코 틀린 길은 아니기를 바란다"고 밝
혔다.

생명 | 임만빈 |

축제기간 동안 해부학 교실의 전시회를 관람한다. 학생 교실원들의 열의에 찬 설명을 들으며 전시장을 둘러본다. 문득 인간이 수태되어 아기가 탄생할 때까지의 과정을 전시한 곳에서 걸음을 멈춘다. 태아 표본은 수태 4주부터 40주 탄생할 때까지의, 태아 모습과 태반에 붙어있는 아이의 모습을 표본 보관 용기에 담아 시기에 따라 순서적으로 정리하여 보여주고 있다. 태아 4주의 모습, 표본을 보관하는 접시 모양의 조그만 용기 안 포르말린 용액에 잠겨있는 하나의 개체, 미래의 한 인간은 강낭콩 새싹보다도 더 작은 모습으로 포르말린 용액의 흐름에 따라 이리저리 움직이기도 한다. 강낭콩 새싹의 이파리 모습을 한 머리, 꾸부정한 줄기 모습을 한 몸뚱이, 머리가 대부분을 차지하고 몸뚱이는 아주 작은 일부분만 차지하고 있다.

옆의 설명서를 본다. "중추신경계의 발달 외에 심혈관계가 형성되고 심장 박동이 시작됨. 상지의 순(筍 bud)이 나옴"이라고 적혀있다. 나는 표본을 담은 용기(用器)를 다시 들여다본다. 이파리 모양을 한 머리에서 까만 점을 발견한다. 돌출되고 딱딱한, 아주 조그만 새까만 점을 본다. 눈이라고 한다. 그래, 고속도로 높이 매달려 있는 속도 감시계 카메라의 렌즈같이 까맣게 보이는 저 조그만 눈, 수태된 후 어느 순간부터 저 눈은 생겼을까? 그리고 보일 듯

말 듯 높이 매달린 속도 감시계 카메라 렌즈가 속도위반 차량을 정확히 촬영해 내듯 저 조그만 새까만 점은 무엇을 강낭콩 새순 같은 머릿속에 담고 저렇게 포르말린 속에 잠겨 있는가?

그래, 내 지도하던 학생이 어느 날 연구실로 찾아와 산부인과 수련을 포기하겠다고 이야기했을 때, 그리고 제자의 아내가 가정의학과 전문의가 된 후 어느 산부인과에 취직하였다가 임신 중절 수술을 못하겠다고 사표를 냈다는 이야기를 들었을 때, 나는 문득 히포크라테스 선서에 적혀 있는 "나는 인간의 생명을 그 수태된 때로부터 지상(至上)의 것으로 존중히 여기겠노라"라는 문구를 생각해 냈었다. 비록 인간의 생명이라는 시점에 대하여 논란이 되지만, 그리고 일부의 학자들(아리스토텔레스, 스토아학파, 피터 싱어 Peter Singer)이 인간의 생명은 분만 이후나 고통 혹은 기쁨을 느낄 수 있는 이후의 시기로 주장하지만, 한 달 밖에 안 된 저 태아의 새까만 눈은, 그래 아무것도 담지 않은 빈 필름 상태로 존재하고 있단 말인가?

내가 박완서 씨의 〈그 가을의 사흘 동안〉이란 소설을 읽었을 때, 그리고 그 속에서 주인공 여의사가 "원치 않는 아기가 뱃속에 있을 때의 고통이 어떻다는 건 그걸 가져본 여자만이 안다. 모든 질병의 고통은 동정자를 끌어 모으지만 그 고통만은 비난과 조소를 면치 못한다. 사람을 질병의 고통에서 해방시키는 게 인술의 꿈이라면, 여자를 그런 질병 이상의 고독한 고통에서 해방시키는 건 나의 꿈이었다"라고 독백하면서 임신 중절을 합리화하는 모습을 접했을 때, 나는 문득 고등학교 시절 가끔 목격했던 흑인 혼혈아를 연상해 내곤 그 고통을 이해하려 했었다.

D시의 변두리 산 중턱에 살았던 그녀, 내가 자취하던 집의 듬성듬성한 울타리 사이로 보이던 움막집, 문득 내가 저녁밥을 지으러 뒷마당으로 나왔을 때 가끔씩 보이던 광경, 그것은 인간을 쫓는 아이들이 아니었고 어쩌면 인간 세상에 잘못 나와 어리둥절해하는 노루를 쫓는 아이들을 연상시키곤 했었

다. 어쩌다 흑인 혼혈아가 움막집을 나와 시내 쪽으로 외출이라도 할라치면, 그저 골목길에서 저희들끼리 잘 놀던 아이들이 하나 둘 그 혼혈아 주위로 모여들어 그녀를 졸졸 따라다니며 괴롭히곤 했었다. 어떤 때는 막대기로 슬쩍슬쩍 그녀를 건드리기도 했고, 어떤 때는 "너희 어머니는 양갈보"라고 소리치며 그녀를 놀려대기도 했었다.

"초등학교 4학년"이라고 주인집 아주머니는 나에게 이야기 했다. 껑충하게 큰 키, 긴 다리, 그리고 뒤쫓는 아이들을 피해 성큼성큼 걸음을 빨리하던 흑인 소녀, 나는 언젠가 한번 그녀와 맞닥뜨려 그녀의 눈을 본 적이 있었다. 불평도, 화도 내지 못하고 애처롭게 바라보던 눈, 그리고 황급히 달아나던 그녀. 나는 그 눈 속에서 두려움, 창피함, 불행, 태생에 대한 반항, 연민, 순응이라는 단어를 읽었었다.

나는 그녀의 어머니를 본 적이 없다. 그리고 고등학교를 졸업하고는 D시를 떠난 후 혼혈아인 그녀를 다시 본 적도 없다. 허나 의과대학에서 산부인과 과목을 배울 때, 그리고 의사가 된 후에도 임신 중절이라는 단어를 한 번씩 들을 때마다, 문득 D시에서 보았던 혼혈아의 어머니를, 그리고 성큼성큼 노루처럼 달아나던 그 흑인 소녀를 생각하곤 했다.

7주 된 태아를 본다. 발가락의 흔적이 생기고 상지는 벌써 팔꿈치가 생겨 굽히고 있다. 눈꺼풀이 생겨있고 젖꼭지도 보인다. 두 달도 안 된 생명체, 외형적으로는 선명하게 인간의 모습을 보여주고 있다. 임신 중절을 시키는 산부인과 의사들은 과연 자궁에서 긁어낸 생명체들을 자신들이 보곤 하는가? 임신 4주만 되어도 저렇게 까만 눈동자를 가지고, 7주만 되어도 인간 모습을 보이는 생명체를, 그리고 그 까만 렌즈 속에 담았을, 비록 엄마의 자궁 속 풍경이지만, 그 소중한 기억들을 죄의식 없이 뭉텅 지울 수 있었을까? 태아가 체외에서 생존 가능한 시점 이전까지는 낙태가 헌법상의 권리로 인정된다고 하더라도(1973년 로우 대 웨이드 사건에 대한 미 연방 대법원 판결), 그것이 과연 행위자의 죄의식을 없앨 수 있을까?

요즈음 줄기세포(stem cell)로 인간이나 인간 장기의 복제가 가능하다는 소식으로 온 나라가 시끄럽다. 척수(脊髓)가 절단되었을 때, 뇌출혈로 운동 신경이 지나가는 부위가 손상되었을 때, 줄기세포를 이식시켜 손상된 부위의 복구가 가능하다면, 사지가 마비되었던 환자가, 반신 마비가 왔던 환자가, 멀쩡하게 회복된다면, 이는 신(神)이 하지 못한 일을 인간이 하는 것은 아닐까? 또한 신장(腎臟)이나, 간(肝), 심장(心臟)등을 마음대로 생산하여 이식(移植)에 이용하도록 한다면 얼마나 많은 사람들이 생명과학의 발달에 혜택을 입을 것인가?

허나 만약 과학자가 나쁜 마음을 먹고 인간을 마구잡이로 복제해 낸다면, 영화에서 보듯 바퀴벌레 같은 놈이 수없이 복제되어 한 마을을 휩쓸고 인근 도시를 황폐화시키고 그리고 나라 전체를 공포에 휩싸이게 한 이야기가 현실화 된다면, 더구나 복제된 인간은 같은 유전자를 가지기 때문에 어떤 개인의 명령에 따라 행동한다면, 그리고 그 복제된 인간을 조종하는 사람이 나쁜 목적으로 그들을 사용한다면, 인류에게는 어떤 일이 일어날 것인가?

신경외과 의사들은 한 번씩 윤리적인 문제 때문에 머리를 싸매고 고민할 때가 있다. 호흡이 멈춘 환자에 기관 삽입을 하고 인공호흡기를 장치했을 때, 그리고 회복할 가능성 없이 며칠씩 심장 박동이 계속될 때, 치료는 어떻게 하여야 하는가? 고가의 약을 계속 투여하여야 하는가? 그렇지 않으면 정맥으로 수액 공급 정도만 해주어야 하는가? 이식(移植)을 받을 환자들이 여러 명 기다리고 있는데, 호흡도 멈추었고 회복할 가능성도 전혀 없는데, 뇌파가 약간 보임으로 뇌사 판정을 하지 못하고 시간을 끌다가 환자가 감염되어 모든 장기(臟器)를 쓰지 못하게 되었을 때 느끼는 당혹감, 이미 죽을 사람, 조금 일찍 뇌사 판정을 하여 여러 사람에게 장기를 나누어 주는 혜택이라도 주었더라면 하는 아쉬움.

신경외과 의사들은 이런 문제 이외에도, 수술을 할 것이냐 말 것이냐, 지금 당장 수술을 시행하여야 하는데 보호자가 없을 때 보호자의 승낙을 얻기 위하여 기다려야 할 것인가, 그렇지 않으면 보호자 승낙 없이 수술을 시행할 것인가, 회복 가능성 적은 환자의 경우 보호자가 강력히 퇴원을 원했을 때 허락하여야 하나, 그렇지 않으면 강권으로 치료를 계속하여야 하나 등등 수없이 윤리적 문제로 골머리를 앓는다.

행위공리주의(行爲功利主義)적 관점에서 보면 박완서 소설에 나오는 여의사 생각이 옳다. 더구나 내가 고등학교 시절 보았던 흑인 혼혈아는 같은 맥락으로 생각하면 낙태가 되었어야 한다. 원치 않는 임신이라 하더라도 인종적 차이가 나지 않으면 애를 낳을 때까지가 혹은 키울 때까지가 문제가 될 수 있으나 혼혈아인 경우는 평생 죽을 때까지 그 자신과 낳은 어머니가 고통을 받을 수 있다. 규칙 공리주의적 관점에서 보면 낙태 허용의 법적 해석이 뒤따를 수 있을 수 있고, 앞에 열거한 모든 행위에서도 법적 해석이 필요할 것이다.

이제 생명과학이 빠르게 발달하면서 윤리적인 문제가 우리들 삶에 급속히 파고들 것이다. 시험관 아기가 아니라 복제된 인간이 우리와 같이 거리에서 이야기하고 웃고 즐기는 시대도 올 수가 있을 것이다. 폐타이어를 땜질하듯 손상된 신체부위를 줄기세포로 땜질하고, 망가진 심장이나 신장 같은 장기는 줄기세포로 만든 인공심장이나 신장으로 갈아 끼우는 시대도 올 것이다. 그런 시대가 온다면 인간은 어떻게 될 것인가? 인간이라는 존엄성을 가질 수 있을까?

자궁 속에서 10개월을 보듬고 출산 시 하늘이 노란 그런 고통을 겪지 않고 그저 실험실에서 척척 인간을 만들어낸다면 어머니와 자식 간의 모성애는, 가족이라는 단위는, 사회와 국가라는 집합체는 어떻게 될 것인가?

"자, 여기 보세요, 이것은 35주에서 38주 태아의 모습입니다. 여기 탯줄이 이렇게 태반에 붙어 있어요. 이 탯줄을 통해서 모든 어머니의 영양분과 면역체들이 아이한테 전해져요. 그리고……."

해부학 교실원이 구경 온 고등학교 학생들에게 둘러싸여 열심히 표본에 대해 설명을 해주고 있다. 나는 전시실을 나서면서 속으로 그 설명에 덧붙인다.

"그리고 이 탯줄은 태고 적부터 인간과 인간을 순차적으로 연결해 내려온 고리입니다. 어머니와 자식이, 그리고 그 자식의 자식이, 그리고 그 자식의 자식의 자식이……."

그런데 문득 내 눈앞에 무엇이 어른거렸다. 줄이었다. 동아줄 같은 줄이 반쯤 끊어진 상태로 왔다 갔다 하고 있었다. ■

5회 장려상 수상작이다. 임만빈 교수는 계명의대 동산병원 신경외과에서 일하고 있다. 계명의대 학장이기도 한 임만빈 교수는 2006년 가을 수필가로 등단했으며 대한신경외과학회장을 역임하는 등 활발한 사회활동도 하고 있다. 임 교수는 상금 전액을 환자 가족에게 기부한 바 있으며 수상소감을 통해 "글을 쓰는 것은 병아리가 단단한 알껍데기를 쪼는 것과 비슷하다"며 "앞으로 더 성장해 새벽을 알리는 장닭의 울음소리도 흉내내보고 싶다"고 밝혔다.

단풍이 머문 산길에서 | 김탁용 |

가을이 잦아들던 주말, 아내와 함께 설악산에 올랐다.

직장 관계로 주말에만 만날 수 있는지라 모처럼의 여유를 집안에서만 보낼 수 없었다. 가을 정취를 한껏 만끽하고자 하는 심산으로 나선 길이었다. 단풍이 절정인 시기여서인지 설악산은 많은 인파로 북적이고 있었다. 가족끼리 연인끼리 또 친구끼리 모두들 흐드러진 산의 정경 속에 빠져 즐거운 모습들이었다. 무엇보다도 '단풍놀이'를 즐기러 오신 노인들의 모습이 많이 보였다. 산길을 오르는 동안 엽록소가 빠져 누릇해진 단풍의 상긋한 냄새가 살 속까지 스며드는 것 같았다. 어디선가 떨어진 낙엽을 들고 장난치며 깔깔대는 아이의 웃음소리가 들렸다. 길 한쪽에는 단체로 오신 노인 분들이 느릿한 발걸음을 옮기고 있었다. 걸음새는 힘겹고 무거워 보였지만 얼굴은 모두 환한 모습이었다.

"왜 나이 드신 분들은 빨간 옷을 좋아하실까?"

뜬금없이 아내가 웃으며 물었다. 아닌 게 아니라 할머니들 할아버지들 대다수가 빨간 옷을 입고 있는 것처럼 보였다.

"글쎄, 우중충한 옷보다야 밝은 것이 좋아 보여서 그런 것이 아닐까? 빨간 색이 어딘지 환하고 정열적이잖아."

아내의 의미 없는 물음을 나 역시 웃으며 무덤덤하게 받아주었다.

문득 울긋불긋 화려하게 변한 단풍의 모습이, 푸르른 젊음을 뒤로 하고 밝게 차려입은 어르신들의 모습 같다는 억지스런 생각이 들었다. 단풍도 잎의 노화 현상이라는 생리적 변화라는 면에서 보면 말이다. 이런 생각에 도달하자 갑자기 스쳐 지나가는 기억 속에서 한 할머니의 얼굴이 떠오르고 있었다.

*

"그래, 죽지는 않겠소?"

복부 X선 사진을 유심히 보고 있는 내 뒤로 할머니가 웃으며 다가왔다.

희끗한 머리를 곱게 빗어 가르마를 탄 얼굴이 정갈하게 보였다. 요사이 배가 자주 아프고 쓰려서 전혀 식사를 못했다며 당신 속을 보고 싶다고 오신 환자였다.

"내 속이 이렇게 생겼구먼. 근데 죽지는 않겠소?"

숨을 쌕쌕거리면서도 사뭇 여유롭게 다시 답을 재촉하신다.

"네. 할머니 죽지는 않겠어요."

나 역시 할머니에게 너무 진지할 수는 없었다.

"그래? 죽지만 않으면 됐어. 그럼 어서 속 아픈 것 좀 해결해 주슈."

"그런데 할머니, 이 사진만으로는 뚜렷하지 않으니까 내시경 검사를 한번 받아 보는 것이 좋겠어요."

"내시경? 예전에 한번 했는데 그건 도저히 힘들어서 못하겠던데. 그거 안 하고 사진만 보고는 모르겠수? 의사란 양반이……."

싱긋싱긋 웃으면서 얘기하는 할머니가 이유 없이 정겹게 느껴졌다.

그것이 1년 전 할머니와의 첫 대면이었다.

입원을 시켰지만 할머니의 통증은 생각보다 쉽게 나아지지 않았다. 회진 때마다 늘 말로는 그런대로 편해졌다고 했지만 그것은 어디까지나 자신을 진찰하는 의사에 대한 작은 예의에 불과하다는 것을 굳게 주름진 얼굴에서 알 수 있었다. 호흡 곤란도 심하고 영양상태도 좋지 않았다. 거기다 약물에 반응 없는 복부 통증.

단언할 수는 없었지만 어딘지 악성의 냄새가 폴폴 나는 이런 경우는 환자를 위해서 또 나를 위해서도 큰 병원으로 전원 하는 것이 상책이었다.

대학병원으로 전원하기 위해 보호자를 찾았지만 가족도 없는 듯 하였다. 무엇보다도 할머니가 큰 병원에 가지 않으려 고집을 피웠다. 여든이 넘는 나이에 살만큼 살았다는 것이었다. 그저 아프지 않게만 해달라는데, 그저 아프지 않게만 해달라는 말처럼 의사에게 막막하게 느껴지는 것은 없을 것이다. 증상은 비슷할지 모르지만 그런 증상을 유발하는 병인은 모두 다르기에 큰 병원에서 검사를 해야 한다는 설명은 어디까지나 나에게만 해당되는 말이었다. 할머니에게 이런 교과서적인 설득은 통하지 않았다. 시간이 흐를수록 환자의 속쓰림과 복통은 호전 기미를 보이지 않았고 그만큼 내 속도 답답하고 편하지 않았다. 내가 할 수 있는 것은 의학적 무지를 자탄하고 있는 것이 고작이었다. 그렇게 할머니의 차도 없는 증상에 지쳐가고 있을 즈음, 수소문 끝에 할머니의 외동딸을 만날 수 있었다.

딸은 할머니가 4년 전 말기 위암 진단을 받았다는 얘기를 넌지시 해주었다. 치료도 없이 그저 위장약으로만 지내왔다는 것이다.

'그러면 그렇지, 결국 암이었군. 그러니 저렇게 아파하지.'

순간 이상한 생각이 들었다. 4년 전 말기 위암을 진단받고 여전히 지내시다니, 모를 일이었다. 대학병원의 진단이 틀렸을 리도 만무하고 생존율이 거의 희박한 말기 위암 환자가 4년이나 살아있다는 것은 나로서는 드물게 경험하는 일이었다. 그래도 일단 진단은 손쉽게 얻었으니 무엇이 이리도 환자를 고통스럽게 할까하는 고민은 덜어낸 셈이었다.

마약성 진통제를 충분히 투여하며, 할머니에게 위장이 많이 헐었지만 곧 좋아지리라 선의의 거짓을 둘러댔다. 병명을 얘기하지 말아달라는 딸 부탁도 있었다.

"속에 꼭 매달리는 것이 있는 거 같단 말이야. 음식이 잘 내려가지도 않고. 그래도 처음보다는 좀 나아졌어. 정말이야."

늘 회진 때면 입에 담는 말씀이었다.

그것이 말이죠. 3년 전부터 커온 암 덩어리라 그래요. 지금은 저로서도 어쩔 수가 없어요. 그런 큰 병으로 지금까지 지내신 것만 해도 다행스런 일이죠.

할머니가 불편한 위장을 얘기할 때마다 이것이 머릿속에 머문 솔직한 생각이었다.

'어쩔 수가 없다.'

이 말처럼 편한 말이 또 어디 있던가. 병이 그러니 어쩔 수가 없다. 나이가 들어 그러니 어쩔 수가 없다. 천식이 심하니 어쩔 수가 없다.

이 어쩔 수 없다는 말 한마디로 병세가 악화되어도 면책받기도 하고 간단히 환자 상태를 단정지을 수도 있었으니 말이다. 분명 그 순간 꾀바른 내 생각은 할머니에게는 약간의 동정을 실어 보낸 진통제만이 최선이었다고 여겼던 것 같다. 보호자에게, 진단 받은 대학병원으로의 전원을 다시 이야기했지만 딸 역시 큰 병원에 입원한다고 좋아질 것도 아니고 연세도 많으시고 무엇보다도 치료비도 없고 하니 그냥 통증만 덜어주기를 원하였다.

이후 할머니는 통증이 심할 때마다 입원했다 퇴원하고 또 퇴원했다가는 입원하기를 계속하였다.

그런 반복이 계속될수록 그 분에 대한 내 태도도 역시 병의 인과적인 틀에 자리잡은 대로 무뎌진 것은 아닌지 모를 일이었다.

그동안 할머니의 고통은 위 속에만 국한된 것은 아니었다. 천식이 심해져 쌕쌕거리는 호흡 소리가 위태위태하여 급하게 응급실을 찾기도 했다.

어느 날은 병실 회진을 하는데, 나도 모르는 사이에 입원한 할머니가 힘없이 병실에 앉아 계셨다.

"내 죽지 않으려고 또 입원했어. 이번엔 허리하고 무릎이야."

골다공증과 퇴행성관절염도 할머니를 괴롭히는 병마였다. 그렇게 시간은 흘러갔고 항상 엷게 웃음 짓는 할머니의 이마 주름도 점점 깊이 패어가고 있었다.

"이젠 죽는 것이 낫겠어……."

할머니와의 만남이 1년이 지난 초가을, 진료실에 오신 할머니가 갑자기 불쑥 이런 말을 하셨다.

"언제는 죽지는 않겠소, 않겠소 하시더니 왜 그러세요?"

나는 분위기도 없이 가볍게 응대했다.

왜 그러세요? 그 말은 분명 하지 않았으면 좋았을 말이었다.

"속도 아프고 전신이 다 아파. 숨도 차고……. 어디 하나 제대로가 없어. 약 먹는 것도 이젠 지겨워. 약 먹는다고 나아지지도 않고."

"무슨 말씀이세요. 연세 드시면 다 그렇게 불편하신 거예요. 이제 좀 덜 아파지시면 가까운 산에 가서 단풍도 즐기고 그러셔야죠."

생각해보면 환자에 대한 위로치고는 별로 어울리지 않는 말이었다.

할머니는 흐릿한 눈빛으로 내 얼굴을 말없이 빤히 바라보고 있었다. 갑자기 무안한 생각이 들었다. 환자의 고통을 모르면서 아무렇게나 내뱉는 가벼운 모습을 들켜 버린 것 같았다. 멋쩍어하는 나를 향한 말인지 혼잣말인지 할머니는 힘없는 목소리로 중얼거렸다.

"단풍이라……, 그래 이파리도 늙으면 색이 누렇게 변해 떨어지는 거지. 예뻐 보이지만 실제는 그것도 병들어 색이 바래가는 건지도 몰라. 남들이 그렇게 좋게 볼 때 가는 것도 낫겠어. 차라리……."

모를 말이었다. 그것이 할머니의 마지막 모습이었다. 할머니와의 대면 후,

그 요상한 일을 까맣게 잊고 있던 어느 날. 여느 때와 마찬가지로 오전 진료를 하고 있는데 갑자기 응급실이 부산해졌다. 119 사이렌 소리가 들리고 응급실이 시끌시끌했다.

지나가는 간호사에게 무슨 환자야? 하니 농약 마신 사람이래요, 한다. 그럼 우리 병원에 오면 어떡해, 빨리 큰 병원으로 옮겨야지. 빨리 전원 시켜. 에고 곧 죽겠군, 하고 아무 생각 없이, 정말 아무 생각 없이 지껄이고 있었다.

그렇게 오전 진료를 마치고 쉬고 있는데 다른 간호사가 와서 내게 충격적인 얘기를 하였다.

"과장님, 오전에 농약 마신 환자요, 그 분이 글쎄 조 할머니래요."

"뭐? 정말이야?"

갑자기 머리가 둔기로 맞은 것처럼 심하게 흔들렸다. 할머니가 싸늘해지고 있을 시각, 나는 아무렇게나 죽음에 관해 내뱉고 있었던 것이었다. 1년간 환자와의 관계 속에 진심이 몇 번이나 있었을까? 마지막으로 스스로 죽음을 선택한 내 환자에 대해 최소한의 예의도 지키지 못했다는 때늦은 자책감에 한동안 멍해 있었다. 얼마나 힘들었으면, 얼마나 외롭고 고통스러웠으면 자살을 택했을까? 움푹 들어간 눈으로 나를 보며 진료실을 나갔던 할머니의 마지막 모습이 떠올랐다.

실상 그 분의 죽음에 관해 내 책임은 없다고도 말할 수 있을 것이다. 그러나 할머니가 진정 원했던 것은 불치병의 치유나 호전이 아니라 자신의 아픔을 이해해주는 따뜻한 말 한마디가 아니었을까. 외롭고 고통에 지친 그분의 손을 왜 한번도 따뜻이 잡아주지 못했을까. 반복된 만남 속에서 기계적으로 처방하고 무감하게 대했던 지난 시간이 부끄럽게 여겨졌다. 한번만이라도 진실하게 의사와 환자의 관계를 떠나 인간적으로 대했다면 적어도 극단의 선택은 막을 수 있었는지도 모른다. 그 순간 나는 할머니의 죽음에 대해 소극적인 방관자였다고 생각했던 것 같다.

대학시절, 낙오하지 않기 위해 밤새워 많은 질환명과 치료를 무작정 외우면서 의사가 되고나면 인의를 베풀리라, 당찬 각오를 간직했던 때도 있었는데 내 키보다 더 많은 시험지와 씨름하여 얻은 의사면허증을 손에 쥐고 나서는 조금씩 현실에 물들어가고 있는 인정 없는 나를 느꼈던 것이다.

*

"무얼 그리 골똘히 생각해?"

느려진 내 발걸음에 아내가 물었다.

"아니, 그냥. 우리 좀 쉬었다 갈까?"

배낭을 내려놓고 편평한 바위에 앉으니 시원한 바람이 살갗을 간질거리며 지나갔다. 고개를 돌려보니 저 밑에서 아까의 노인 분들이 구부정한 모습으로 급한 언덕을 오르고 있었다. 그 모습이 더디게 보였는지 뒤에 있는 일단의 젊은이들이 옆으로 성큼성큼 지나갔다.

순간, 젊음이 좋긴 좋구나, 하는 한 할아버지의 웃음 섞인 목소리가 들렸다. 한 젊은이가 싱긋 웃더니 가던 걸음을 멈추고 뒤돌아보았다. 그리고 언덕길에 힘겨워하는 할머니에게 찬찬히 손을 내밀어 주었다. 할머니는 젊은이의 손을 잡고 영차하며 언덕에 올라섰다. 할머니의 고마워하는 얼굴이 보인다. 분명 건넨 손은 따뜻했으리라.

어디선가 불어오는 가을바람에 길 주위에 늘어선 여러 꽃들이 이리저리 섞이며 흔들리고 있었다. ■

4회에서 장려상을 수상한 김탁용 선생은 현재 안성성모병원 내과과장으로 일하고 있다. 제주도에서 열린 철인 3종 경기를 14시간 만에 완주한 철인이기도 한 김탁용 과장은 2006년 1월 결혼 5년 만에 예쁜 여자아이를 낳았다. "의사라고 획일적으로 살기보다 다양한 경험을 추구하며 인생을 즐겁게 살려고 노력 중"이라며 안부를 전해온 그는 딸아이 이름도 우리 옛말로 '즐거운'이라는 뜻을 지닌 '라온'이라 지었다.

어떤 이방인과의 만남 |이형중|

"새벽종이 울렸네, 새아침이 밝았네"라는 노래가 아침마다 울려 퍼졌던 30여 년 전. 먼지 날리며 집 앞 흙길을 시끄럽게 달리던 말발굽 소리와 위태롭게 털털거리며 다니던 삼륜차의 흔적과 함께 속칭, 미제장수 아줌마의 희미한 흔적이 먼 기억의 편린으로 자리를 잡는다. 아줌마가 가판에서 펴 보이는 방물장수 수준의 듣도 보도 못한 미제물건들은 마치 세헤라자데 천일야화처럼 물건 하나하나에 이야기와 의미를 부여하고, 감정을 이입하고 또 한편 그런 물건이 우리나라에 수입될 수 있다는 것에 대해 형언하지 못할 감격을 느끼게끔 하였다. 미국은 그런 나라였으니까.

아침부터 가판대 앞에 앉아 있으면 아줌마는 이따금 미제 사탕을 주면서 미국에 다녀왔던 이야기를 쏟아놓곤 하였다. 나성에 갔더니 미국은 거지도 양주를 먹더라, 미국 사람들은 모두 반짝거리는 구두를 신는데 전부 발이 도둑놈 발처럼 커서 비 올 때 그거 신으면 뱃멀미한다, 등등. 서울에 올라와서도 미국에 대한 동경은 계속되었다. 초등학교 소풍 때 미군 C 레이션을 가져온 친구는 영웅이 되었다. 과자, 초콜릿, 치즈, 커피크림분말(참 맛있게도 먹었다) 등등. 고등학교 때 비디오가 처음 나올 무렵 미국의 베타 비디오테이프를 백여 개 소장한 친구가 있었는데 매주 한 차례 부모님이 외출하시면 안

방극장을 상영하였다. 그 당시 유행하였던 《스크린》, 《로드쇼》등 일본 영화 잡지에서나 봄직한 영화들, 그리고 할리우드 배우들.

우리는 뜻도 모르면서 어두운 방안에서 침을 삼키며 세계 최강대국이 자의 반 타의 반 베풀어주는 문화의 수혜를 몸소 체득하였다. 미국은 그 때까지도 이 나라에 태어난 것에 대한 자괴감을 꽉꽉 주는 그런 느낌으로 와 닿았다. 그런데 언제부터인지 우리 주변에 외국인들이 넘쳐나기 시작하였다. 얼굴 하얗고 키 큰 미국 사람들부터 우리보다 작고 시커먼, 어디서 왔는지도 모를 아시아 다른 쪽 사람들.

언제부터인지 가당찮게도 우리는, 아니 나는 그들을 옛날 아메리카가 한국을 보듯이 그렇게 우습게보기 시작했다. 돈이 없어 이곳에 자존심을 팔고 몸을 팔고 때로는 손가락, 발가락도 팔고 하는 부류의 인간들로.

*

까무잡잡한 피부, 크고 동그란 쌍꺼풀 진 눈과 두껍고 큰 입 가득히 생글거리는 미소, 국적불명의 말투(사투리인지 뭔지).

내가 A에 대해 떠올릴 수 있는 인상들이다. 아, 또 있다. 손가락 밑에 까맣게 긴 때들(내가 손가락을 응시하자 그는 말없이 수줍게 손을 책상 밑으로 내렸었지). 그리고 주민등록증에 나와 있는 73xxxx-5xxxxxx이란 낯선 번호. 보험증도 없어 자비로 치료비를 부담하고 내 연구실로 찾아와 눈물 글썽이며 고향 이야기를 했던 녀석. 지금은 이곳에 없을 거라 생각되는 녀석.

2년 전 5월. 발령을 받고 얼마 되지 않아 다른 교수님들 수술에 들어가는 '오더리' 노릇을 하고 있을 무렵이었다. 그는 얼마 되지 않는 신환 중 한명으로 외래에 들어왔다. 눈만 멀뚱멀뚱 뜨고 쳐다보고 있는, 태생이 어딘지도 모르는 외국인에게 잠시 난감해 하고 있다가 "What's the matter with you?" 하는데 그 친구가 입을 열었다.

"모가지가 아파 죽겠어요. 팔도 아파요. 공장에서 기계 돌리다가 힘들면 어깨 만지면서 팔 들고 있어요."

"······."

"목 디스크 아니에요? 수술 받아야 되나요?"

좀 있다가 접수를 늦게 마치고 온, 그보다는 훨씬 더 희멀건 한국인 보호자가 한 마디 거든다.

"이 근처 공장에서 일하는 외국인 노동자예요. 몇 달 전부터 아프다고 했는데 형편이 여의치 않아서 약만 먹다가 어제 밤에 끙끙 앓고 누웠기에 데리고 왔어요."

이학적 소견상 목 디스크가 확실해 보였기에 시간을 절약하고자 곧바로 입원시키고 CT촬영까지 한 후 수술을 결정하였다. 방글라데시라 하였던가. 당연히 보험도 되는, 그 당시 말로만 듣던 산업연수생이겠거니 하고는 '좋은 사장 만나 수술까지 받는구나' 하고 생각하였다. 수술이 순조롭게 끝나고 오후 늦게 회진을 할 무렵 눈에 핏발이 서고 목은 부은 채로 그 친구가 내게 막대가 달린 사탕 하나를 내 밀었다. "선생님. 간호원 아가씨가 저보고 이거 먹지 말래요. 선생님이 대신 먹어요."

(얼른 가운 주머니에 넣고는) "아픈 거 어때. 많이 나아졌지. 목 보조기 두 달 정도 차면 말짱해 질 거야."

"예."

이상한 놈이었다. 수술하고 증상이 좋아지면 고맙다고 하는 게 인지상정인데. 이 놈은 고맙단 말도 안하네. 수술 후 5일째 역시 고맙다는 말없이 퇴원하였다. 이번에는 호주머니 속에 꼬깃꼬깃 접어 늘어 붙어버린 껌을 내게 내밀었다. 그 큰 입을 귓가까지 찢으며. 그리고 두 번 외래로 사진 찍으러 오고 이제 보조기 안 해도 된다는 말을 뒤로 하고 그는 사라졌다. 그런 친구가 있었는지도 잊을 무렵, 응급실로 그 녀석이 왔다는 소릴 듣고 깜짝 놀라 가보니 손을 다친 모양이다. 응급실 처치실에서 붕대로 손을 감고 앉아 있는 모습이 왠지 모르게 전과 달리 느껴졌다.

"야, 이게 무슨 일이야. 너 다쳤니?"

"형, 내가 간호원에게 형 좀 연락해 달라고 했어요. 이거는 괜찮아요. 기계에 조금 다쳤어요."

"이건 내가 보는 게 아니야. 정형외과라고 손 다치면 보는 과가 따로 있어."

"아니, 형 보고 싶어 왔어요."

미친 놈, 선생님도 아니고 형이라니. 내색은 못하고 말을 이었다.

"야, 인마. 내가 왜 니 형이야? 너랑 나랑 공통점은 얼굴 시커면 게 유일한데."

"형이라고 부르면 안돼요? 집에 있는 형도 안경 끼고 형하고 똑같아요."

그래 맘대로 불러라.

"근데, 너 손 좀 보자. 야, 이거 꿰매야 되겠다. 너 안 아프냐?"

"나 안 아파요. 참을 수 있어요. 목은 수술하고 좋아졌어요. 사장님이 나 때문에 괴로워했는데 형한테 수술 받은 다음부턴 요새는 나한테 싫은 소리 안 해요."

"좋아졌다니 다행인데. 이거 빨리 꿰매자. 내가 꿰매줄까?"

"예."

잠시 후.

"너 돈 있냐? 이거 니 사장님이 돈 대주는 거냐?"

"아니요. 내가 돈 내는 거예요."

"그래? 그럼 조금만 기다려. 내가 약 줄게."

십여 분 후.

"야, 그거 곪지 않게 잘 해야 돼. 곪으면 돈 더 든다. 조심해라."

"예."

고맙다는 소리도 없이 녀석은 가고 조만간 또 볼 것 같은 예감이 들었다.

그로부터 몇 달 후 A는 다시 외래로 왔다. 목과 팔은 괜찮은데 어깨가 아파 밤에 잠을 못 자겠단다. 특별한 신경학적 소견은 없어 일단 단순 엑스선만 찍었다.

"야, 내가 보기에는 너 잠자는 습관이 잘못된 거 같은데. 너 베개 높은 거 베니?"

"아니요. 나는 베개 안 베요."

"그럼 팔베개하고 쪼그려 자냐?"

"예."

"그러니까 아프지. 근데 너 돈 없지. 밖에 나가 좀만 기다려봐. 내가 약 줄 테니까."

"예."

약을 건네받은 후, 귀까지 걸리는 예의 함박웃음을 뒤로 한 채 외래를 나서는 녀석. 역시나 고맙다는 말은 안한다. 또 한달 후 외래. 낮은 베개를 맞추고 쪼그려 자지 않는데도 여전히 아프단다. 목덜미와 어깻죽지 사이 견갑부를 만지니 압통점이 있어 그 부위를 잠깐 안마를 해주니 한결 낫단다.

"이건 목 수술하고는 별개 같은데 보조기 오래 차느라(불안해서 3개월을 찼단다) 목 뒤 근육이 아직 안 풀린 거 같아. 물리치료 받는 게 어때?"

"형, 그거 비싸면 나 못해요."

"그래. 그러면 일하다가 수시로 목운동하고 자주 근육 풀어줘. 약 더 필요하냐?"

"예."

이번에는 처방을 냈다. 매번 그냥 줄 수는 없는 노릇이기에.

"더 오지마라. 너 보니까 괴롭다."

"예."

*

"우리 사장님한테 보여주게 병명 좀 적어줘요."

두 달이 지나 외래로 다시 온 A의 첫 마디. 계속 아프다니까 사장이 점차 싫어하더니 결국은 공장을 옮긴 모양이다. 메모지에 작은 글씨로 끼적거리던 나는 '근막동통증후군, 만성경추부염좌, 술후경추부불안정증 의증'으로 A4용지와 소견서에다 진단명을 써주고 다시 몇 자 첨언했다. 자세 이상으로 인한(아마도 십여 시간 이상의 공장작업으로 인해 발생한 것 같았다) 근육통이 주인 거 같다고 생각되어 일 너무 많이 시키지 말고 짬짬이 휴식 충분히 주라고 했다.

"자, 이거면 되냐?"

"어, 이렇게 쓰면 나 쫓겨나요. 먼저 사장님도 병이 많으니까 지겹다고 했어요."

"그러면 술후경추불안정증만 넣자. 어차피 너 수술했으니까."

"예."

자기 바뀐 공장 설명하면서 볼펜으로 끼적거리는 손은 몇 달이 지났는데도 완전히 회복된 거 같지는 않았다.

"너 손가락 다친 거 병명에서 빼도 되냐?"

"병 이름 많이 넣으면 사장님이 싫어해요. 야간작업하는데 저만 빠져서 친구들한테 미안해요."

그날 내 가운에 꽂혀있던 파카 펜 한 자루는 녀석의 셔츠 호주머니로 명의 변경해야 했다. 이 서류로 안 되면 연락하라는 당부와 함께 내민 명함과 함께.

늦은 오후 녀석에게 전화가 왔다.

"나, 형 좀 만나려 해요."

세 달 정도 지났을까. A는 초췌한 모습으로 살이 쏘옥 빠져서 왔다. 아프다고 말하면 다른 직원들만큼 일을 못하기 때문에 월급도 제대로 받지 못하고 자리를 비워줘야만 하는 모양이다.

"어떻게 지냈냐? 너 어디 아프냐?"

"어깨도 아프고 손도 아프고 허리도 아픈데 말하면 안 돼요. 지금 그만 두면 돈 못 받아요. 형이 결혼하는데 가 보지도 못하고 슬퍼요."

"……."

"형한테 부탁드릴 게 있는데. 나 진단서 좀 써 주세요. 수술했다는 병명을 적으면 우리나라 갔다가 다시 올 수 있어요. 고향에서 같이 온 친구가 있었는데 우리나라 가기 전에 죽었어요. 나도 우리나라 갔다가 다시 한국 오고 싶어요."

녀석은 친구의 사망진단서를 내밀었다. 기흉으로 수술한 적이 있고 그 와중에 돈도 없는데 폐렴기로 고생하다가 패혈증이 생겨 중환자실에서 고생하던 중에 사망한 모양이다. 그래도 친구라고 지가 가지고 있던 돈을 선뜻 입원비로 내놓은 것 같았다.

"야, 이거 사장님이 돈 안주니? 일하다가 잘못돼서 그런 거 아냐?"

"돈 얘기하면 안돼요. 아프면 나만 힘들어요. 더 말하면 때려요."

화가 치밀었다. 평생 노동운동이니 노동자의 권익이니 그런 거 모르고 지냈는데, 아니, 나와는 상관없는 다른 세계 사람들에 대한 배부르고 섣부른 가치전이에 부담을 느껴서였는지. 대학교 졸업반 무렵 경찰 몰래 보았던 '파업전야'란 영화가 내가 가진 노동자에 대한 인식 전부인데. 그래도 화가 났다. 수술하고 어깨가 계속 아팠던 것과 내가 직접 꿰매주었던 손가락이 변형되어 주먹 쥐기가 힘들어진 게 내가 화내는 이유의 전부인지. 아니면 그렇게 힘들었으면서도 내게 원망 한 마디 않는 마음 씀씀이에 더 미안한 생각이 든 건지. 그때 치밀었던 화가 보상성인지 투사성인지는 중요치 않았다. 한 가지 분명한 건 갑자기 이 친구를 안아야 하겠다는 생각이 들었다는 점이다. 그것도 꼭 말이다. 미안했다. 그래도 그곳에서 대학물까지 먹었던 놈이 이곳에 와서 큰 수술까지 하고 고향친구 때문에 돈 다 날리고 몸은 몸대로 마음은 마음대로 피폐해진 녀석의 큰 눈망울이 가슴을 후볐다. 가슴이 축축해졌다. 진하디 진한 녀석의 눈물이 나로 하여금 더 이상의 말을 꺼내지 못하게 제동을 걸었다. 그래 울어라. 내가 도와줄 건 없지만 네 눈물하나 맘껏 받아주지 못하겠니. 녀석은 이윽고 내게서 몸을 떨쳐냈다.

"나 한국에서 고생 많이 했어요. 수술도 하고 여기저기 다치고. 잠도 못자고 좁은 방에서 여러 사람 자느라 자고 나면 만날 온몸이 아팠어요. 하지만 나 형 만나서 좋아요. 우리 형 결혼 때문에 나 우리나라 가요. 하지만 다시 오고 싶은데 그때는 힘들지 않았으면 좋겠어요."

"영안 올 거처럼 그러지 마라. 나 여기 계속 있을 거니까. 오면 연락해라."

"고마워요, 형."

눈물을 훔치는 녀석의 손바닥도 녀석의 얼굴처럼 까만 것을 그 때 처음 느꼈다. 손톱 밑의 기름때는 여전히 쉽게 지워지지 않을런가 보다.

제약회사 직원이 나를 만나러 왔다가 인기척 때문에 계속 기다렸던 모양이다. A가 눈물을 닦고 나간 후에 들어왔다.

"뭐하는 사람이에요? 교수님께 협박하러 온 거예요? 하여간 이 놈들은 문제야."

"나도 얼굴 까매. 당신 같은 사람이 있으니까 우리나라가 안 되는 거야."

놀란 직원은 홍당무가 되어 방을 쫓기듯 나갔다.

A와의 만남은 그것이 마지막이었다. 그간 연락이 없었기 때문에 고대하던 고향으로 가서 몇 년간의 회포를 풀었는지, 국내로 다시 들어왔는지는 모를 일이다. 녀석의 성격이 원래 무던했던지 아니면 몇 년간의 이국생활이 그를 자포자기로 만들었는지도 역시 모를 일이다. 갑작스레 형이라고 부르고 마지막으로 눈물을 보이고서야 고맙다는 말을 했던 심정을 조금은 이해할 수 있을 것 같았다. 얼마나 외롭고 힘들었을까. 친하게 지내던 고향친구의 죽음으로 인한 충격은 얼마나 컸을까. 길지 않은 의사생활에서 얻은 경험이란 게

결국 브레히트가 말한 소격효과의 구현이었음을 알았을 때 그것이 얼마나 부질없고 공허한 것이었나를 새삼 느끼게 되었다. 내가 다치지 않기 위해서는, 아니 더 거창하게, 환자를 객관적으로 보고 유물론적으로 분석하기 위해서는 감정이입은 금물이라 느꼈다. 그것이 시커먼 남자 놈의 눈물 한 방울로 산산이 부서질 줄이야.

옛날 우리가 잘사는 미국에 대해 가졌던 생각처럼 우리보다 못사는 나라의 이방인들 또한 한국을 그렇게 느끼면서 이 곳으로 오고 또 쫓겨 나가고 있다. 방송과 신문에서 매일 보고 듣는 소수자들의 억울한 삶. 직접 부닥치기 전에는 느낌이 오지 않았다. 의사라는 입장에서는 더더욱 그러하겠지. 나와는 티끌 한점 공유할 부분이 없다고 보이는 그들이기에. 하지만 그들이 느끼는 삶의 무게가 일부일지언정 내 어깨로 전해졌을 때 놀라움과 실망은 이루 말할 수 없을 정도로 커진다. 그들의 괴로움을 모두 다 알고 경험할 수는 없을 것이지만 이게 아닌데 하는 느낌은 분명 지닐 수 있었다. 이것이 비단 얼굴빛 다른 소수 이국인들만의 애환은 아닐 것임은 분명하다. 이들의 삶은 주류에 편입되지 않은 고단하고 억울한 하루하루 일 것이다. 표준척도로서의 내 생활과는 본질적으로 다른 삶이다. 병이 아닌, 개체로서 느끼는 괴로움에도 관심을 돌려야 하지 않을까.

아래로부터의 호소에 귀 기울이고 응답해야 할 시기라고 본다. 우리가 이전에 잘 사는 나라에 느꼈던 배신감처럼 이방인들이 소외감을 느끼지 않도록. 왜냐하면 우리는 완전히 다른 남이 아니기 때문이다. ■

3회 장려상을 수상한 작품이다. 이형중 교수는 한양대병원 신경외과 조교수로 일하고 있으며 2004년 미국 피츠버그로 1년 간 연수를 다녀왔다. 이 교수는 흔치 않던 이방인과의 만남으로 무인도에 처박힌 심정이 어떤 것인지, 의사에게 모든 것을 의존할 수밖에 없는 심정이 어떤지 느낄 수 있는 기회였다고 소감에서 밝히고 있다. 그리고 눈물 많던 A에게 "울지 말고 잘 지내라, 형으로부터"라는 따뜻한 인사를 남겼다.

인간의 불가피한 고통에 대한 빼어난 성찰

한미수필문학상 3회째를 맞는 올해에는 총 88편의 응모작이 접수되었는데 이것은 작년에 비해서는 약간 줄어든 숫자이다. 하지만 이러한 숫자의 위축은 의사라는 특정 전문직 종사자들을 대상으로 하는 다소 이례적인 이 문학상에 대한 관심의 저하보다는 그 사이 투고작들의 수준이 급상승하고 있는 결과에 따른 것으로 해석된다. 이것은 투고작들이 이미 의료 현장이라는 특수한 영역에서 체험한 감상의 절실함을 밀도 있는 인식과 결합한 글들에서 더 나아가 일반적인 형태의 수필로서도 그 완결성이 상당한 수준에 이른 것을 확인할 수 있다는 점에서도 그 사실이 입증되고 있다. 심사위원 중 한 분은 이러한 사실이 투고 자체를 망설이게 한 이유가 된 것은 아닌가 하는 추측을 하기도 하셨다.

그리고 응모작들의 내용 또한 의사와 환자의 대면 속에서 발생한 정서적인 혼란과 당혹 또는 감동과 감사의 마음을 글이라는 매개물을 통해 수습하고 정화하는 차원을 넘어서서 고통이라는 인간의 불가피한 면모에 대해 깊이 있게 성찰하는 단계에까지 도달해 있었다. 그리고 이것은 고통이라는 주

제가 인간에게 가장 근원적인 현상학적 문제 중의 하나일 텐데 그 문제를 가장 직접적으로, 그리고 가장 일상적으로 상대하는 사람이 의사일 수밖에 없다는 사실에 비춰보면 지극히 자연스런 일이라고 할 수도 있을 것이다.

숙의 끝에 네 편의 작품이 최종 심사 대상에 올랐다.

〈개입〉은 한 말기암 환자의 가족의 갈등과 화해에 관한 이야기이다. 신앙심은 깊지만 남편의 병에 대해 이성적인 태도를 보이지 못하는 아내와 나머지 가족과의 불편한 관계가 마침내 서로를 이해하는 사이로 발전하게 되는 과정을 잘 그려내고 있다. 가족 중 누군가가 아프게 되면서 가족 전체가 때로는 혼란스런 심리적 소용돌이 속에 빠지게 되는 것은 흔히 있는 일일 것이다. 〈거지와 의사〉는 추운 날씨에 우연히 자신의 병원 앞에서 거처를 정한 한 노숙자에 관한 이야기이다. 노숙자가 병원 입구에서 자리를 튼 것에 대해 신경이 쓰이지 않는 것은 아니지만 그를 위한 최대한의 배려를 한다. 그럼에도 노숙자는 객사를 하게 되고 그에 대한 자책이 솔직하게 그려지고 있다. 〈겨울나무〉는 과거에 알게 된 한 지체 장애인 여인을 지하철에서 다시 만나게 되는데 그녀가 아이를 데리고 앵벌이를 하는 것을 보며 일시적인 분노를 느끼게 되지만 끝내는 그녀의 처지를 이해하게 된다는 얘기이다. 〈이별〉은 응급실에 실려 온 다소 성격이 고약한 한 노인 환자의 아내가 남편에 대한 숭고한 사랑을 그에게 허락된 짧은 시간 동안 감동적으로 베푸는 것에 관한 이야기이다.

나머지 작품들도 그렇지만 네 편 응모작의 수준 차이가 크지 않았고, 그것이 대상을 가리는 데 있어 고민하게 했다. 실제로 어느 작품을 대상으로 선정한다 해도 큰 무리는 없었다. 개입이 대상으로 선정된 것은 환자와의 관계에 있어 적정한 거리를 유지하는 것과, 또 한편으로는 그들의 삶에 어떤 식으로

든 개입하지 않을 수 없는 의사의 자기 고민이 잘 그려졌다는 점이 높이 평가되었다.

의사라는 직업은 일상적으로 고통에 노출되어 있는 유별난 직업일 것이다. 그리고 고통은 가장 큰 문학적 주제 중의 하나이며, 따라서 그것을 어떤 형식으로든 형상화하고 싶은 욕망을 갖는 것은 자연스런 일일 것이다. 의사들이 자신의 체험을 글로 표현하는 것은 놀라운 일이 아니며, 실제로 미국의 에세이스트이자 소설가인 윌리엄 카를로스 윌리엄즈는 의사이자 작가로서 탁월한 작품들을 낸 대표적인 사례로 꼽을 수 있을 것이다.

심사위원들의 욕심으로는 한국의 현역 의사들이 자신의 체험을 바탕으로 해 인간의 고통에 대한 깊이 있는 성찰을 수필로, 또는 더 나아가서 소설로 완성도 있게 그린 작품을 써내는 날이 오기를 바라마지 않는다. 그것은 문학적으로도 또 다른 영역을 구축하는 일일 것이다.

당선자들에게는 축하를, 투고자들에게는 격려를 아낌없이 보내는 바이다. ■

"밀도 있는 감정 표현으로 진한 감동 끌어낸 수작(秀作)"

글을 쓴다는 것은 자신의 삶을 되돌아보는 일에서 시작된다. 거기에는 젊은 시절의 열정에 대한 벅찬 기억이 있는가 하면, 끝내 잊혀지지 않고 남아 있는 안타까운 회한의 아픈 기억도 있다. 벅참과 안타까움이 교차하는 그 기억들을 정돈하면서 우리는 새삼 자신을 새롭게 발견하기에 이른다.

그런 의미에서 이번에 투고된 83편의 글들은 자신의 삶에 대한 성찰의 기록이자 현재의 '나'를 확인하고 새롭게 구성하는 과정에 대한 진실한 고백으로 읽혔다. 그러하기에 심사위원들은 결과로서의 글에 대한 평가에 앞서 글을 쓰는 행위 자체에 담긴 순수한 열정과 의지와 우선 마주해야 했다.

그것은 기쁨이자 보람이었고 적지 않은 글들을 읽어야 하는 시간의 고역을 충분히 위로해 주었지만, 그와 별도로, 아니 그렇기 때문에 수상작을 가려내야만 하는 선택의 고충은 더 클 수밖에 없었다. 오랜 논의 끝에 3편의 작품이 최종 심사 대상으로 선정되었다.

'시간의 굽이치는 길목에 서서……'에는 극적인 사건이 담겨 있다. 암벽

등반을 하다가 추락, 뇌출혈로 뇌사 상태 직전까지 갔던 대학후배 K가 다시 소생한 사건이 그것이다. 장기이식을 위해 K의 뇌사 여부를 판정하는 순간 아주 짧게 일어났던 뇌파 반응을 앞에 두고 '나'는 미묘한 갈등을 경험하게 된다.

성공적인 장기이식을 위해서는 판정이 지연되어서는 안 된다. 하지만 미세한 생명의 반응을 지나쳐버릴 수도 없다. 결국 뇌사판정이 유보되고 K는 기적처럼 소생했지만, 과연 그때 이식수술 파트에 있던 자신에게 판단의 결정권이 주어졌다면 어떻게 했을까. 이 사건을 통해 얻은 소중한 체험, 곧 생명의 신비로운 힘에 대한 외경이 호소력 있게 그려져 있는 글이다.

'어느 시골 여의사의 기도'는 시골 풍경처럼 잔잔하고 따뜻한 느낌으로 가득 채워져 있다. 시골에 개원한 어느 소아과 여의사가 부모에게 버림받은 아이를 진료하며 새삼 확인하는 것은 아이들의 건강이 그들을 대하는 부모들의 태도에 따라 크게 달라진다는 사실이다.

그러하기에 아이들을 돌봄에 현대의학과 첨단기술보다 따뜻한 사랑과 보살핌이 더 중요하다는 것을 새삼 느끼지 않을 수 없으며, 신체의 질병을 치료하는 것뿐만 아니라 환자와 그 가족이 갖는 내면적 고통에 대해서도 관심을 기울이지 않을 수 없다. 이러한 새삼스런 진실을 잊지 않게 도와달라고 기원하는 시골 여의사의 기도에는 간절한 울림이 담겨 있다.

'내 아버지의 약속'에는 진한 감동의 울림이 있다. 아버지의 죽음 앞에서 무기력과 회의에 사로잡혀 있던 한 산부인과 의사가 입관을 앞두고 예정된 수술을 시행한다.

위험한 수술을 앞둔 산모의 미소를 바라보며 그는 무영등 불빛만 잔인하게 빛나는 절해고도의 수술실에 산모와 자신만 남은 것 같은 느낌에 잠긴다. 그는 다른 사람에게 수술을 맡기려던 계획을 포기하고 문득 운명이라는 단어를 떠올린다. 아이의 울음소리가 들리는 순간 그는 울고 있었다. 그 순간의 눈물은 아버지의 죽음의 속삭임도, 어머니의 오열도, 그리고 그의 빛바랜 욕망도 모두 초월한 것이기에 투명하기 이를 데 없다.

심사위원들은 수차례에 걸친 논의 끝에 '내 아버지의 약속'을 대상으로, 그리고 나머지 두 작품을 우수상으로 결정했다.

'내 아버지의 약속'을 읽으며 접했던, 의사이자 인간으로서 느끼는 감정의 섬세함과 그에 대한 밀도 높은 표현이 불러일으키는 감동이 심사위원들에게 큰 인상으로 남았던 까닭이다.

수상자들께 심심한 축하의 박수를 보낸다. 더불어 투고한 모든 분들의 노력에도 격려의 말을 전한다. ■

강렬하게 드러난 초발심

예년에 비해 투고된 응모작의 편수는 조금 줄었지만, 전반적으로 고르고 높은 수준의 글들이어서 우열을 가리기가 쉽지 않았다. 글 속에 담긴 체험의 진실성과 그 체험을 언어로 표현하는 능력, 그리고 분량의 적절성을 기준으로 다음 4편의 작품이 최종 심사 대상으로 선정되었다.

'희생' 은 병리학교실에 파견된 어느 신경과 전공의의 경험이 기술되어 있다. 신경과 의사가 병리학 교실에 간 이유는 무엇인가. CT나 MRI로 보는 사진이 아닌, 생생한 뇌의 제 모습과 제 빛깔과 감촉을 익히기 위한 것이었지만, 해부 과정의 끔찍함이 두려워 '나' 는 자꾸만 머뭇거리고 있었다. 그러던 중 병리학교실의 전공의가 부검 참석을 권한다. 해부 대상은 세상에 존재해 보지도 못한 채 뱃속에서 죽은 아이. 알고 보니 그 아이는 병리학교실 전공의의 조카였다. 그 부검실 벽에는 아마도 이러한 문구가 걸려 있었을 것이다. 이 글의 서두에 제시된 "여기는 죽음이 기쁜 마음으로 삶에 도움을 주는 곳이다(Hic est locus ubi mors gaudet succurso vitae)" 라는 문구가 그것일 터.

끔찍한 해부 과정이 숭고한 의식(儀式)으로 뒤바뀌는 이 장면에서 이 글이 제시하고자 하는 '희생'의 의미가 뚜렷하게 드러나고 있다.

'무의촌에서 겪은 큰절을 받아본 일'은 필자가 20대 후반의 청년이었던 30년 전, 무의촌에 동원되어 진료했던 경험을 담고 있다. 지금으로서는 이해하기 어려운 일들이 자주 일어났던 허술했던 시대의 이야기이다. 그곳에서 '나'가 만난 환자는 말기 신부전증을 앓고 있는 6세의 어린 환자로, 그곳 면서기의 아들이었다. 대학병원에서도 포기했던 그 환자가 시설이라고 할 것도 없는 공의진료소에서 낫는 기적 같은 일이 일어났다. 악조건 속에서도 자신의 소명에 묵묵히 대답했던 성숙한 열정이 만들어낸 기적이었던 것이다. '나'보다도 연상인 환자의 부모로부터 큰절을 받는 희한한 경험은 그 때 겪은 것이다. 오래된 맞춤법과 말투로 씌어진 이 글에서 특히 인상적이었던 것은 바로 그와 같은 굴곡 많은 시간들을 지탱해온 연륜과 자부심이었다.

'황씨 노인'은 갓 의과대학을 졸업한 한 공중보건의가 겪은 일화를 들려주고 있다. 애초에 '나'는 전원적이고 서정적인 무의촌 지소생활을 꿈꾸었지만 막상 가보니 그곳의 현실은 전혀 그렇지 못했다. 도시의 세련됨을 갖지 못한 그들은 '나'에게 야박하고 거칠게 느껴졌다. 특히 황 노인은 막무가내의 고집으로 '나'를 회의에 빠뜨렸던 문제 환자였다. 다짜고짜로 약을 타내려 하고 원칙대로 대하면 욕설을 퍼붓기도 했다. 그러던 어느 날 '나'는 수레에 거동이 불편한 아내를 싣고 가던 황 노인을 발견하게 된다. 거동이 불편한 아내를 위해 약을 타가려 했던 그의 행동을 그제야 '나'는 이해할 수 있게 된다. 이 순간 세계에 대한 '나'의 인식은 다시 한번 반전되기에 이른다. '나'가 만물이 조락하는 늙고 병든 계절인 가을 속에서 새삼 아름다움을 발견할 수 있게 된 것 또한 그러한 인식의 반전으로부터 연유한 것일 터이다.

'첫 환자, 이삭'은 의대 6년과 인턴을 거쳐 마침내 주치의가 되어 첫 환자를 진료하는 순간에서 시작된다. 주치의가 되어 출발하는 그 순간이 얼마나 홍분되는 기억이었으면 '2001년 2월 28일 오후 5시'라는 시간까지 정확하게 기억하고 있을까. 그런데 '나'가 마주한 첫 환자는 Agyria, 곧 gyrus(뇌이랑)가 없는 흔치 않은 병을 앓고 있는 남자아이였고, 초심자의 열정으로 보살폈지만 결국 안타깝게도 세상을 떠나고 만다. 얼마나 가슴 아픈 기억이었으면 10개월짜리 어린 환자 이삭이 어릴 적 자신과 닮아 보이기까지 했을까. 이 극도의 홍분과 절망은 한 가지 길에 뜻을 둔 이들을 사로잡고 있던 어떤 열정의 형식이라고 할 수 있을 것이다.

  심사위원들은 '첫 환자, 이삭'을 대상 수상작으로, 그리고 나머지 세 편을 우수상으로 정하는 데 비교적 쉽게 합의했다. 네 편의 글 모두 의사로서 출발하는 순간 품고 있던 의지를 떠올리고 있다는 점에서 공통되었는데, '첫 환자, 이삭'에서 그것이 특히 강렬하게 드러나 있었기 때문이다. 그러한 출발 순간의 마음가짐을 일러 우리는 초발심이라 부르곤 한다. 한 가지 길에 뜻을 둔 이들이 그것을 매순간 떠올리지 않으면 어느새 다른 길에 접어들어 있는 자신을 발견하게 되는, 그러하기에 그 길을 끝까지 가고자 하는 이들이 항상 마음속에 간직하고 있어야 하는 출발점에서의 다짐이 바로 그것이다. 수상작들을 비롯한 투고된 글 모두에서 심사위원들은 그와 같은 초발심의 의지를 엿볼 수 있었으며, 그것은 이 행사가 존재하는 뚜렷한 이유이기도 하다는 사실을 새삼 확인할 수 있었다.
  내년에는 더 많은 글들과 만날 수 있게 되기를 기대하며, 더불어 수상자들께는 축하의 박수를, 아쉽게 수상하지 못한 투고자들의 노력에는 심심한 격려의 말씀을 전한다. ■

▪ 황동규

· 시인, 서울대 영문과 명예교수
· 서울대 및 동대학원 영문과 졸업
· 1958년, 시 '시월', '즐거운 편지', '동백나무' 등으로 등단
· 〈삼남에 내리는 눈(1975)〉, 〈악어를 조심하라고?(1986)〉, 〈풍장(1995)〉, 〈버클리풍의 사랑 노래(2000)〉, 〈우연에 기댈때도 있었다(2003)〉, 〈꽃의 고요(2006)〉 등 13권의 시집과 〈젖은 손으로 돌아보라(2001)〉 등 몇 권의 산문집
· 현대문학상, 이산문학상, 대산문학상, 미당문학상 등 문학상 7회 수상

▪ 정영문

· 소설가, 번역가
· 서울대 심리학과 졸업
· 1996년 장편 '겨우 존재하는 인간'으로 등단
· 중편 〈하품〉과 소설집 〈검은 이야기 사슬〉, 〈나를 두둔하는 악마에 대한 불온한 이야기〉, 〈핏기 없는 독백〉, 〈더없이 어렴풋한 일요일〉, 〈중얼거리다〉, 〈달에 홀린 광대〉 등
· 번역서 〈우리는 사소한 것에 목숨을 건다〉, 〈카잔차키스의 천상의 두 나라〉 등 다수
· 1999년 동서문학상 수상

■ **손정수**

· 문학평론가, 계명대 문예창작과 교수
· 서울대 법학과 및 동대학원 국문과 졸업
· 1998년 조선일보 신춘문예로 등단
· 평론집 〈미와 이데올로기〉, 이론서 〈개념사
  로서의 한국근대비평사〉, 〈텍스트의 경계〉
  등

사람, 사람을 만나다
의사가 만난 환자 이야기

엮은이 | 청년의사 편집국
(licomina@docdocdoc.co.kr)

펴낸이 | 이왕준
주간 | 박재영
편집 | 김민아
디자인 표지 · 본문 | 김태린
사진 | 김선경

출판등록 | 1999년 9월
초판 1쇄인쇄 | 2007년 2월 5일
초판 1쇄발행 | 2007년 2월 10일

(주)청년의사
주소 | 121-854 서울시 마포구 신수동 99-1 루튼빌딩 2층
전화 | (02) 2646-0852
FAX | (02) 2643-0852
전자우편 | webmaster@docdocdoc.co.kr
홈페이지 | www.docdocdoc.co.kr

The Korean Doctors' Weekly

ISBN | 89-91232-09-4
정가 | 10,000원